Catalogage avant publication de Bibliothèque et Archives nationales du Québec et Bibliothèque et Archives Canada

Dubois, Amélie, 1981-
Chick lit
Sommaire : t. 4. Vie de couple à saveur d'Orient.
Texte en français seulement.
ISBN 978-2-89585-274-2 (v. 4)
I. Titre. II. Titre : Vie de couple à saveur d'Orient.
PS8607.U262C44 2011   C843'.6   C2010-942154-X
PS9607.U262C44 2011

Illustration de la couverture : Niloufer Wadia

Les Éditeurs réunis bénéficient du soutien financier de la SODEC
et du Programme de crédits d'impôt du gouvernement du Québec.

Nous remercions le Conseil des Arts du Canada
de l'aide accordée à notre programme de publication.

Nous reconnaissons l'aide financière du gouvernement du Canada
par l'entremise du Fonds du livre du Canada pour nos activités d'édition.

Édition :
LES ÉDITEURS RÉUNIS
www.lesediteursreunis.com

Distribution au Canada :
PROLOGUE
www.prologue.ca

Distribution en Europe :
DNM
www.librairieduquebec.fr

 *Suivez Les Éditeurs réunis sur Facebook.*

Imprimé au Canada

Dépôt légal : 2012
Bibliothèque et Archives nationales du Québec
Bibliothèque nationale du Canada

Amélie Dubois

Vie de couple à saveur d'Orient

LES ÉDITEURS RÉUNIS

De la même auteure

Oui, je le veux … et vite! (roman)

Dans la série *Chick Lit* :

Tome 1. La consœurie qui boit le champagne

Tome 2. Une consœur à la mer!

Tome 3. 104, avenue de la Consœurie

Un jour, quelqu'un m'a dit :
« N'oublie jamais que chaque histoire a son histoire... »

Un nouveau venu !

— BONNE ANNÉE ! crie Cori en levant son verre de champagne vers moi, tout en parlant au cellulaire.

Je l'observe en souriant, même si je n'entends pas ce qui se dit. Expressive, elle ouvre grand la bouche en me dévisageant, les yeux ronds.

— Oh mon Dieu ! Félicitations ! Attends une minute, je vais l'annoncer aux autres…

Tout le monde se tourne vers elle pour entendre sa déclaration. Elle prend une courte pause pour nous faire languir avant de lever son verre de champagne en hurlant :

— On va être matantes !

— Super ! que je m'écrie à mon tour, heureuse de cette nouvelle si réjouissante.

Geneviève, au fond de la cuisine, trépigne d'excitation en agitant rapidement les poings devant sa poitrine. Bobby, tout près de moi, me demande, confus :

— Qui ?

— Julie, notre amie de Québec. Tu ne l'as jamais rencontrée.

— Les filles t'embrassent fort, fort ! Et on est vraiment contentes pour vous deux. Je t'aime. Gros becs, termine Cori avant de raccrocher.

— Ça fait un bout de temps qu'ils s'essaient. Un beau cadeau de fin d'année, ça ! commente Sacha en ouvrant une autre bouteille de champagne.

— Et nous ? Quand est-ce qu'on va faire un petit bébé, mon amour ? se languit Hugo en faisant une moue adorable à Sacha.

— Hé, le surplus d'hormones de reproduction ! On se calme ! s'oppose Sacha, qui grimace avant de lui voler un rapide baiser au passage.

Je hoche la tête en me tournant vers Geneviève, qui s'amuse aussi de la scène. Silencieuse, je réfléchis…

Dire qu'il y a presque un an, nous en étions à faire notre tout premier souper de couple au *condo*. Un an que je sortais de l'hôpital après mon combat de boxe, gagné en deux *rounds*, contre le cancer. Déjà presque un an d'envolé dans l'univers ! Pouf !

Bobby attrape nonchalamment sa guitare.

— Bon, enfin ! Le chanteur va se rendre utile en mettant un peu d'ambiance dans notre célébration de la veille du jour de l'An ! s'anime Sacha, en glissant entre ses doigts ses fameuses cuillères de bois.

« Trois, quatre… », compte Bobby par réflexe, comme lorsqu'il donne la note à ses musiciens.

Il commence à chanter une ballade traditionnelle connue et tout le monde s'approche de lui pour fredonner.

« Presque un an que lui et moi avons décidé de nous aimer… » que je médite en écoutant sa douce voix. Bon, Mali ! On décroche des « presque un an que si… » et « presque un an que ça… ». Je vous explique plutôt de qui je parle quand je dis « tout le monde »…

Toc! Toc! Qui est là?

Premièrement, vous avez déduit que Sacha et Hugo forment toujours un couple de joyeux lurons, très bien assorti dans leurs âneries respectives. Sacha passe dorénavant plus de temps chez Hugo qu'au *condo*. En fait, leur vie sexuelle très active, voire explosive, a occasionné environ quatre *meetings* de la consœurie, avant que le couple ne se décide à exploiter un peu plus l'appartement d'Hugo, pour leur batifolage à toute heure du jour et de la nuit. Non mais, on en était rendus à écrire sur le tableau de communication des trucs du genre :

Playa del sous-sol : Sacha
Date : Samedi soir

Message : Simonaque! Il y a une meute d'hyènes dans le condo!
La position « la tête dans l'oreiller », ça ne vous tente pas ? ? ?

Ne pas oublier :
De vous la fermer de temps en temps...

Bref, Sacha fait des *lunchs* à temps complet ou presque, et elle en est bien heureuse. Imaginez, l'autre jour, c'est You Go qui s'est plaint qu'il ne pouvait jamais se faire livrer de poutine sur l'heure du midi, car il a toujours un *lunch*!

Sinon, qui d'autre y a-t-il? Eh oui, mon frère Chad et Coriande. Couple d'indépendants également assorti, ensemble depuis maintenant... euh... on ne sait pas combien de temps exactement, puisque leur liaison secrète a duré pendant des mois. Disons entre un an et demi et deux ans! Ils semblent bienheureux; une relation équilibrée, selon mon jugement de sœur et d'amie. Jugement tout à fait objectif! Ils partagent beaucoup d'activités, mais ils ne se voient pas tout le temps. Ils trouvent tous les deux agréable de s'ennuyer un peu l'un de l'autre. Bon, il faut relativiser... Coriande traverse un épisode d'insatisfaction chronique tous les deux mois environ, mais vous connaissez ma girouette de frère! Quelle fille pourrait vivre ça, sans jamais manifester son ennui? Il réussit cependant à bien la rassurer; je crois qu'il est assez amoureux d'elle pour comprendre la situation et pour ne pas prendre ses jambes à son cou, comme il l'a toujours fait. De toute façon, s'il fait ça, je le tue! Vous voyez bien que je suis tout à fait objective. Pfft!

Qui d'autre, à part eux? Geneviève. Et tenez-vous bien: elle est en couple, elle aussi, à présent. Depuis peu de temps, cependant. Avec Rick. Mais avant, je vous récapitule la fin de son épisode de flops en rafale sur les sites de rencontres. Vous vous souvenez qu'elle avait rencontré James, il y a presque un an jour pour jour? Un vrai malade mental! Il avait révélé, après moins d'un mois de liaison, être un consommateur de pornographie assumé. OK! Je peux consentir qu'un homme écoute un petit film en cachette sur la chaîne de Super Écran de temps en temps, mais de là à vouloir en faire une activité de couple récurrente tous les week-ends... Durant une partie de jambes en l'air avec Ge, il lui avait demandé la permission d'ouvrir son ordinateur afin de visionner un film cochon en même temps qu'il lui faisait l'amour. Franchement ! Appelle une escorte, tant qu'à y être ! Geneviève avait donc largué le pervers sur-le-champ. Pauvre Ge : après le joggeur-maladif, le vieux-qui-lui-avait-refilé-la-chlamydia ainsi que le militaire-qui-ne-bandait-pas, elle était tombée cette fois sur le déviant-accro-de-pornos ! Elle s'était finalement retirée du site, désemparée, après avoir déposé une plainte au Service aux membres, en expliquant que les candidats proposés « laissaient à désirer ». Naturellement, la direction lui avait réécrit qu'« aucun contrôle de qualité ne pouvait être effectué au préalable ». Ça l'avait tout de même soulagée de se plaindre.

Revenons à Rick, le candidat actuel : un investisseur immobilier. Ge l'a rencontré, il y a quelques mois, dans un souper de la Chambre de commerce de Montréal. Elle s'y rendait pour représenter la compagnie pour laquelle elle travaille. Pfft ! N'importe quoi ! Je rectifie l'objectif : elle s'y rendait pour catapulter des carottes de congrès à de beaux et jeunes *bucks* entrepreneurs de la métropole ! Voilà ! Rick avait bien mordu dans la sienne. Il a du charme, c'est un charmeur, dans la race des charmants. Non, mais on l'aime bien. Il est plutôt timide, pas du genre à prendre le plancher et je le soupçonne même d'être plein aux as. Ge avait bien dit vouloir changer de type d'hommes, mais il paraît que Rick fait partie des exceptions à la règle. Bon !

Donc, j'ai terminé le tour des participants à notre soirée du Nouvel An.

Je mate mon chanteur du coin de l'œil. Il est tellement *sexy* avec ses cheveux en bataille, penché légèrement sur sa guitare, concentré. Je ne suis plus simplement amoureuse de lui… Je suis plutôt complètement-raide-dingue-débilement-amoureuse de lui. Non mais, depuis que je le connais (déjà presque quatre ans),

11

mon amour pour lui ne fait que croître. Ça plafonne quand, ce truc-là ? J'en suis presque à le vénérer à présent. Dans mon esprit, bien sûr ! Ne pensez pas qu'on se lance des « je t'aime » par la tête, quand même. On se garde une petite gêne, après à peine un an de relation de couple officielle, c'est beaucoup trop tôt.

Je crois que nous sommes heureux. En fait, je devrais parler pour moi et dire : « Je suis heureuse. » Bobby n'est pas devenu le plus grand communicateur de ses émotions en décidant de se mettre en couple avec moi. Non ! C'est même le contraire. Récemment, en relisant mon livre de santé mentale, j'ai parcouru certains passages où je mentionnais craindre que notre couple soit un peu porté sur les non-dits. Eh bien, voilà la réalité ! On se parle, on bavarde, mais rarement de nous deux ou de ce qui se passe. Dommage, car en couple, j'apprécie bien les « *meetings*-de-mise-au-point ». Du genre au restaurant ou dans un endroit neutre, juste pour se demander mutuellement si on est heureux, si quelque chose cloche ou pour reparler de discordes antérieures. Vous voyez le genre ! Bref, depuis le début avec Bobby (déjà presque un an…), jamais nous n'avons discuté de nous deux en tant que tel. On se laisse voguer sur les vagues de la vie. Non pas que je sois une fille anxieuse (pas du tout !), mais j'appréhende parfois de voir notre petit bateau couler à pic d'un seul coup. Splouch ! Avalé par la mer, sans avertissement. Je présume que vous comprenez à travers mes métaphores nautiques douteuses que ce que je crains, c'est de me faire larguer les amarres sans préambule ou encore que notre histoire se termine en bataille navale (je suis vraiment une poète) ! Je ne sais pas, moi, si ce gars est un persévérant, s'il va vouloir s'investir dans la relation si quelque chose tourne plus ou moins rond un jour.

Un soir où j'avais tenté de discuter de ce sujet avec lui au restaurant, il m'avait envoyé du tac au tac, l'air découragé : « Aaaah ma puce, les discussions sérieuses ce soir… », sous-entendant : « Je passerais bien mon tour ! » Quelque peu refroidie, je lui avais lancé : « Quoi ? Veux-tu aller vérifier si le chef voudrait que tu ailles lui acheter du lait pour sa béchamel ? » Il avait riposté que le fait de ruminer des événements passés s'avérait un *turn off* monumental et blablabla. J'avais ravalé la réplique qui m'était venue en tête : « Pas moyen de se faire rassurer un tantinet dans cette relation de couple satisfaisante. » Juste un petit indice réconfortant, une petite phrase apaisante, un petit tranquillisant verbal. Non ? Mais rassurez-vous à votre tour, je n'en fais pas une maladie. Quelque trente pages tout au plus de mon livre de santé mentale en font mention ! Ma psy me tolère encore, donc mes angoisses ne sont pas si problématiques, sinon, elle me l'aurait dit !

Au moment où j'épie mon chanteur, il lève ses yeux doux vers moi. Il se tourne ensuite vers Chad ; ce dernier lui assène un petit coup derrière la tête pour le taquiner.

Le « condo » de la confrérie ?

Vous vous rappelez le jour de notre déménagement ? Il y a de ça longtemps (bien plus qu'un an cette fois-ci…). Nous avions, de façon notoire, organisé un *meeting*, voire un congrès, afin d'ériger les règles de cohabitation et les normes éthiques concernant les hommes qui s'immisceraient dans nos vies et dans notre espace vital commun. Notez que tout ça, c'est révolu ! Terminé ! La plupart du temps, les gars laissent leur crème à raser (le bouchon tout dégoulinant) sur le comptoir de la salle de bain, leur gel douche (bien que ce soit des 3 en 1) dans le fond de la baignoire accompagné de la fameuse débarbouillette en boule, leur brosse à dents sur le bord de l'évier, et surtout, surtout, ils massacrent le dentifrice pour ensuite l'abandonner, ouvert et maculé de la pâte jusqu'à la moitié du tube. Pourquoi auparavant notre tube de dentifrice (de la même marque) ne se retrouvait jamais dans un état aussi pitoyable ? Ah, j'oubliais : les sièges de toilettes sont dorénavant relevés en permanence. Résultat : nous tombons à tour de rôle dans le bol en nous glaçant désagréablement les fesses sur le rebord froid de la cuvette. Grrr...

De plus, les gars sont tous très (trop) amis maintenant... « Hé le gros, il te reste des condoms ? » avait demandé Chad à Bobby, un de ces soirs, en cognant à ma porte de chambre. « *Yes sir, big dick* ! » avait répondu mon *chum*, en venant chercher un préservatif dans le tiroir de ma table de chevet. Non mais, ne vous gênez pas les gars ! Étalez votre virilité partout. Et c'est quoi ces surnoms imbéciles ? *Big dick* ? Il faut dire que Chad et Bobby ont développé une amitié intense : ils se voient même en dehors du *condo*, portés comme ça par le vent. Quand ce n'est pas « grosse graine », c'est « petite graine » ! C'est quoi, l'affaire, les gars ? Plus vous avez une proximité affective avec un autre homme, plus il est autorisé à vous appeler par des noms en lien avec votre pénis ? Voyons donc ! C'est un passe-droit permettant aux autres mâles de commenter allégrement vos bijoux de famille ? Une hiérarchie de « ridiculisation » du phallus ? En tout cas...

Tout ça nous a amenées à prendre une décision de consœurs importante, voire vitale.

À l'approche du temps des fêtes, avant même que chaque consœur n'ait débuté ses divers achats de cadeaux de Noël, nous avions eu un autre *meeting*. La rencontre, planifiée à l'origine pour réitérer à Sacha notre exaspération groupale relativement à ses cris d'hyène, avait finalement pris une tournure familière : on s'était mises à discuter de ménage et de la salubrité des lieux. Coriande avait proposé une idée géniale : « On ne se fait pas de cadeaux cette année. On se paie une femme de ménage ! » Sacha,

dans une extase orgasmique, était presque tombée à la renverse :
« Ouuuuiiii ! » Nous avions donc statué de nous prévaloir dudit
service ménager dès la fin des vacances de Noël. Bon ! Parlez-
moi d'un beau compromis.

Naturellement, nous allions assumer seules les frais. Mais il
faut que je précise que, financièrement parlant, les gars appor-
tent tous une contribution adéquate. Ils achètent à manger, à
boire, sans que nous ayons besoin de demander quoi que ce soit.

La vie semble douce et paisible pour chacune de nous. TOUT
a changé ! Honnêtement, TOUT ! Nous faisons de moins en
moins de réunions de la consœurie, en raison du va-et-vient
constant dans le *condo*, mais je crois que personne ne souffre de
la situation. Nous sommes bien loin de l'ancienne consœurie
d'il y a presque trois ans. La « playa del sous-sol » sert dorénav-
vant de lieu pour disperser les couples. Nous utilisons encore le
tableau de communication pour les réservations, mais la plupart
du temps, elles se font le soir même, à brûle-pourpoint.

1er janvier

En lisant tranquillement le journal que Bobby est allé chercher
au dépanneur après s'être levé, je suis dérangée par les gars qui
rigolent bruyamment autour du tableau de communication.

— Bon les enfants ! Trouvez-vous une vie quelque part !

Ils chuchotent ensuite comme s'ils fomentaient un mauvais
coup.

— On ne fait rien, se défend You Go comme si je l'avais
accusé.

— Justement, c'est ça ! Vous ne faites rien ! ajoute Sacha, complice.

Notez que, lorsque nous nous retrouvons tous ensemble, les discussions prennent souvent la tournure « les gars contre les filles ». Les consœurs étant très solidaires entre elles, ce comportement n'est pas surprenant. Avec les gars qui se traitent de noms de pénis, leur solidarité est aussi de plus en plus explicite.

Mon téléphone cellulaire retentit.

— Allô maman ! Oui, bonne année à toi aussi et à papa ! Qu'avez-vous fait hier ?

Mes parents ont fait une soirée d'amoureux, seuls tous les deux, à la maison.

— Oui, Chad est là. Je te le passe…

Mon frangin agrippe le téléphone pour discuter un moment avec ma mère. Il le prête ensuite à Coriande, puis à Geneviève, puis à Sacha. Bon, c'est un appel productif !

Contre toute attente, après avoir terminé sa conversation avec ma mère, Sacha tend le téléphone à Bobby. Hein ? Ma mère veut lui souhaiter la bonne année de vive voix ? En écoutant discrètement la conversation, je déduis que non : ce n'est pas ma mère, mais bien mon père qui s'entretient avec mon *chum* ! Eh oui, comme tous les gars qui sont passés dans ma vie, Bobby n'échappe pas à la règle. Il a fusionné raide avec lui !

Il y a quelques mois, lorsque nous avions finalement convenu de nous présenter nos familles respectives, Bobby et moi avions soupé chez mes parents pour la première fois. J'avais pris soin de demander à ma mère de préparer mentalement mon groupie-de-père afin qu'il adopte une attitude adéquate. La veille de l'événement, j'avais appelé ma mère pour voir comment ça augurait. Mon père avait pris le téléphone, l'air exalté, pour me dire : « Je ne sais pas pourquoi ça t'inquiète, Mali. Quand il va arriver, je vais lui dire "Salut !" comme je le ferais avec n'importe qui. Ensuite, je lui demanderai "Ton *show* va bien ? ", comme si c'était un travail normal. Après, on va peut-être discuter de… » Je lui avais coupé la parole pour lui dire : « Papa, t'es en train de visualiser entièrement ta rencontre avec lui tellement t'es excité… » Il avait poursuivi, tout en ne m'écoutant pas : « Je vais lui montrer mon établi et tous mes outils… Au fait, il aime bricoler ? » Incroyable ! Il avait l'air d'un gamin qui prévoyait aligner tous ses jouets sur son lit afin de les montrer à son nouvel ami.

Bien que mon père fût trop enthousiaste, trop serviable, trop avenant, la soirée s'était tout de même bien passée. Sur le chemin du retour, Bobby m'avait dit : « Ton père est vraiment "trippant" ! Sa soudeuse MIG à fil fourré Mastercraft est tellement *hot* ! » Quoi ? Sa soudeuse fourrée ? Ce n'était pas des blagues quand je vous disais qu'il allait fièrement lui exhiber ses outils ! Tout compte fait, le nom de celui-là me laisse perplexe.

Depuis ce temps, je me surprends chaque fois quand Bobby me lance : « Ça fait longtemps qu'on n'a pas vu tes parents… » Le charme hypnotique de mon père a opéré encore une fois ! Je crains même de les entendre un jour se traiter amicalement de noms de pénis…

De mon côté, la rencontre avec ses parents avait été parsemée de surprises aussi. Comme ils sont divorcés, j'ai fait la connaissance de sa mère en premier. Elle est âgée, plus âgée que mes parents, car elle a eu son fils unique début quarantaine. Je la vouvoie. Quand j'étais entrée dans la résidence où elle habite avec son nouveau conjoint, elle m'avait souri, timidement, en me fixant avec intensité. Durant la soirée, lorsque Bobby était allé aux toilettes, elle m'avait interrogée diligemment sur des aspects assez surprenants de la vie de Bobby : « Il s'habille propre quand vous faites des sorties ? Il repasse bien ses chemises ? Je trouve que ses cheveux sont un peu longs... » Si vous croyez avoir déjà rencontré une mère infantilisante avec ses enfants, je vous jure que ce n'est rien en comparaison de cette femme. Il s'en est fallu de peu pour qu'elle me demande s'il « retroussait bien sa petite peau »... Incroyable ! Naturellement, Bobby le grand communicateur ne m'avait pas du tout préparée à cette situation. J'avais tenté de rassurer sa mère sur les aptitudes de son fils à bien diviser le pâle du foncé avant de faire la lessive ainsi que sur son habillement quotidien, qui s'avérait la plupart du temps adéquat. Elle avait soupiré en le voyant se rasseoir à table : « C'est mon petit bébé... », en lui flattant la joue du revers de la main.

Son père, quant à lui, vit en ermite dans le bois depuis presque dix ans. Je ne l'ai vu qu'une seule fois. En prenant sa retraite, l'homme a décidé, en quelque sorte, de se retirer de la société. Une cabane de bois incarne son logis. En fusion avec la nature, il sort peu et passe le plus clair de son temps en forêt. J'ai compris bien des choses en rencontrant ce personnage. Avez-vous déjà mangé un repas en silence ? Bien moi, oui. Ce soir-là. En conclusion, Bobby avait hérité du gène de « non-communication » de son paternel, qui répondait par un « oui » ou par un « non » aux questions, sans jamais émettre plus de commentaires. « Ça fait longtemps que vous habitez ici ? — Oui. — Vous vous occupez bien dans le bois ? — Oui. » J'avais tenté de lui délier la langue en lui posant quelques questions. Finalement, je m'étais résignée à laisser le silence emplir toute l'espace dans sa chaumière en bois. Un fait curieux... J'avais remarqué une vieille guitare gisant dans le fond de la pièce centrale, juste à côté d'un divan antique. Peut-être que son père avait jadis été musicien aussi. Je n'en avais pas discuté avec Bobby, qui me parut un peu troublé en quittant la masure de son père. Songeur, il n'avait pas dit un mot du trajet, comme s'il paraissait honteux de son père, de son mode de vie excentrique.

Bobby me redonne finalement mon cellulaire en m'annonçant :

— Je vais voir ma mère cette semaine en Estrie, et je passerai dire bonjour à ton père.

Bon, vous voyez ? Naturellement, en tant que psy, je déduis les motivations-affectives-refoulées-sous-jacentes-internes expliquant cette complicité. Son père *versus* le mien… La capacité relationnelle de mon père *versus* celle du sien… La collection d'outils modernes de mon père *versus* les outils anciens du sien… Non, je blague pour les outils, mais vous décelez probablement autant que moi le lien évident. Non pas que je veuille psychanalyser mon *chum*, mais…

C'est maintenant que je dois vous avouer que je lui ai « un peu » réservé une section à la fin de mon livre de santé mentale. Une petite section subtilement intitulée « le BIG BUCK ». Justement, je vais noter quelque chose sur-le-champ :

Le BIG BUCK effectue de nouveau un rapprochement avec un mâle alpha potentiellement investi comme figure paternelle. Il recherche la proximité physique avec celui-ci, en semblant presque oublier le lien unissant sa conjointe et l'individu en question. Sa démarche témoigne de la nécessité viscérale pour lui d'entrer en relation avec un homme plus vieux, afin de voir son enfant intérieur valorisé et protégé.

Vers le début de l'après-midi, je me retrouve seule au *condo* avec Bobby. Les autres sont partis pour se rendre à diverses réunions familiales du Nouvel An.

— Je resterai toute seule, ça va, que je déclare à Bobby, en feignant un air de petit chien battu, les yeux rivés sur le plancher.

— Ah là ! Ta face ! Je me sens comme le pire trou du cul de la terre de rejoindre mes amis ce soir…

J'en mets encore plus :

— Non, c'est correct. Je mangerai les restants d'hier en regardant seule le *Bye Bye* et en me disant que c'est de cette façon-là que je débuterai l'année, isolée et mal nourrie…

— T'es terrible, Mali Allison !

— Ne crains pas pour moi. Je suis une grande fille. Je me console en me disant que beaucoup de gens abandonnés et sans famille vivront le même genre de soirée que moi…

Bobby fronce les sourcils. Puis, il me pousse doucement sur le divan et s'assoit sur moi, les jambes à califourchon, pour mieux me couvrir la tête avec un coussin. En me débattant un peu, je réussis à crier :

— Tu me délaisses le premier janvier… je vais le dire à ta mère !

Il retire le coussin de mon visage pour me dire :

— Eille ! Ne fais jamais ça ! Elle me renierait !

Je cesse de me débattre tranquillement. Comme je baisse la garde, il s'étend doucement à mes côtés, le visage tout près du mien.

— Puuucce…, gémit-il, comme si cela voulait tout dire.

— Je t'agace bébé, que je le rassure en l'embrassant.

— Cette soirée-là avec les gars, c'est une tradition depuis très longtemps.

— Je sais et… devine quoi ? Je t'envie. Regarde, elles sont où mes amies ce soir ?

Nous restons là, enlacés, silencieux. Après plusieurs minutes à savourer ces moments de tendresse, il se redresse et me dit, le regard perçant, son front contre le mien :

— Bonne année…

Partir du bon pied

Playa del sous-sol :

Date :

Message : Si l'homme a été créé _avant_ la femme, c'était pour lui permettre de placer quelques mots. – Jules Renard

— Vous devez signer vos conneries, les gars ! Ici, c'est un condo de gens qui s'assument. — Mali

21

Ne pas oublier :

L'oiseau qui chante ne sait pas faire son nid ! Cui-cui...

Songeuse, je pose la craie après avoir ajouté ma phrase. Il n'y a aucun homme dans les parages ce matin. Je me retourne vers les filles :

— C'est l'écriture de qui, la citation de Jules Machin Chouette ?

— Chad, je pense. Mais c'est difficile à dire, on dirait que leurs pattes de mouche se ressemblent toutes ! commente Ge.

— Attends, je vais regarder de plus près.

Coriande se lève pour examiner attentivement le tableau.

— Oui, c'est Chad.

— On s'entend que l'oiseau qui fait « Cui-Cui », on sait que c'est You Go, simplement parce que c'est con ! que j'ajoute.

— Tu dis ! approuve Sacha en connaissance de cause.

— Pourquoi mon frère cite-t-il Jules Renard ?

— Bah, il trouve que quand on est les quatre ensemble, on parle tout le temps. On se fait plein d'*insight jokes* parfois difficiles à comprendre, à ce qui paraît…

— On est désagréables ? que je m'insurge, surprise de son commentaire.

— Rick aussi m'a fait une remarque de ce genre ; on ne serait pas faciles à suivre des fois, avoue Geneviève.

— Bobby ne m'a jamais parlé de ça, dis-je en réfléchissant, un peu confuse.

— Chad ne me disait pas que c'était dramatique, mais juste compliqué de faire sa place des fois.

— Eh bien…

— Qu'est-ce que vous faites aujourd'hui ? demande Ge, en ouvrant son ordinateur portable.

— Moi, je maigris ! clame Sacha, comme si c'était une activité en soi.

— Hein ?

— Je suis grosse, j'ai mangé trop de tourtières, de ragoûts, j'ai bu trop de boisson…

— Tu fais tellement *vintage* avec ta « boisson » ! que je commente en rigolant.

— Moi aussi je suis grosse, j'ai trop mangé de patates ! se plaint Cori avant de se palper le ventre, la langue tirée.

— Et comment fais-tu ça, maigrir ?

— Je vais me faire une cure Fralax, le produit « nettoyant de l'organisme » le moins cher. C'est un peu comme le gars à la télé : « 15 livres en 30 jours »…

— Oui, moi aussi ! Tu en commanderas deux boîtes sur Internet et on se fait une méga soupe aux choux ! s'excite Coriande, trop motivée, compte tenu de la nature peu exaltante du plan proposé.

— Mets-en ! On va purger notre gras…

Je regarde Ge, peu convaincue du succès de leur projet de régime. Emballées par leur programme de mise en forme et de nettoyage intestinal, les deux filles sortent pour aller acheter le nécessaire à la confection de leur soupe désintoxiquante.

Je m'approche de Ge, assise à l'îlot, et je prends place sur un banc, près d'elle. J'ouvre mon ordinateur en lui déclarant, juste comme ça :

— Il est fin, Rick…

— Ouais. C'est le *fun*, hein ! Enfin, j'ai un bon parti entre les mains.

— Vous êtes ensemble de façon officielle ou non ?

— Bien, on n'a pas discuté de ça encore, mais je crois que ça va de soi. On se fréquente depuis plus de deux mois de façon assez intense.

Rick passe beaucoup de temps au *condo*. Ge n'a passé que deux ou trois nuits chez lui. Le bureau où il travaille est situé tout près d'ici ; c'est plus facile pour lui de dormir avec Ge la semaine que de rester chez lui. Il a trente-six ans, il est assez grand, plutôt carré, il s'habille vraiment bien, ne portant que des complets griffés. Il est poli, posé, respectueux, toujours souriant. Rien ne semble clocher chez lui. Pour une fois !

— Tu as rencontré ses parents ?

— Non, pas encore. L'autre jour, on devait souper avec sa mère, mais tout a été annulé à la dernière minute. Je ne sais pas trop pourquoi…

— Et son père ?

— Il est mort…

— Hein ?

— Un effroyable accident de voiture il y a cinq ans… Quand Rick en parle, il vient presque les larmes aux yeux. Il m'a expliqué que sa mère ne s'en est jamais remise.

— Horrible…

Nous restons là, tranquilles, à naviguer sur Facebook. Comme mon profil affiche que je suis en ligne, Ludovic m'aborde directement. Je *chatte* un moment avec lui jusqu'à ce que Ge m'interroge :

— À qui parles-tu ?

— Personne, que je réponds, comme si mon mensonge allait la convaincre.

— Franchement, déclare Ge qui se lève pour voir derrière mon épaule. Ludovic ?

Les sourcils juchés jusqu'au milieu du front, elle m'incrimine du regard.

— Bien oui ! On fait juste bavarder de temps en temps…

Ne me jugez pas vous aussi ! C'est tout à fait vrai ! On discute comme ça de tout et de rien. Il a gagné le Grand Slam mondial l'été dernier en France et, depuis que je lui ai écrit pour le féliciter, nous avons pris l'habitude de nous donner des nouvelles. Il sait que je suis en couple et il ne flirte pas avec moi du tout. Bon OK, parfois un peu, mais jamais de façon déplacée.

— Tu joues dans le dos de Bobby ?

— T'es malade ! Je parle avec un AMI, ce n'est pas pareil !

— Un ami dont tu as été passionnément amoureuse et avec qui tu t'es envoyée en l'air partout sur les plages d'une île paradisiaque de l'Amérique centrale appelée Utila…

— Regarde-la qui situe géographiquement mon aventure avec lui. Ça change quoi que j'aie baisé avec lui sur une île ou ailleurs ?

— Ce n'est pas ça le point et tu le sais.

— Bon arrête de me parler, tu me déconcentres, que j'ordonne en lui envoyant un signe de la main pour lui signifier de se taire.

Les filles reviennent au même moment.

— Pas question que je me taise ! se dresse Ge en rigolant, convaincue d'avoir mis le doigt sur quelque chose de crucial.

— Vous vous chicanez ? s'intéresse Sacha, en posant son sac d'épicerie sur le comptoir.

— Bien non, c'est Ge qui se cherche une vie !

— Mali trompe Bobby !

— HEIN ? hurle Cori, qui laisse presque choir son immense chou sur le plancher.

— T'es folle toi ! Pantoute ! Ludovic est venu me dire bonjour sur Facebook et Ge veut en faire un dénouement dramatique afin de se créer, de façon spéculative, une émotion exaltante dans sa matinée plate ! que je rectifie, catégorique.

— Aaaah ! Ge, fais-nous pas des peurs de même ! lui reproche Sacha, en lisant les instructions à l'arrière d'une boîte de tisane diurétique.

Coriande sort du sac de Sacha divers produits qu'elle s'est procurés elle aussi. Je profite de la fin de ma conversation avec Ludovic pour lancer une discussion.

— Vous ne trouvez pas ça correct que je jase avec lui ?

— Tout dépend de ce qui se dit, précise Coriande.

— Vous allez me faire croire que vous ne parlez à aucun homme dans votre vie, sauf avec votre *chum* et votre père ? que je clame en laissant transparaître un doute éloquent à travers mon ton de voix.

Aucune fille ne répond à ma question, toutes occupées soudainement à des riens.

— Répondez !

— Ben… euh… moi je parle à Thierry des fois, affirme candidement Sacha en regardant ailleurs.

— Ouais, mais lui, il joue dans l'autre équipe, que je lui rappelle en haussant les épaules.

— Erreur, il joue vraiment dans les deux équipes, précise Sacha, les yeux comme des billes.

— Comment le sais-tu ? demande tranquillement Ge, comme si elle avait peur de la réponse.

— Il m'a offert de « rejouer une partie » ensemble, il y a quelques mois…

— Sérieux ? s'étonnent toutes les filles, pas au courant de ce détail croustillant.

— J'ai refusé en lui disant que j'avais quelqu'un dans ma vie. En fait, j'ai recommencé à lui parler un soir où je voulais juste lui avouer que je savais pour son orientation sexuelle et tout, et que je ne lui en voulais pas et blablabla. Il m'a réécrit en me mentionnant qu'il désirait me revoir et qu'il était un éternel « ambivalent de la bite ».

— « Ambivalent de la bite » ? *My god* ! Pas sûr, hein…, rit Ge en reprenant les propos de Thierry.

— Moi, je discute parfois avec certains gars du club de vélo…, confesse Cori à son tour.

— Et moi, avec certains anciens collègues du bureau et, parfois, avec le mec que je me tapais à New York, il y a trois ans, admet finalement Ge.

— Connasse ! Tu pouvais bien me juger ! que je rétorque en lui assénant une tape sur le bras.

— On ne fait que discuter, précise Ge.

— Moi aussi, répliqué-je pour appuyer son dire.

— Moi également, dit Cori en guise d'écho.

— Est-ce qu'on est malhonnêtes ? demande Sacha. On dirait que le fait que je vous cachais ça, même à vous, je me sens vache.

— On n'est pas honnêtes. En tout cas, je ne dis pas à Chad que je bavarde avec ces gars-là.

— Hugo ne sait pas pour Thierry non plus, se culpabilise Sacha.

— Hé, un instant là ! Tu vois ce que tu crées, Ge ? Les filles, il faut savoir appliquer le principe du diagramme de Venn !

— C'est quoi ça, don' ? Je ne me souviens pas parfaitement de ma géométrie de cinquième année…

— Deux cercles qui se chevauchent. Des éléments sont placés dans le cercle A, dans le cercle B et dans le sous-ensemble C, l'espace au centre qui appartient à la fois au cercle A et au cercle B. C'est le modèle parfait expliquant une relation de couple harmonieuse. Un espace pour chacun et un espace pour les deux, au milieu.

— Non, moi je veux former juste un seul cercle ! déclare Sacha, qui fait la moue comme une enfant gâtée.

— Non, la fusion c'est malsain, lui dis-je.

Au même moment, elle reçoit un message texte sur son cellulaire. Elle sourit bêtement et répond sur-le-champ. Hugo et Sacha ont un peu tendance à n'avoir qu'un cercle, le A, si vous voyez ce que je veux dire. Ils se textent toute la journée, s'appellent entre les messages envoyés et se voient finalement le soir venu. Un choix de mode de vie ! Rien qu'à les regarder, j'étouffe.

— Tu veux en venir où, avec tes cercles ? s'intéresse Cori, en bonne cartésienne.

— Outre l'espace commun du milieu, ce qui se passe dans le cercle de l'autre ne nous regarde pas.

— Ben voyons ! Certaines choses nous regardent ! s'oppose Sacha, qui reçoit dans l'intervalle un autre message.

— Techniquement, non.

— Donc, ce que tu veux dire, c'est qu'on s'en fout que l'un ou l'autre converse avec des gens potentiellement intéressants ? réagit vivement Sacha.

— En quelque sorte, tant qu'on ne franchit pas les règles établies comme la fidélité, l'honnêteté, etc.

— L'honnêteté n'est pas respectée si on leur ment, émet Sacha.

— C'est sûr que si t'es tellement fusionnée, que ton *chum* sait avec qui tu parles chaque minute et qu'il te le demande… si tu lui mens, ce n'est pas honnête. Mais dans ce cas, les balises de couple outrepassent les règles de couple normal. Vous avez UN cercle en fin de compte.

— *My god* ! Tu me fais « paranoïer » ! J'espère qu'Hugo n'a pas un « trop gros » cercle B ! s'inquiète Sacha en fixant son téléphone comme si celui-ci allait lui répondre.

— C'est vrai ce que tu dis Mali, moi je ne sens pas que je joue dans le dos de Rick en bavardant avec ces gars-là. Je ne fais rien de mal.

— Bobby a des tas de connaissances féminines dans le milieu artistique et ils se parlent, se donnent des nouvelles, mais je lui fais confiance et je n'ai pas besoin de le savoir.

— Même s'il jase avec une superbe blonde qui a une paire à cinq mille ? me nargue Sacha, comme pour démentir ma théorie.

Prise d'une rage au cœur subite, je ne réponds que par une onomatopée peu convaincante, accompagnée d'un sourire tout aussi peu convaincant.

— On fait notre soupe ! propose Cori à Sacha, enthousiaste.

— Réponds, Mali ! réitère Sacha, tenace, certaine d'avoir mis le doigt sur l'exception à la règle.

Je lui contorsionne une éloquente grimace avant de rediriger mes yeux sur mon écran. Je songe à la fille blonde qui était aux côtés de Bobby dans un magazine, il y a plus d'un an. Comme je respecte en théorie son cercle B, je n'ai jamais posé de questions sur cette fille. Qui était-elle ? L'a-t-il revue ? La côtoie-t-il régulièrement ?

Ses énormes seins sont-ils toujours aussi épanouis à la vie ? C'est la seule ombre au tableau qui met du plomb dans l'aile de ma fameuse théorie du diagramme de Venn. C'est pourquoi, parfois (et juste parfois), mon cercle A aurait bien envie d'empiéter sur son cercle B ! Mais non, contrôle.

> *La patiente qui possède des valeurs conjugales saines et une attitude générale adéquate perd tout son jugement critique lorsqu'elle songe à une ancienne rivale. À l'époque, la rivale en question fut investie comme l'élément principal ayant été destructeur envers la relation. Était-ce vraiment le cas ? Madame Allison utilise ici la rumination qui laisse évidemment transparaître une récurrence toujours latente par rapport à son manque de confiance en elle.*

La tournée des prisons

Les vacances de Noël terminées, j'approfondis à mon bureau certaines connaissances pour mon nouveau défi sur le plan professionnel. Depuis septembre dernier, je ne travaille plus pour le Centre de crise. Ma candidature reste active si jamais je veux y retourner, mais comme je suis dans un nouveau programme au cégep, je ne crois pas disposer de temps libre à court ou à moyen terme. J'enseigne dorénavant en techniques d'intervention en milieu carcéral. Un autre programme destiné à la clientèle adulte, donc sans les matières de base. J'y enseigne la santé mentale, la toxicomanie et diverses techniques de relation d'aide de base et en situation de crise. J'ai suivi certains séminaires durant mon cheminement scolaire qui traitaient de la clientèle délinquante. J'ai aussi fait un stage de maîtrise en santé mentale dans une prison, il y a déjà un bon moment. Je ne suis pas une professionnelle des établissements de détention, mais comme je ne donne pas les cours spécifiques concernant le milieu de vie en tant que tel, je n'ai pas à posséder trop de connaissances particulières. Plusieurs agents correctionnels enseignent à temps partiel dans le programme, ce qui permet aux étudiants d'avoir l'heure juste. Et à la session d'automne, deux de mes cours étaient en coenseignement, donc je me suis refaite la main quant aux diverses problématiques propres au monde carcéral.

À partir de la deuxième semaine de janvier, la majeure partie de ma tâche d'enseignement consistera à superviser les étudiants dans leur stage final. J'ai bien hâte. Douze stagiaires dans sept prisons ! Quand même, j'envisage bien me former le plus possible en discutant au maximum avec les employés de ces milieux. Sinon, j'ai juste un cours de situation de crise. La plupart de mon travail se fera à la maison. Je compte bien profiter de cette session plus tranquille pour enfin concevoir les recueils de notes que je projetais de faire depuis longtemps. Vous savez, les documents reliés que l'on devait acheter à la librairie du cégep ? Eh bien, ce sont les gentils professeurs qui font ça tout seuls, comme des grands. J'ai donné environ une dizaine de cours à ce jour et je n'en possède aucun. Habituellement, j'imprime toujours toutes mes notes au fur et à mesure. Économie de temps substantielle en vue, si je parviens à en terminer quelques-uns !

En feuilletant les dossiers de stage que ma patronne m'a remis avant les vacances, mes yeux bifurquent vers une photo insérée dans un petit cadre en bois sépia, bien posé sur ma table de travail. J'adore cette photo. Bobby et moi devant la tour Eiffel. Bon, j'avoue, ce n'est pas très original ! De plus, on est mal centrés. Au lieu de nous faire prendre en photo, Bobby a seulement étiré son bras au maximum. Résultat : nous sommes croches et on voit la tour juste dans le coin gauche. On remarque aussi en gros plan la boursouflure rouge de la cicatrice dans mon cou. Pour m'assurer d'être sur le cliché, j'ai dû tendre la tête vers l'arrière au maximum. Pas grave, je l'aime ! Ce voyage fut tout simplement fabuleux. Bobby, qui était allé à Paris avant moi, semblait si excité de faire découvrir à la grande voyageuse que je suis un coin de pays qu'il connaissait mieux que moi.

Il avait donné six spectacles dans la Ville lumière. Les salles combles de Français (surtout de Françaises) pâmés devant la nouvelle saveur québécoise du mois m'avaient fait admirer Bobby et la carrière qu'il avait décidé d'embrasser. *My god* ! Un succès en France, ce n'était pas rien ! Je me la jouais tout de même un peu désinvolte face à son succès transcontinental, pour ne pas avoir l'air de la fille trop impressionnée par les artifices du *showbiz*. Je le voyais performer sur scène, de façon professionnelle, de façon distinguée, je le trouvais si grand… Et, trois minutes après l'ovation, il s'écrasait dans sa loge en essayant de me mettre un doigt mouillé dans l'oreille, comme un enfant du primaire. Il redevenait alors « grandeur normale » (voire moindre !). Fascinant, quand même, comme phénomène ! Comme si le gars sur la scène m'était inconnu, comme si, parfois, j'étais tellement dans le quotidien avec lui que je me surprenais à entendre les gens chuchoter en le reconnaissant dans la rue.

En résumé, le reste du voyage, nous avions flâné dans les pubs à manger, à boire et à visiter un peu les alentours. Son gérant, le charmant Mathieu, alias Matt Damon (je l'appelle comme ça pour lui faire croire que c'est lui la vedette), était tantôt avec nous, tantôt à gérer mille et une urgences sur son cellulaire (fumant en raison de sa surutilisation). On s'entend bien tous les deux. Tant mieux car Bobby et lui sont très proches. Mathieu est un ami plus qu'une relation professionnelle.

Je prends la photo dans mes mains, pour la regarder de plus près. Sérieusement, à première vue, ma cicatrice ne me donne décidément pas fière allure. Je recule ma chaise à roulettes vers mon miroir plain-pied pour mieux observer la marque laissée par l'opération. Un an plus tard, je ne la trouve pas si mal… Bah ! Je tente un peu de m'encourager en disant cela. Comme la région en question a été scalpée deux fois plutôt qu'une, et ce, exactement à la même place, la régénération cutanée fut un peu plus laborieuse. Elle semble encore rouge, bouffie. Mon beau docteur Paré était scandalisé la dernière fois qu'il m'a vue, il y a quelques mois. Je le cite textuellement : « Ark ! Ce n'est vraiment pas beau, ça ! » Un peu offusquée, j'avais répondu quelque chose du genre : « Ben là… », pour lui rappeler qu'il parlait tout de même de moi, de MON cou. Il faut comprendre que, pour lui, c'est le résultat de son travail. Comme une couturière qui confectionne un vêtement sur mesure à une cliente. Je pense qu'il trouve qu'il a raté sa couture de finition ! Ce n'est pas de sa faute, la peau guérit différemment d'une personne à l'autre. Apparemment, la mienne aurait mal fait ça ! Cette fois-là, il m'a parlé de piqûre pour adoucir la cicatrice et prévenir les potentiels kystes, ou je ne sais quoi. J'ai changé de sujet en lui posant une question sans importance et il ne m'en a pas reparlé de la rencontre. « Comment distraire son médecin 101 ». Un cours que j'ai suivi, il y a longtemps !

Tout compte fait, je vis bien avec cette marque sur mon corps (contrairement à mon médecin). Les serveurs au restaurant regardent mon cou, mes étudiants aussi, les caissières également, tout le monde regarde mon cou. Eh oui, j'ai l'air de m'être fait tronçonner avec une scie par un maniaque. Mais non, je me suis fait guérir par un charmant médecin !

15 livres, 30 jours

Je rejoins les filles en bas. Elles reviennent toutes du travail.

— Eh ! Les femmes ! que je commente en entrant dans la cuisine.

— Salut ! répond Coriande, distraite, la tête dans le frigo.

Elle sort finalement son énorme chaudron de soupe aux choux, qui prend à lui seul presque toute une tablette depuis déjà plusieurs jours.

— Coudonc ! Y en a à l'infini de la soupe là-dedans, tu manges juste ça ? que je souligne, un peu écœurée de son régime peu varié.

— Tu dis ! Je n'arrête pas d'aller aux toilettes.

— C'est mauvais ! Vous allez vous déshydrater avec votre Fralax machin-truc ! ajoute Ge en secouant la tête de découragement.

— Je file super mal depuis deux jours, avoue-t-elle en se prenant le ventre.

— Arrête de prendre ça ! Tu ne sais même pas ce que c'est !

— Non, c'est naturel. Et c'est juste après un bout de temps que ça fonctionne, tente-t-elle de me convaincre.

Sacha, qui revient à l'instant même, s'écrase lourdement sur le divan dès qu'elle met les pieds dans la pièce.

— Tu te sens comment, toi ? lui demande Cori.

— Mal… je me suis sentie ballonnée toute la journée, avoue Sacha, presque verte.

— Sérieusement les filles, arrêtez de prendre ça et nourrissez-vous comme du monde, pour l'amour du ciel ! ordonne Geneviève.

— Bien non, ce n'est pas notre cure qui nous rend comme ça. On est juste fatiguées des fêtes, la rassure Sacha.

Sa phrase à peine terminée, celle-ci se lève d'un bond et court aux toilettes à toute vitesse. Coriande nous dévisage un instant avant de faire exactement la même chose, en montant l'escalier deux marches à la fois.

— Ben voyons donc ! C'est malsain ! crie Ge d'un air mi-badin, mi-inquiet.

— Ç'a l'air super bon pour le système en tout cas, que j'ajoute, ironique. Puis, je demande à Ge :

— Qu'est-ce que tu manges ?

Je referme en même temps le couvercle de la soupe aux choux de Cori qui sent affreusement mauvais.

— Pas ça, c'est sûr, répond Ge en ouvrant le frigo.

Sacha sort finalement de la salle de bain, les mains toujours sur l'abdomen.

— Je vais m'étendre, je me sens trop mal…

— Quelle bonne idée de s'acheter une gastro sur Internet ! que j'approuve d'un ton sarcastique.

— Ben non, ce n'est pas ça. Probablement un virus à l'hôpital, insiste encore Sacha.

— Bien oui, sûrement.

Coriande, aussi indisposée qu'elle, se dirige également vers sa chambre aussitôt sortie de la salle de bain. Les filles font la navette entre leur chambre et les toilettes une partie de la soirée. Ridicule ! Ge et moi ne pouvons nous empêcher d'en rire discrètement (juste un peu) à chaque fois.

Docteur Allison

Le froid glacial me pince le visage sans gêne, pendant que je marche rapidement face au vent. «Ce n'est pas humain ce temps-là…», me dis-je en entrant dans la pharmacie la plus près du *condo*. Après avoir repris mon souffle et remonté un peu ma tuque pleine de neige, je me rends au fond du magasin afin de discuter avec un spécialiste de la santé. Une pharmacienne m'accueille tout sourire :

— Bonjour madame, je viens ici en missionnaire. J'ai deux amies, complexées inutilement par un supposé surplus de poids, qui ont acheté un produit bidon, apparemment aux propriétés détoxifiantes. Le résultat est qu'elles sont en train de se dessé-cher comme des raisins secs.

— De quel produit parlons-nous ? s'intéresse-t-elle, l'air sévère.

— Fralax, mais je dois dire qu'elles ont combiné le tout à un régime extrême concentré en légumes et en fibres favorisant l'élimination.

— Ah bien non, ce genre de produit a déjà certaines caracté-ristiques diurétiques et laxatives, il faut manger normalement. Mais Fralax, en particulier, je ne connais pas…

— *Wow !* C'est rassurant ! Bref, c'est un fiasco merdique, sans faire de jeu de mots facile…

En riant, la pharmacienne me tend une boîte :

— Immodium avancé, pour mettre fin au problème ! Avec environ deux litres d'eau minimum aujourd'hui et demain. Jetez les boîtes du produit en question aussi !

— Parfait ! Merci !

À mon retour, les filles, encore dans leurs lits respectifs (ni l'une ni l'autre n'est allée travailler), me crient :

— Je suis rendue toute maigre ! Ça marche !

— Bien oui, mais il faut te brancher à un soluté par contre, et tu n'as pas assez de forces pour te déplacer.

— Moi, j'ai mal au cœur, raille Sacha.

— Le système faible comme ça, c'est possible que tu aies attrapé la gangrène dans ton hôpital ! que je souligne, l'air dramatique.

À tour de rôle, je leur tends les comprimés accompagnés d'un grand verre d'eau. Je saisis les deux boîtes de Fra-truc-merdique-machin-lax et je les jette.

— Eille ! Ça m'a coûté vingt piastres ! se plaint Sacha, peu convaincue de la valeur réelle de son argument pécuniaire.

— Et moi, ça va m'en coûter vingt mille en impôts quand on va t'hospitaliser pour déshydratation extrême digne d'une colonie tribale en sécheresse du Congo. Vous avez trente minutes pour boire ça. Ensuite, je remplis votre verre toutes les trente minutes, et ce, jusqu'à huit heures ce soir. C'est comme un concours de calage de bière du temps du cégep, mais sans être soûle et sans gagner de t-shirt !

— Tu ferais vraiment un mauvais médecin ; en tant que patiente, je ne te sens pas véritablement à mon écoute, me nargue Sacha la peste.

— Parce que je vous trouve connes, peut-être ? C'est un phénomène appelé l'usure de compassion !

— Moi aussi, je me sens brimée en tant que malade, râle Cori de sa chambre.

— Toi, je jette à la poubelle ta soupe puante !

— NON ! On va la congeler ! gémit-elle, l'air démoli comme si je venais de lui annoncer que je tuais son chien.

— Pas question. De toute façon, tu n'as pas la force de venir te battre avec moi pour m'en empêcher, la défié-je avec obstination.

En quittant leur chambre, je me rends à mon ordinateur portable. Je veux faire une recherche afin de trouver une agence offrant des services de femmes de ménage. Je donne le choix aux filles en leur énumérant quelques possibilités :

— L'agence « Propre-propre », « Clean Good » ou « Bien chez soi » ?

— « Qualinet », tu ne la trouves pas ? me crie Sacha.

— Bien là, vous pensez faire des dégâts dans les toilettes au point d'appeler un expert en sinistre ?

— C'est possible ! s'écrie Coriande, avant de se lever encore une fois pour aller à la toilette.

— Bon ! La tourista qui est repartie ! J'ajoute un verre d'eau de plus dans ton cas !

— Non. Qualinet, c'est pour le tsunami qui semble être passé ici après chaque week-end, rectifie Sacha.

— On devrait prendre la femme de ménage en début de semaine, alors ? que je demande en saisissant mon cellulaire pour avoir des informations.

— « Bien chez soi ». Ça sonne paisible, hein ? remarque Sacha.

— Moi, présentement, je ne suis pas bien chez moi, souffle Cori en sortant de la salle de bain. T'aurais dû nous acheter une petite crème de bébé pour les foufounes !

— Ark ! Je ne veux pas de détails sur ton inflammation rectale ! Tu m'écœures ! que je maugrée pudiquement.

— Moi aussi, ça brûle, se lamente Sacha à son tour.

— Vous êtes donc bien à l'aise avec ça ! Respectez ceux qui ne le sont pas !

— Mali, t'es vraiment une poche aidante naturelle avec plein de blocages psychologiques !

— J'ai une idée ! J'appelle vos *chums* pour leur expliquer l'état de la situation : vos flatulences, votre diarrhée, votre derrière irrité, tout ça…

— NON ! Sérieux, niaise pas ! me met en garde Cori sur un ton très grave.

— Ça sonne, que je mens tout en composant le numéro du service d'entretien ménager.

Coriande se lève et arrive en trombe dans la cuisine, en croyant réellement que je tente de rejoindre Chad. Franche-ment ! Elle me fixe, menaçante, jusqu'à ce qu'elle m'entende dire :

— Oui bonjour ! J'aimerais avoir de l'information sur votre service pour les résidences privées.

J'exécute une grimace expressive en réplique au doigt d'hon-neur qu'elle m'a envoyé sans gêne. Elle retourne à sa chambre en traînant les pieds, comme si le simple fait de se lever pour venir à la cuisine s'était avéré un effort surhumain.

Bon, des longueurs maintenant

Vers la fin de la semaine, mon *chum* me téléphone pour convenir de notre rencontre du soir.

— Salut ! dit-il d'entrée de jeu, sur un ton un peu expéditif.

— Allô bébé ! que je lance plus enjouée que lui.

— Tu veux que j'aille chez toi ou tu viens chez moi ?

Je marque une pause, comme légèrement déstabilisée par son air si pressé.

— Allô ? Es-tu là ? Mali, sérieusement, t'es incroyable ! J'ai jamais vu ça quelqu'un faire des longueurs de même au téléphone. À chaque fois, je me dis : « Bon, je viens de la perdre, elle a pris un autre appel… » Mais non, tu finis par ressusciter des limbes en prononçant quelque chose ! s'amuse-t-il à mes dépens.

« *My god* ! Il est en forme, lui, aujourd'hui… »

— Heu… Excuse-moi l'hyperactif-énervé-énervant. Il faut marquer des pauses dans la conversation… Tu savais que c'est ça qui ponctue les échanges téléphoniques ? Dans les phrases écrites, il y a des points ou des virgules et dans les entretiens verbaux, il y a des pauses !

— Mais toi, c'est que tu bats des records planétaires ! Je suis là au bout du fil, j'ai le temps d'aller faire l'épicerie et de revenir avant que tu émettes un seul son !

— Écoute Gaétan, prends ton Ritalin, ça va passer ! Ou apprends à gérer ton rapport avec le silence !

Ne me demandez pas quel est le rapport du « Gaétan » en question. Chaque fois qu'il m'énerve ou qu'il est trop exalté dans son hyperactivité légendaire, je l'appelle comme ça.

— Donc ?

Je n'ai même pas le temps de répondre qu'il se met à s'indigner de nouveau.

— Regarde, encore une fois ! Tu fais tout le temps ça !

— Tu ne me laisses même pas le temps d'expliquer quoi que ce soit et tu gueules ! T'as vraiment un problème de gestion temporelle aujourd'hui. Donc, je vais chez vous parce qu'ici tout le monde à la gastro ! J'arrive dans une heure. Et tâche de me faire quelque chose de bon à souper !

— Bon, tu vois que t'es capable de converser adéquatement quand tu veux ! À tantôt !

— *Bye* ! que je m'empresse de répliquer pour ne pas être inondée de reproches encore une fois.

Je glousse en raccrochant. Bobby m'agace tout le temps ou presque. On se fait souvent ce genre de scènes de querelle simulée, où chacun semble réellement exaspéré face à l'autre. Je trouve ça très drôle !

Je descends au salon. Sacha et Cori sont maintenant écrasées devant le téléviseur.

— Je pense que je me sens encore plus mal depuis que j'ai pris de l'Immodium. Bloquée complètement ! commente Coriande, comme si je lui avais demandé un compte-rendu de ses réactions intestinales.

— Moi aussi, « jammée » dans le coude, et j'ai des crampes ! Faut qu'on boive du jus de pruneaux, lance Sacha, comme illuminée.

— Je ne suis sérieusement plus capable d'entendre parler de votre situation gastro-intestinale défaillante, je me pousse chez mon mec ! Vous êtes deux dégueulasses ! Non mais, après trois jours, on ne parle plus de simple usure de compassion, mais d'absence totale de compassion !

— Regarde ! Tu n'es tellement pas à notre écoute encore ! radote Sacha en secouant la tête de gauche à droite.

— Gérez votre constipation en équipe !

— Manque d'altruisme total ! rengaine Coriande, en regardant Sacha qui approuve d'un signe de tête affirmatif.

Ge arrive au même moment. Depuis quelques jours, elle était partie dans un congrès à Québec. Je lui fais un poing à poing amical, avant de lui dire sans préambule :

— Je te les laisse ! Je suis plus capable !

Elle m'observe d'un air curieux puis se dirige vers le salon pour demander aux filles ce qui se passe. Sans gêne, les deux nouilles se mettent à lui raconter les moindres détails de leurs péripéties entériques des derniers jours. Après moins de trois minutes, j'entends Geneviève monter ses bagages à l'étage en leur criant :

— Aaaaark ! Vous êtes vraiment écœurantes, sérieux !

J'écris une note en préparant mes valises, très enthousiaste face à mon week-end d'amoureux :

Madame Allison adopte des comportements indépendants, fidèles à son image durant les moments d'éloignement avec l'homme qu'elle aime. Cependant, lorsque le moment de rencontre approche, son excitation affective nous prouve que la patiente est sur la bonne voie pour entretenir la flamme qu'elle a tant besoin de voir scintiller. Peut-être a-t-elle réellement trouvé la marche à suivre pour demeurer en couple à long terme.

Tant qu'à y être, je me rends à la fin de mon livre, dans ma section secrète :

Le BIG BUCK semble réceptif et excité également de voir sa femelle. Il utilise l'humour pour communiquer son amour pour celle-ci. Sa façon de discuter ouvertement de son attachement envers elle laisse encore place à l'amélioration, mais dans son cas, la signification de l'adage populaire : « On taquine ceux que l'on aime » prend tout son sens.

Week-end avec lui

En arrivant chez lui, je ne cogne même pas et j'entre en secouant ma tuque sur le tapis.

— Salut !

De la main, il me fait signe de me taire, tout en plissant le front. Il discute au téléphone.

« Excusez-moi ! Je n'avais pas vu ! » dis-je pour moi-même, un peu agacée de son geste impatient. Je me défais de mes vêtements d'hiver et je les accroche dans le placard de l'entrée. Évidemment, j'entends ce qu'il dit.

— Oui ! Ça me fait chier, si tu veux savoir la vérité !

Il semble en colère. Je ne sais pas avec qui il discute.

— Ah *come one* ! S'il y a quelqu'un qui connaît mon horaire, c'est bien toi ! Tu le sais que j'ai environ trois samedis de libres par année. Penses-tu vraiment que je vais me louer des films ?

Je crois que c'est Matt Damon, son gérant. Bobby ne travaillera pas un de ces prochains samedis ? *Wow !* Je vais voir mon *chum* un samedi soir ! Je me dirige vers le salon où il piétine nerveusement. Je m'assois sur le divan.

— Je le sais que la visibilité de la tournée est moins présente à Radio-Canada et que c'est une belle chance, mais cette soirée-là est prévue avec les gars depuis super longtemps…

On oublie ça ! Je ne verrai pas mon *chum* un samedi ! Quelle soirée de prévue ?

— Mathieu, cibole ! Je ne te demande pas ça…

— …

— OK, on s'en reparle lundi. *Bye.*

En raccrochant, il s'assoit près de moi et soupire, le regard rivé sur le mur devant lui. Je me risque à dire :

— Quoi ?

— Ça me fait suer. Je me suis fait inviter à un *talkshow* à Radio-Can samedi prochain, et là, Mathieu a dit «oui», tu sais bien. C'est une belle occasion selon lui de parler de la tournée sur la Première Chaîne. Mais là, j'ai quelque chose de prévu, et ce, depuis longtemps.

Bon, en tant que «blonde», je pense que je peux me permettre une autre question :

— C'est quoi ?

— Le frère de Steve, mon guitariste, a quatre billets de saison pour voir le Tricolore au Centre Bell. Il ne peut pas y aller samedi prochain parce qu'il sera dans le Sud. Il m'est arrivé avec ça, il y a un mois, en me disant : « Bonne soirée de congé... » Les gars capotaient quand je les ai invités.

— Les musiciens ou tes *chums* ?

— Mes *chums*, répond-il, comme s'il était un peu impatient que je n'aie pas compris.

Il s'appuie contre le divan, en soupirant de nouveau.

— Et ce qui m'écœure, c'est qu'il me dit ça là, un vendredi soir !

Ce soir est aussi un des rares vendredis où il n'est pas en spectacle, quoique les samedis soir sont encore plus exceptionnels.

— Et là, vous en reparlerez lundi ?

— C'est ça qu'il m'a dit, mais je le connais. Il m'a annoncé ça aujourd'hui en sachant très bien que je mijoterai le truc durant le week-end et que je finirai par accepter à cause de la visibilité que cela va me donner. Personne n'a tort dans cette histoire, c'est juste décevant !

— Tu ne peux pas lui en vouloir...

— C'est ça que je viens de dire ! précise-t-il, un peu sèchement, pour la deuxième fois.

Bon là, c'est assez ! Je ne lui ai rien fait, moi ! Je monte le ton d'un cran pour lui lancer :

— Pourquoi t'es bête de même avec MOI ?

Il pousse un nouveau soupir en se rendant compte de la situation. Je vous dirais même qu'il avait déjà pris conscience de son attitude déplacée avant que je ne formule ma réplique. Il se tourne et me donne un baiser sur le front (ça reste un de ses trucs préférés).

— Excuse-moi, *Babe*! Mais… je n'ai pas été si «bête» que ça, quand même.

Je ne dis rien, me sentant un peu victime. Non, mais là! Toc, toc! Qui est là? La bonne humeur j'espère, parce que la soirée est vraiment mal partie. Comme je possède un gros défaut appelé orgueil (vous vous souvenez de ma phrase: «L'orgueil est un terreau fertile pour les troubles psychologiques…»), je ne peux m'empêcher de rester un peu froide. On dirait que logiquement, je ne peux pas avoir monté le ton il y a deux minutes et murmurer maintenant langoureusement: «Bon! Chéri, je t'arrache ton linge et on fait l'amour!» Non! Sinon, ma crédibilité réactivo-émotive en prend un coup! Du moins, il me semble…

— Bon, t'es frustrée? me demande-t-il, presque découragé.

— Je ne suis pas frustrée. Écoute, j'arrive ici, contente de te voir, t'es au téléphone, tu reçois une mauvaise nouvelle, tu raccroches, je tente d'analyser la situation avec toi et j'ai l'impression que tout ce que je dis t'agace.

— T'exagères encore…

— Encore? que je répète sur un ton un peu condescendant.

Il se lève et va à la cuisine. Décidément, c'est le bonheur total! L'extase fusionnelle amoureuse! Pfft! Il m'énerve tellement quand il prend son petit air «Tu capotes tout le temps pour rien…» Je prends mon sac de voyage et je me dirige vers la salle de bain. J'ai pris l'habitude de toujours le laisser dans cette pièce quand je viens ici. Je ferme la porte derrière moi. En regardant mon reflet dans la glace, je respire un grand coup ; puis j'ouvre mon sac pour déposer sur le comptoir les quelques produits que j'utilise le plus souvent. En apercevant mon livre, je l'agrippe avant de m'asseoir sur le siège des toilettes.

Le BIG BUCK gère très mal ses émotions en lien avec une obligation professionnelle de dernière minute. Il réagit en devenant impatient avec une personne complètement extérieure à la situation. Il se cramponne ensuite dans une position d'impuissance, comme si les répercussions de la dégénérescence de l'ambiance ne lui appartenaient pas.

Tiens, toi ! Je me venge dans mon livre, vous vous dites ? Bien, j'ai le droit, c'est MON livre. Bien que je manque considérablement d'objectivité dans cette section de la thérapie, c'est bel et bien l'attitude qu'il a eue… je crois. Je reviens au début de mon journal pour prendre une note sur mon cas. Je réfléchis en examinant le plafond, puis je me mets à écrire mécaniquement.

Madame Allison s'est sentie attaquer verbalement par le ton et l'attitude de son conjoint. Au lieu de simplement se dire que tout cela n'était pas dirigé vers elle, elle a contre-attaqué expressément. La patiente est susceptible. Percevoir les gestes et paroles de l'autre comme des attaques personnelles, c'est une chose ; mais riposter et se braquer à un niveau supérieur pour protéger son orgueil est une déficience réactionnelle non négligeable.

En terminant de rédiger mes quatre vérités, je retourne quelques pages en arrière pour relire mon commentaire d'il y a à peine quelques heures : « Excitation affective de le voir… la flamme qui scintille… » Eh bien… On dirait que la chandelle a pris l'eau. Un beau pétard mouillé !

Bobby frappe doucement à la porte. Je l'autorise à entrer tout en faisant semblant d'être bien occupée à défaire mes bagages. Il ouvre et me tend un verre de vin rouge en souriant.

— Viens voir ce que j'ai pour toi au menu ce soir !

Je le suis docilement à la cuisine. Fier comme un paon, il me montre de la main une plaque à biscuits où trônent des côtes levées enduites de sauce, et m'embrasse sur la tempe à deux reprises. Voilà comment mon homme règle les discordes ! Notez que vous pouvez facilement transposer cette situation au temps des hommes de Neandertal. « L'*Homo neanderthalensi* mâle se dispute avec la femelle à propos d'un manque de communication flagrant à l'intérieur de la grotte conjugale. Le soir venu, il lui présente fièrement un mammouth mort en guise de réconciliation. Et voilà le travail ! »

Non pas que je compare mon *chum* à un Néandertalien... Quoique... Je vous l'accorde, j'exagère encore une fois, mais j'avais fait mention dès le début de notre relation que notre couple s'avérerait probablement porté sur les non-dits. Ça perdure dans le temps et on fait comme si de rien n'était.

Notre accrochage de tantôt n'a rien de dramatique, j'en conviens, mais ma crainte concerne l'accumulation au fil du temps de tous ces « petits riens ». Le danger : que la superposition de strates de frustrations sous-jacentes empêche l'évacuation des gaz de colère provenant du noyau créant par la suite des ondes sismiques émotives destructrices (venant sans doute de moi). Métaphoriquement, on dirait plutôt une analyse géologique des couches internes de la Terre, mais avouez que ça a du sens quand on l'adapte pour le couple !

Peut-être que ça m'appartient cette manie d'avoir peur que les situations non réglées viennent envenimer notre vie conjugale future. On voit toujours ça dans les films quand les gens divorcent : « Ça fait dix ans que tu ne m'écoutes pas… Et toi, ça fait dix ans que tu parles sans arrêt pour ne rien dire… », et s'ensuit la séparation.

En prenant une « pause réflexive » avec les consœurs, il y a de cela trois ans, je me répétais tellement que, dans ma prochaine relation sérieuse, les non-dits n'auraient pas leur place. Voyez où j'en suis ! Et je ne suis pas mieux que lui. Écoutez ce que je lui réponds :

— Miam ! Des côtes levées, je suis chanceuse ! Le vin est bon. C'est quoi ? Je relève un petit goût de prune à la fin, on dirait…

Mali-la-sommelière maintenant ! Pourquoi ne pas lui faire une critique en œnologie[1] un coup parti ! Tant qu'à faire du déni de couple ! En jetant un coup d'œil par la porte-fenêtre de sa cuisine, Bobby commente :

— Eh *boy* ! Il neige…

Eille ! Je rêve ou il vient de faire une remarque à propos de la température ? Vous savez comment j'apprécie ce type de fuite conversationnelle. Coudonc, où on s'en va avec ça ? Nous sommes là tous les deux, plantés devant la plaque de côtes levées… Mali, réagis ! Par pitié, ne réponds surtout, mais surtout pas au commentaire relatif aux précipitations hivernales !

— Viens ici, gros nigaud ! que je balbutie finalement, en l'approchant de moi pour l'embrasser.

---

[1] Science des vins… Mot à utiliser avec assurance pour impressionner la galerie la prochaine fois que vous prendrez un verre de vin ! Quant à moi, on dirait plutôt le nom d'un examen quand je vais chez l'optométriste : « On va maintenant procéder à votre œnologie annuelle… »

Un rapprochement me paraît adéquat…

— Comment ça, « nigaud » ?

— Arrête de toujours vouloir parler, parler, parler… Tu m'énerves ! que j'ironise en l'embrassant de nouveau.

— T'es une peste, me souffle-t-il à l'oreille, avant de prendre mon visage dans ses mains pour me bécoter tendrement.

L'« egg roll » de la parole

Attablées dans notre restaurant asiatique préféré, la discussion s'anime au point de devenir presque difficile à suivre.

— Bien oui, certaines insatisfactions, que voulez-vous ! Vive la vie de couple ! commente Coriande, qui échappe ses nouilles en serrant trop fort ses baguettes.

— T'es pas toute seule, mais on voulait ça, non ? que j'ajoute en prenant la sauce soya sur la table.

— Mais moi, c'est juste concernant UN aspect, poursuit Sacha.

— Moi aussi et ça fait même pas trois mois, renchérit Ge.

— Bon là, un instant. On parle toutes en même temps et aucun cas n'est approfondi ! Allons-y stratégiquement, une par une ! Voilà l'*egg roll* de la parole, que je propose, en plaçant un de mes rouleaux impériaux dans une petite assiette de porcelaine. Qui commence ?

— Vas-y, c'est ton *egg roll* ! plaisante Cori.

Je leur explique la situation du week-end dernier avec Bobby. L'annonce de son gérant, son attitude et la conclusion de notre fin de semaine.

— Quand on s'est mis à table au souper, je croyais que tout était redevenu normal. Mais non, il a texté son gérant une partie de la soirée et il s'est encore retrouvé dans un état super préoccupé. Le lendemain, il avait un *show* au DIX30. Je suis allée avec lui, mais je le sentais distant, absent même…

— Mali, il était déçu. Ça le faisait suer, le défend Ge.

— Je sais, mais moi j'étais super de bonne humeur !

— On est connes les filles, hein ? Quand on file mal, on veut que les gars nous comprennent et quand on va bien, on refuse qu'eux n'aillent pas bien, analyse Sacha.

— C'est tellement vrai, que j'approuve, honteuse.

— Comme si on se réservait le monopole des états d'âme funestes !

— Tout à fait ! Quand je suis super en forme et qu'Hugo est plus maussade, je lui reproche : « Eille toi avec ton air là ! », et souvent, je deviens de mauvaise humeur à mon tour…

— Pareille ! Incapable d'être hermétique, renchérit Coriande.

— On est donc bien « fuckées » dans la tête !

— Surtout dans le cœur, je pense !

— On est probablement juste plus sensibles aux émotions des autres… plus faciles à contaminer, fait valoir Ge.

— Et en plus, je sens que j'ai toujours une épée de Damoclès au-dessus de la tête. Bobby ne me rassure jamais sur ses pensées, sur son amour pour moi, sur sa satisfaction face à notre couple…

— Ouin, moi je ne subis pas ça. Hugo me parle beaucoup, il me fait souvent des compliments, déclare Sacha.

— T'es chanceuse ! Moi, jamais. Donc, chaque fois qu'il a une petite baisse de régime, je panique et j'envisage le pire.

— Mali, il t'aime, me réconforte Ge.

— C'est le *fun* que ce soit toi qui me le dises, que je grommelle.

S'ensuit un silence radio. Je crois que les consœurs ne savent pas trop quoi dire par rapport à ma situation. Coriande prend l'assiette contenant le rouleau et le place devant elle.

— Je trouve Chad pas toujours à mon écoute, débute-t-elle.

Comme je me sens interpellée personnellement par son insatisfaction, je me renseigne :

— Comment ça ?

— Je ne sais pas trop. On parle souvent de lui, de ses amis, de ses projets, de ses voyages, de son travail…

— Je comprends. Avec mon frère, il faut que tu t'imposes un peu. Je ne pense pas que ce soit parce que ça ne l'intéresse pas.

— Je sais, mais c'est une tangente que notre relation prend. Je ne sais pas trop comment lui parler de mes impressions sans le vexer.

— Il faut que tu fasses attention, en effet. C'est délicat. Il pourrait le percevoir négativement.

— Je sais. Et en plus, je m'ennuie de lui. On dirait que je suis toujours en dernier dans ses plans : après le poker, les sports, les amis, poursuit Cori.

— Pour être franche, mon amie, c'est un peu ce qu'ont ressenti toutes les femmes qui sont passées dans sa vie. Mais par rapport à ça aussi, je crois que tu dois prendre la place qui te revient et ne pas attendre qu'il te l'attribue d'emblée. Ce n'est pas un mauvais gars, mais il n'y pense pas toujours, que je confesse, un peu mal à l'aise.

— Ouin, faut qu'on jase en tout cas.

Jy Hong s'approche de la table pour ouvrir notre deuxième bouteille de vin.

— Madame va bien ce soir ? demande-t-il, étant donné que le restaurant est achalandé en ce mercredi soir ; il était venu nous voir que pour prendre les commandes.

— Oui, on parle de nos bananes royales ! ironise Sacha.

— Contentes de vos bananes ? interroge-t-il en oubliant d'insérer un verbe dans sa phrase.

— Euh… Les bananes ne sont pas toujours parfaites, hein ! plaisanté-je.

— Certaines ont des petits bouts brunis, ajoute Cori.

— Aaaah ! Rien n'est jamais parfait ! Mais vous saviez que « la langue bute toujours sur la dent qui fait mal ».

Nous lui sourions sans faire de commentaire avant qu'il retourne auprès de sa femme, à la cuisine.

— Je pense qu'en bon français son proverbe veut dire : « Les femmes se concentrent toujours sur le négatif… »

— J'en ai bien peur…

Sacha saisit l'assiette contenant l'*egg roll* et la place devant elle. Avant de débuter, elle prend une grosse croquée dans le rouleau en disant, la bouche pleine :

— Non mais, si tu ne le manges pas, je vais le faire !

On rigole le temps qu'elle termine de mastiquer.

— Moi, mon problème ne se situe pas au même niveau que vous. Je vous explique : je sens une baisse d'activité sexuelle dans mon couple et je trouve que c'est tôt pour vivre ça ! Le chat échaudé craint l'eau froide. J'ai un léger sentiment de déjà-vu !

— Arrête ! Ne compare pas Hugo à Thierry le gai-pas-juste-gai-qui-frappe-de-tous-les-bords !

— Je sais, mais on le faisait tellement souvent que, maintenant que la cadence diminue, ça paraît !

— Vous avez des rapports combien de fois par semaine ? s'informe Cori.

Notez ici le comportement typiquement féminin de « besoin de comparaison ». On fait toutes ça ! Et celles qui ne le font pas se retiennent ! Je me demande si les femmes néandertaliennes comparaient leur grotte à celle des autres.

— Je ne sais pas… presque toutes les fois qu'on se voit, répond vaguement Sacha.

— Tu te plains de quoi, alors ? s'offusque Cori.

— Avant, c'était plusieurs fois, et là, c'est juste une fois, explique Sacha.

— Ce n'est quand même pas le Pérou ! Vous êtes un couple d'humains ou de lapins ? la nargue Ge, amusée.

— Nous, on fait l'amour souvent, mais pas tous les soirs où l'on se voit, confie Coriande, presque honteuse.

— Nous non plus, que j'approuve pour normaliser sa situation.

— Nous on le fait plus souvent que ça, mais c'est encore vraiment nouveau, précise Ge.

— En tout cas, si tu es insatisfaite, parles-en avec lui. Je connais Hugo comme un nymphomane masculin, il ne va sûrement pas se plaindre !

— Euh, non ça n'existe pas ce mot-là pour un homme. Faut dire un « couillomane », invente Ge à brûle-pourpoint.

— C'est pas un « quéquettomane » ? s'informe Cori en prenant son cellulaire pour faire une recherche.

Sacha prend une autre bouchée du rouleau, avant que Ge ne crie :

— Eh ! Ne le mange pas au complet, il reste moi !

— Excuse ! Excuse ! réplique Sacha, qui recrache son morceau d'*egg roll* pour le remettre dans l'assiette avant de la placer devant Ge.

— Ark ! T'es dégueulasse !

— Est conne ! que j'ajoute en m'étouffant presque avec ma propre bouchée.

— Dans mon cas, c'est drôle, mais je vis l'inverse de la situation de Coriande. Rick ne parle pas beaucoup. On discute juste de moi, de moi et de moi. Je sais que ça ne fait pas longtemps, mais j'ai l'impression de ne rien connaître de lui.

— Ge, je pense que tu étais justement trop habituée à fréquenter des gars qui parlaient juste d'eux ! précise Sacha.

— Peut-être, acquiesce-t-elle.

— Je pense vraiment que tu mérites ça. Il a tellement l'air amoureux de toi, que je renchéris.

— Lui poses-tu des questions ?

— Ouais, mais il se fait évasif et il me dit souvent : « Ma vie est plate, ce qui m'intéresse c'est toi ! »

— *Sweet*, gémit Coriande avant de poursuivre activement sa recherche Internet.

— Moi, je te trouve tellement chanceuse. Il te gâte tout le temps, il t'écrit des mots doux sur la table du *condo*… Quand t'avait fait couler un bain juste avant ton retour du travail, c'était vraiment *cuuuuttte*, rappelle Sacha en râlant d'admiration.

Quand je vous disais que son *chum* (ou presque *chum*) est charmant, voilà un bon exemple. Un soir, il avait fait couler un bain pour Ge, avant de placer des chandelles tout autour de la baignoire, et il était parti parce qu'il devait se rendre à un souper d'affaires. En arrivant, Ge avait découvert un mot sur la table, lui disant d'aller relaxer dans ce décor de détente.

— Je sais, mais parfois, j'ai l'impression qu'il manque de confiance en lui un peu. Comme si je l'intimidais.

— C'est possible Ge, que je confirme.

— Pourquoi ?

— Difficile de savoir à cette étape, on ne connaît que peu de choses de lui. Mais t'as tout de même un parcours universitaire assez exceptionnel, ton job haut placé au gouvernement, tu gères aussi des équipes de recherche, ça peut être impressionnant.

— Ouin…

— Satyriasis, c'est le masculin de nymphomane ! L'homme hypersexualisé…

— En tout cas, pas si « hyper » que ça de ce temps-là ! réfléchit Sacha en guise de commentaire au propos de Coriande.

Jy Hong revient à notre table pour la desservir et imite le bruit du canard en ouvrant et fermant ses mains pour illustrer des becs d'oiseaux :

— Coin ! Coin ! Coin !

Cela signifie qu'on parle comme des pies ?

— Jy Hong ! On jase entre femmes ! lui envoie Sacha.

— Madame ! Vous savez que « parler ne fait pas cuire le riz » !

Bon ! « Cuire le riz », maintenant ! Nous pouffons de rire, conscientes qu'il n'a pas tort.

— Oui, vu que notre langue s'est butée en masse sur la dent qui fait mal, il va falloir faire cuire le riz maintenant ! que je résume allégoriquement.

— J'utiliserai la même métaphore quand je parlerai à Chad ! Je vais être vraiment crédible !

Françoise

— Ici c'est le salon et la cuisine, que je décris inutilement, comme si Françoise ne pouvait pas voir d'elle-même la vocation des pièces du *condo*.

Elle ne parle pas. Sourit. Notre nouvelle femme de ménage est-elle muette, ou quoi ? Heureusement que l'homme de l'agence de placement m'a mentionné son nom au téléphone, sinon je crois que je ne l'aurais pas su. Françoise. Elle est juste venue visiter l'endroit. Elle débute la semaine prochaine.

— Dans le fond, un escalier mène à l'étage en bas où l'on retrouve la playa del... euh... le sous-sol, que je rectifie, consciente que la blague, hors contexte, n'a pas sa place.

Elle me regarde avec ses yeux pénétrants. Bien coudonc ! Qu'a-t-elle à m'observer avec son air déstabilisant, elle ? Toujours muette comme une carpe, en plus !

— Et en haut, on trouve ma chambre et celle de Geneviève ainsi qu'une autre salle d'eau complète.

Elle me suit en me fixant toujours. Avec son regard très perçant. Presque gênant.

— C'est votre chambre ?

Ce sont les premiers mots qu'elle prononce.

— Euh... Oui.

— Hum..., murmure-t-elle en faisant sans gêne le tour de la pièce, comme si elle l'analysait.

Elle reste coite pendant la visite de toute la maison, mais dans ma chambre, elle se délie la langue allégrement !

— Votre chambre renferme beaucoup d'ondes positives…

Hein ? Comment ? Pouvez-vous répéter la question ?

Elle tournoie encore tranquillement sur elle-même, en semblant disséquer chaque détail.

— Vous êtes une vieille âme, ma chère… Une belle âme, soit dit en passant.

Lourd silence. Malaise. De quoi parle-t-on ? J'ai appelé une voyante ou je fais visiter le *condo* à une femme de ménage ? Je tente de ramener la discussion à notre occupation du moment :

— Laissez-moi vous présenter le reste des lieux…

Je fais mine de sortir de ma chambre.

— C'est votre époux ? s'intéresse-t-elle, en désignant du doigt la photo de Bobby et moi à Paris qui trône sur ma table de travail.

Prise de court, je reste silencieuse.

— Il a une âme bien plus jeune que vous ! Un jeunot, quoi ! s'amuse-t-elle.

Là, je n'y comprends plus rien. J'hésite entre continuer ma visite ou improviser une table de fortune pour qu'elle me dévoile mon avenir dans une boule de cristal ! Mais la vérité, c'est que tout ça, ce sont des foutaises, je n'en crois rien ! Immobile et en admiration devant la photographie, elle poursuit :

— Il a une jeune âme, mais vous vous connaissez depuis tout de même longtemps…

Sans trop réfléchir, je lui réponds du tac au tac :

— Non, pas si longtemps, disons quatre ans… Vous venez ?

Elle glousse un bon moment. Un trop long moment. Je suis là sur le pas de la porte à attendre, avec appréhension, la justification de son interminable rigolade. Elle marque une pause, en secouant la tête de gauche à droite.

— Je ne vous parle pas de cette vie-ci, bien sûr… Ne soyez pas si terre-à-terre, madame.

Ah bon ? Maintenant on fait un inventaire de mes vies antérieures ! Fallait le dire, que je me règle au huitième degré afin de comprendre de quoi on parle ! Je la dévisage, peu réceptive, convaincue d'être victime d'une arnaque de femme désespérée voulant créer un contre-emploi à son activité de ménagère. Elle persiste :

— C'est un beau dénouement, votre histoire…

Oh ! *Stop* ! Un instant ! C'est qui, elle ? C'est quoi, ça ? Elle ne sait absolument rien de mon histoire. Dans mon cas, tout ce que je sais d'elle, c'est qu'elle s'appelle Françoise. Comment pourrait-elle connaître des choses sur ma vie ?

Elle sourit de nouveau et continue d'arpenter ma chambre en longeant les murs pour avoir une vue d'ensemble.

— Mali, quand on entre dans la chambre de quelqu'un, on peut ressentir tellement de choses !

« Euh… Non ! » En pénétrant dans la chambre de quelqu'un, on ne "ressent" rien, sauf un malaise si c'est à l'envers, ou un haut-le-cœur si ça pue ! »

— En plus, vous êtes une femme tellement transparente. Vous le savez ? commente-t-elle en s'asseyant sur mon lit.

Bon ! Elle s'installe, maintenant ! Et de quoi parlait-on ? Ah oui, de transparence. Plus ou moins réceptive à ses remarques, je lui propose plutôt de sortir de cette pièce.

— Donc, la chambre de Geneviève est par là !

Faisons comme si la conversation précédente n'avait jamais eu lieu.

— Vous avez peur de lui, envoie-t-elle en se levant de mon lit.

« Pfft ! Non ! » Un peu ahurie, je la regarde passer devant moi pour se diriger vers la chambre de Ge. Mais qui est cette femme ?

Thé vert et yoga ?

En examinant le tableau de communication, je réfléchis à voix haute.

— Dans le fond, on ne se sert jamais de la partie « Playa del sous-sol ». On décide le soir même si un couple va en bas ou s'il reste en haut.

— C'est vrai, me confirme Ge assise à l'îlot.

Elle a pris son vendredi après-midi de congé.

En scrutant les niaiseries que les gars ont écrites, je propose :

— On pourrait le segmenter autrement : une section pour les filles et une pour les gars.

— Bien oui ! Pourquoi pas !

J'efface tout afin de refaire les divisions. J'écris ensuite quelques phrases, puis je m'écarte du tableau.

Section des filles :

La langue se bute toujours sur la dent qui fait mal. – Jy Hong

Qui a fait cuire le riz ?

Section des gars :

Ge regarde le tableau et sourit. Elle se lève et prend la craie. Elle ajoute près de « Qui a fait cuire le riz ? » : « – Pas moi ! – Ge ». Elle se rassoit en haussant les épaules pour me signifier : « Eh non, pas encore… »

Nous buvons un thé vert en discutant. Sacha, qui termine plus tôt sa journée de travail, arrive au milieu de l'après-midi. Elle semble nerveuse, agitée. Elle se rend à sa chambre avant d'en ressortir, puis se dirige à la salle de bain pour ensuite retourner à sa chambre.

— Coudonc ! T'as don' bien l'air stressé ? constate Ge en la voyant faire les cent pas.

— Non, je me prépare à faire du yoga, annonce Sacha.

Elle vient vers nous en s'attachant les cheveux.

— Euh… Je ne suis pas un yogi professionnel, mais faire du yoga, c'est pas une question d'attitude autant que d'exercices ?

— Ben oui, j'ai une attitude TRÈS yoga, souligne Sacha, qui se dirige rapidement vers la télé pour y insérer son DVD.

— Euh… Non : t'es stressante, tu marches vite, tu respires mal, la nargue Ge, comme si elle savait réellement quelle contenance prendre quand on pratique cette activité.

— Regarde ma belle Geneviève, va mettre tes *leggings* et rejoins-moi au salon, lui propose calmement Sacha en arborant un sourire exagéré.

— Oui ! que je réponds à sa place.

Je me lève d'un bond pour monter à ma chambre.

— Pfft ! On devrait jouer aux quilles sur la Wii à la place, suggère Ge en se dirigeant vers sa chambre également.

Cinq minutes plus tard, nous nous retrouvons en demi-lune devant le téléviseur. Nous lançons le DVD. L'homme explique en anglais des techniques de respiration avant de dire le mot « Power Yoga »…

— De quessé « Power » ? s'étonne Ge.

— C'est pour les grosses fesses, explique Sacha, en effectuant les mouvements de bras tout en coordonnant les inspirations et les expirations.

J'ai déjà fait du yoga avec Sacha, mais pas avec ce DVD-là. Je ne sais pas trop à quoi m'attendre non plus.

Après vingt minutes de positions au sol, de positions debout, de retours au sol, de retours debout, Ge commente, essoufflée :

— C'est débile mental, ça !

Elle prend une pause, incapable de réaliser correctement la posture jambes écartées, une main au sol et l'autre en l'air. Sacha la réussit avec brio, en maintenant la position aussi longtemps que l'homme dans la vidéo. Ge refocalise son attention sur le professeur qui explique l'objectif de l'exercice suivant en exécutant agilement le pont[2].

— Voyons donc ! s'insurge-t-elle de nouveau.

Je m'amuse en observant Ge « la pas sportive » se rebuter devant l'exercice. Je tente le coup. Sacha paraît parfaitement « ronde » sur le tapis du salon. Ouf, ma gymnastique du primaire est loin. On est comme moins flexible de la colonne vertébrale passé trente ans… J'abandonne. Avec Ge, j'observe Sacha.

— T'es vraiment bonne ! commente Ge.

— Merci. Tu vois que je suis zen, répond Sacha, toujours la tête en bas.

---

[2] Posture au sol : les pieds sont à plat, les mains aussi, mais les doigts sont tournés vers les talons, l'abdomen vers le ciel, afin de former un arc avec son corps. Ceux qui ont des problèmes de dos, de reins, de cou, d'épaules ou de nerf sciatique, s'abstenir…

Et c'est le but !

— Je suis certain qu'avant la fin du week-end ma blonde m'expliquera c'est quoi votre connerie de menu sur le tableau ! menace Hugo, trop frustré de ne pas comprendre nos allusions bizarres.

Section des filles :

La langue se bute toujours sur la dent qui fait mal. - Jy Hong

Qui a fait cuire le riz ? - Mali

Pas moi ! - Ge

Trop chicken ! - Cori

J'attends que les carottes soient cuites ! - Sacha

Section des gars :

C'est quoi le rapport de votre riz, votre poulet pis vos carottes ??? - Hugo

— C'est pas un menu ! T'es pas pantoute dans le sujet ! le nargue Sacha.

— Bien, en regardant ça, il manque juste la sauce ! ajoute-t-il de nouveau.

— Le gros ! Laisse faire ! Elles veulent simplement te faire parler ! lui conseille Chad, assis sur le divan, les pieds confortablement posés sur la table à café.

Ge est partie pour la fin de semaine avec Rick, dans un hôtel des Laurentides. Mon homme a finalement décidé de faire l'émission de variétés de ce soir. Mais il a négocié d'être le premier invité pour se libérer par la suite. Tout est bien qui finit bien. Il va donc pouvoir retrouver ses amis au Centre Bell, probablement au cours de la première période. « Mieux que rien… », m'a-t-il dit tantôt au téléphone. Il va venir me rejoindre demain dans la journée. On ne s'est pas vus de la semaine.

Hugo claironne, avec beaucoup trop d'excitation, notre activité de la soirée :

— On écoute la *game* ! Nananana ! Héhéhé ! *Goo-ood bye* !

Hugo se jette à genoux sur le tapis du salon, comme pour feindre des arrêts de rondelle spectaculaires. Franchement ! Chad imite ses âneries. Il fait semblant de lancer les gants devant Coriande, en l'invitant gestuellement à se battre.

— T'es un sportif de divan ! Je vais te sacrer une volée, chéri !

— Ah ben ! rugit Chad en s'élançant sur elle.

— Et le buuuuuut ! crie Hugo, comme si l'équipe imaginaire (dans laquelle il incarne le gardien de but) venait de compter.

« Niveau primaire » est trop élevé pour qualifier la scène qui se déroule dans le salon. Préscolaire, peut-être ?

— On gage quoi, les femmes ? demande Chad en lâchant finalement Coriande.

Nous prenons toujours des gageures contre les gars par rapport au score final ou au joueur marquant le premier but, par exemple. Habituellement une tâche à exécuter durant le week-end : soit le déjeuner du lendemain, soit le souper la plupart du temps. Sans oublier les courses et le rangement de la cuisine.

— Hum… je ne sais pas…, que je songe en fixant Coriande, qui réfléchit aussi.

Nous passons une très belle soirée tous les cinq. Sacha et Hugo ne faisant qu'un sur le divan (décidément, juste un cercle ce soir). Chad et Coriande assis côte à côte, sans trop se toucher (deux cercles, mais tout de même l'un près de l'autre). Je pense à mon *chum* qui regarde la partie du Centre Bell (manifestement, deux cercles très loin).

Après le match, je monte dans ma chambre pour lire un peu. Avant d'ouvrir mon roman, je me sens interpellée par mon livre. J'agrippe le crayon me servant de marque-page :

La patiente semble contente, mais pas du tout excitée comme à son habitude, de voir son amoureux dans quelques heures. Madame tente de feindre un détachement affectif en surface pour contrer une angoisse nouvellement réapparue à la suite des confessions d'une femme soi-disant dotée d'un pouvoir ésotérique. Je croyais qu'à ce stade-ci, cette forme peu évoluée de déni ne ferait plus partie des options de fuite de Madame Allison.

Décalage matinal

Au petit matin, je sursaute lorsque je sens quelqu'un se blottir contre moi. J'ai vraiment besoin de quelques secondes pour me rendre compte de ce qui se passe. Je rêvais profondément. Bobby rigole en me voyant confuse, l'air endormi.

— *One, two, testing* ! blague-t-il.

— Huuuum, que je murmure, en m'enroulant de nouveau dans ma couette de plumes bien duveteuse.

— Réveille-toi ! Qu'est-ce qu'on fait aujourd'hui ? lance-t-il, plein d'énergie.

— Eh ! Eh ! Calme-toi un peu, Gaétan !

Il se lève et arpente ma chambre, en jetant un coup d'œil dehors. Il revient sur ses pas.

— Il fait beau !

— Hum, hum…

Il s'approche de ma table de travail et saisit la photo de nous deux à Paris. Je l'épie du coin de l'œil et commente encore endormie :

— Elle est belle cette photo-là, hein ?

— Quelle photo ? répond-il avant de reposer le cadre sur mon bureau.

— Hum ?

— Debout ! Debout ! Debout !

— Attends…

Nous sommes dans des modes très différents le matin, lui et moi. Je suis du genre « petit minou ». Tran-quil-le-ment. Lui, c'est tout le contraire. Quand on dort ensemble, je me demande parfois s'il prend le temps d'ouvrir un œil avant de sortir du lit. À mon avis, un ressort relie son iris à ses jambes : sa pupille perçoit la lumière du jour, ses jambes s'activent et il se lève d'un seul coup. Les réveille-matin n'existent pas dans sa vie (sauf peut-être lorsqu'il participe à une émission de radio très tôt le matin, où il doit se réveiller presque en pleine nuit pour se rendre au studio). Pour ma part, j'ai un adage populaire (de mon cru) qui va comme suit : « Tu n'as pas dormi tant que tu n'as pas *snoozé* ! » Une professionnelle du *snooze,* je vous le jure. De plus, je règle les intervalles d'alarme aux dix minutes. J'ai le temps de me rendormir, de retourner batifoler dans mon rêve avant la sonnerie suivante, puis c'est reparti ! Habituellement, trois fois. Je sais, il y a présence d'abus de ma part. Mais j'aime ça. Quand j'étais jeune, mes parents me couchaient tout de suite après *Passe-Partout* (donc dix-neuf heures), et mon école primaire (où ma mère enseignait) ne se situait qu'à quatre minutes de marche de la maison, donc, je n'avais pas besoin de me lever à des heures impossibles pour faire des trajets interminables en autobus. Bref, c'est la faute de mes parents si je dors autant et si j'aime autant ça ! Bon, ça fait toujours du bien de se déresponsabiliser en jetant le blâme sur ses parents !

— Prends ton Ritalin, déshabille-toi et viens ici…

Je l'invite, câline, toutes couvertures ouvertes, en dévoilant mes petites culottes de coton rose.

— OK !

Il enlève, en trois secondes, son jeans, son chandail et ses boxers avant de sauter dans le lit.

Voyez ici le mâle en rut qui vient de voir un petit bout de peau. Conclusion : peau = sexe ! Sacré Bobby ! Il se blottit derrière moi, en flattant affectueusement ma peau chaude. Je me laisse enivrer par ses caresses tendres. La suite est prévisible…

Après avoir fait l'amour dans une ambiance de douce matinée dominicale, il se lève de nouveau d'un bond !

— Bon, t'es réveillée maintenant !

— Je pensais que du sexe, ça t'aurait quelque peu calmé le pompon, Gaétan !

— Non, j'ai encore plus d'énergie ! J'ai faim !

— *By the way*, t'es entré comment ici ?

Il faut préciser qu'aucun des gars n'a de clés du *condo*. Si un problème d'horaire survient, on peut par contre leur prêter notre propre clé. Une mesure exceptionnelle ! Les consœurs ont fixé cette règle pour éviter l'envahissement total ! De toute façon, l'étape « je-te-donne-la-clé-de-chez-moi » s'avère presque aussi importante que le mariage, selon moi.

— Sacha était debout ! Hugo et elle viennent de partir, je crois.

En descendant, je constate en effet que le *condo* semble désert. Bobby, qui décide de faire du café, commente le tableau :

— C'est quoi votre sous-entendu secret concernant le riz ?

— Tu l'as dit : c'est secret, que je réponds pour lui signifier qu'il n'aura pas droit à des explications.

— Bon, après avoir personnifié la « banane royale », vous nous comparez à du riz maintenant !

— Bien non, vous n'avez rien à voir là-dedans ! que je mens sans scrupules.

En le regardant, je regrette d'avoir entretenu des pensées négatives à son égard à cause de la fin de semaine dernière. Pourquoi je me mets dans un état pareil chaque fois qu'une banale situation vient ombrager mon univers ? Parce que les filles pensent trop ? Analysent trop ? Pfft ! Tellement ! Les filles aiment le drame !

— T'es arrivé à temps pour la troisième période, hier ? que je demande, intéressée.

— Oui ! À la fin de la deuxième. J'étais content !

Fin de la discussion. Notez ici que je ne pose aucune question sur le dénouement de sa soirée. Mon cercle et le sien !

— Bon, je t'amène au resto ce matin !

— OK, je m'arrange la face un peu.

— Vite !

— Gaétan...

En remontant dans ma chambre, je jette un œil sur ma table de travail. Je comprends mieux l'interrogation précédente de Bobby : mon cadre est vide... Où est donc notre photo ?

Le père Noël fait l'amour?

Nous passons finalement toute la journée en ville. Bobby a besoin de jeans. Drôle de phénomène que le magasinage en couple ! Quand je cherche des vêtements pour moi, jamais je ne fais la gaffe d'en faire une activité conjugale. Les gars semblent tous pareils : après trois magasins (ou après treize minutes d'emplettes), ils sont tannés ; tout ce qu'on leur présente pour nous embellir est « correct ». J'ai fait le test plusieurs fois en proposant, à mes *chums*, un morceau de vêtement des plus laids, pas du tout mon style. Chaque fois, un « hum hum… » un peu mou approuvait mon choix. Chaque fois, je m'écriais : « T'es malade ! Je ne vais jamais porter ça ! » À tout coup on me répliquait : « Je ne sais pas moi… », « Ah donc, tu ne sais pas depuis le début ? »

Mais faire du lèche-vitrines, pour eux, s'avère différent. Bobby le grand indépendant, le grand émancipé, le fier gaillard, devient un petit jeunot de sept, huit ans quand il magasine. Et il ne l'assume pas complètement. « Ces jeans-là, euh… sont-tu corrects ? », « J'ai-tu l'air bien dedans ? » Manque d'autonomie vestimentaire totale ! Par contre, je ne fais aucune moquerie à cet effet, car je le sens parfois vraiment vulnérable et un peu honteux de l'être. Dommage collatéral d'avoir une mère qui t'appelle encore « mon petit bébé » et qui te demande si tu laves ton lit au moins une fois par deux semaines ? Sans aucun doute…

Bobby essaie quatre paires de jeans. Évidemment, la vendeuse rôde autour et se montre très intéressée à prodiguer des conseils au chanteur québécois.

Je dévoile mon choix à Bobby :

— La deuxième paire, je pense.

— Ah oui, dit-il, pas sûr de lui.

Il retourne dans la cabine d'essayage pour les remettre de nouveau. En sortant, il me murmure discrètement, l'air inquiet :

— J'ai des belles fesses dedans ?

Eh oui ! L'impact des fesses ! Aussi important chez l'homme que chez la femme, hein ! Je prends un air sérieux et convaincu :

— C'est parfait !

Si j'instille l'ombre d'un doute dans son esprit, aussi infime soit-il, il va tout remettre en question. La vendeuse, qui fait semblant de ranger des chandails sur un présentoir, s'approche :

— Moi, je préférais le dernier modèle.

Hein ? Elle sort d'où, elle ? Lui a-t-on demandé son avis ?

— Ah oui ? se met d'emblée à douter Bobby.

Il me grimace un visage scandalisé du genre : « Pourquoi tu préfères celle-là, alors ? »

Il retourne dans la cabine pour en ressortir quelques secondes plus tard avec le modèle conseillé par la vendeuse. Pour être franche, je le trouve trop large à la cuisse. La vendeuse s'exclame, trop expressive :

— Ah oui ! Vraiment mieux !

Bon ! Comme si mon choix ne valait RIEN ! Je la dévisage pendant quelques secondes, abasourdie de son commentaire.

— C'est vrai qu'ils sont beaux ! confirme Bobby en souriant à la jeune fille.

Celle-ci jubile de plaisir au point d'échapper un petit cri nerveux. C'est moi ou les gars font toujours trop confiance aux vendeuses à la commission ?

— J'aime mieux l'autre, mais bon ! que je réplique, tenace.

— Je vais prendre les deux ! déclare Bobby.

Il retourne dans la cabine d'essayage. Pendant ce temps, la jeune fille m'envoie un regard satisfait. Coudonc, elle veut se battre dans le jello, elle ? Je décide de quitter le magasin pour l'attendre dehors tout en fumant une cigarette. Après une séance de photos interminable (la vendeuse a sorti son cellulaire pour réaliser des clichés afin de regarnir son profil Facebook), il me rejoint finalement.

Lorsque nous revenons au *condo*, tout le monde s'y trouve sauf Ge. Hugo et Chad s'affairent docilement à la cuisine. Bobby déduit en y entrant :

— Ouf ! Les hommes ont perdu leur gageure, hier !

— Tu dis ! Mais c'était de la chance ! Depuis quand Subban compte des buts ?

— Sérieux ! Qui avait prédit ça ? s'intéresse Bobby, impressionné.

Coriande lève la main, fière de sa prédiction, qui a valu aux filles le privilège de se faire servir ce soir.

— Bon bien, on va se faire gâter, se réjouit Bobby pour agacer ses amis, tout en se laissant choir sur le divan, les bras derrière la tête.

— Hé connard ! Tu n'étais pas dans la gageure, toi !

— Bravo ! « Connard », ce n'est pas un nom de pénis. Vous évoluez les gars, que je les félicite ironiquement.

— Ouais, mais « big dick », c'est lui ! Il ne peut pas m'appeler de même, m'explique Bobby, comme si des règles précises régissaient le choix des insultes.

— « Big dick » ? Ça pourrait vraiment être un nom de super héros, commente Coriande.

— Viens dans la chambre, je vais te le montrer que « big dick », c'en est un super héros ! se vante mon frère en faisant un clin d'œil à sa blonde.

— Ouache ! T'es mon frère ! Tu ne fais pas l'amour. Le père Noël et la fée des dents non plus ! que je proclame pour feindre mon écœurement d'entendre mon frère parler de sexe.

— Bien oui, le père Noël fait l'amour ! Voyons, il *swingue* la mère Noël sans arrêt ! s'en mêle You Go.

— Et la fée des dents, elle ? demande Sacha, curieuse.

— Elle batifole tout le temps avec le bonhomme Sept Heures, explique Hugo, trop sérieux.

Vous voyez le genre de conversation enrichissante qu'on peut avoir… N'importe quoi ! À vrai dire, il est impossible d'avoir des échanges approfondis, des débats sociopolitiques palpitants ou autres quand on est plus de deux couples dans le *condo*. Mais vous savez quoi ? J'en suis vraiment heureuse. Depuis qu'on se connaît, c'est la première fois que nos *chums* s'entendent si bien ! Ce n'était jamais arrivé. Les gars projettent même d'aller à la pêche ensemble, en même temps que notre voyage de pêche entre filles ! Ils sont jaloux qu'on cultive religieusement cette tradition chaque été.

Bizarre...

Ge, qui revient de sa soirée, cogne à ma porte de chambre. Je suis assise avec Bobby, dans le lit, lorsque je l'invite à entrer.

— Salut ! Je vous dérange ? demande-t-elle, un peu timide.

— Non, entre, que je la rassure.

— Vous avez passé un beau week-end ? s'informe Ge, l'air étrange.

— Oui, tranquille. Toi ?

Elle ne répond pas et s'assoit sur ma chaise de travail, hésitante.

— Qu'est-ce qu'il y a ? que je m'inquiète en la voyant l'air si bizarre.

— J'ai vécu une drôle de situation et il faut que j'en parle à quelqu'un.

— Vas-y on t'écoute, que je la prie, avide de connaître la suite.

Bobby semble curieux aussi, mais il ne dit rien. Ge et lui s'entendent bien. Ils sont de connivence depuis bien longtemps. Rappelez-vous les manigances qu'ils ont faites dans mon dos l'année dernière. Je fais référence à la fois où Bobby était venu à l'hôpital durant mon séjour là-bas. Ge lui fait vraiment confiance.

— Dites-moi ce que vous en pensez. J'ai rencontré la mère de Rick samedi soir. Elle est si étrange. Rick semblait repousser le moment des présentations depuis le début. J'ai peut-être compris pourquoi. Sérieux, je pense qu'elle a une maladie mentale. Genre troubles psychotiques. Elle faisait tellement pitié, là...

— Comment ça ?

— On était dans la cuisine chez elle. Les sujets qu'elle amenait étaient insolites, elle paraissait nerveuse, préoccupée. Elle a demandé à Rick d'aller voir le chauffe-eau, au sous-sol. Quand il est parti, elle s'est approchée de moi pour me dire : « C'est poison, votre relation… » J'ai tenté d'en savoir plus et elle s'est reculée en disant : « Je ne peux pas… » Elle avait l'air complètement déconnecté.

— En effet, ça semble présager que sa mère a un problème psychiatrique.

— Je sais bien. Durant le souper, elle a paranoïé. Elle disait que Rick devait isoler à nouveau toute la maison, car elle sentait des infiltrations d'air partout. Deux fois durant le repas, elle s'est trompée et l'a appelé Louis. Quand nous sommes entrés dans la voiture, il m'a confié avoir fait exécuter ces travaux au complet, il y a trois ans.

— Elle souffre peut-être d'Alzheimer ? spécule Bobby.

— Louis ? que je questionne.

— Le nom de son père, m'explique Ge en baissant la tête.

— Il est où ? demande pertinemment Bobby.

— Mort…

— Hish… pas drôle, commente-t-il, compatissant.

— Il s'est par la suite excusé pour sa mère qu'il a qualifiée de « bizarre », sans m'en dire plus. Je ne lui ai pas dit ce qu'elle m'avait raconté.

— À ta place, je ne m'en ferais pas trop, Ge. Tu sais reconnaître quelqu'un qui souffre de troubles psychologiques…

— C'est triste… T'es bien mieux avec ma mère qui te demande si je fais bien mon lavage, hein bébé ? ironise Bobby en me tapotant l'épaule.

— Justement, je vais l'appeler pour lui dire que tu t'es acheté des jeans avec des trous aujourd'hui…

— Eille ! Ne fais jamais ça ! Elle m'a regardé à l'émission diffusée à Radio-Canada hier, et trois secondes après la fin, elle m'appelait pour me dire qu'elle n'était pas très fière que j'aie porté ce pantalon-là à la télé. Et il paraît que j'étais trop dépeigné !

— Tiens donc ! C'est pour ça que tu voulais t'acheter des jeans aujourd'hui ! Maman n'était pas contente ! que je nargue.

— Pfft ! Aucun rapport ! J'avais besoin de jeans, c'est tout.

Est-ce que c'est le fils qui aime se cacher encore sous la jupe de sa mère ? Ou celle-ci qui le maintient là ?

— Bon, je vous laisse gérer votre gros dossier ! affirme Ge en se levant.

— Mais à ta place Ge, je ne m'en ferais pas trop. Mali a raison. Rick, c'est vraiment un gars correct !

— Ça t'explique un peu pourquoi il repoussait la rencontre avec sa mère, que je présume.

— Oui, je comprends mieux certaines choses maintenant, réfléchit-elle en se dirigeant vers la porte.

— Bonne nuit !

Troublante Françoise…

Françoise arrive au *condo* au même moment où j'embrasse mon amoureux dans le vestibule. Bobby s'en va. Comme nous avons décidé de toujours laisser quelqu'un avec la femme de ménage les lundis, mon horaire à la maison convient parfaitement. Elle a beau provenir d'une agence spécialisée en location de personnel, la confiance reste difficile à accorder d'emblée.

Je souris à Françoise après avoir envoyé une œillade à Bobby ; celui-ci bouffonne des simagrées ridicules dans le dos de la ménagère. Avant même que je ne referme la porte, elle m'interroge :

— C'est l'homme de la photo ?

« Bizarre qu'elle ne le reconnaisse pas en tant que chanteur… » Je retourne à la cuisine, en songeant à cette interrogation.

— Oui, justement la photo…, que je commence délicatement.

Elle me coupe la parole en sortant le cliché de son sac à main. Elle l'avait vraiment volé !

— C'était trop intéressant, j'ai pris la liberté de vous l'emprunter…

Pourquoi ? Je la toise curieusement, déstabilisée par son comportement bizarre.

— Son urgence face à votre maladie, le dévoilement au grand jour de votre relation après tout ce temps, ce genre d'histoires me fascine…

Non, mais là, c'est clair qu'une des filles s'est entretenue directement avec elle au téléphone pour lui raconter ma vie ! Comment pourrait-elle savoir tout ça ?

— Je suis un peu mal à l'aise, Françoise, mais qui vous a donné ces renseignements à mon sujet ? que je formule un peu abruptement.

— Ha ! Ha ! Personne. L'image parle d'elle-même…

Elle ne me donne même pas la chance d'y réfléchir et elle me dévoile sans détour :

— Vous savez, votre instinct était bon quand vous avez cru que votre maladie créait un sentiment d'urgence chez lui. Ç'a été le cas en effet…

Complètement abasourdie sur le pas de la porte, je ne peux que flancher sous ses propos trop personnels et trop justes. Un trois cent soixante degrés s'effectue dans ma tête. Paf ! Je suis prise au jeu. Sans la moindre seconde d'hésitation, je lui demande :

— Et vous croyez que c'était trop tôt ?

— Il apprend, au fur et à mesure que vous lui apprenez vous-même à aimer…

Bordel ! Elle me dit quoi, la diseuse-de-bonne-aventure-ménagère ? Il n'était pas prêt ! Elle poursuit sans scrupules :

— Je ne vous surprends pas tant que ça avec mes révélations, Mali. Vous sentez depuis le début ce dont je vous parle…

« Euh non ! » Rectification ! Je l'écris peut-être dans mon livre, je le pense dans ma tête, mais là, c'est beaucoup trop de l'entendre de vive voix, d'une inconnue en plus ! Vite, un mécanisme de défense… Le déni, tiens !

— Je ne fais ça que pour aider… De toute façon, vous connaissez comme moi tous ses blocages affectifs ! rigole-t-elle en passant près de moi.

J'esquive son propos en lui montrant les produits ménagers que nous avons achetés pour elle. En tant que professionnelle dans son art, madame Françoise avait des exigences précises en matière de produits nettoyants. Excusez pardon ! Il paraît que l'homme au coco rasé (qu'on ne nommera pas) n'a plus la cote pour garantir la propreté des planchers, tel type de vadrouille s'essore mieux à cause de son dispositif rotatif en plexiglas, et blablabla. Une liste contenant une douzaine d'articles s'avérait, selon ses dires, une « base essentielle ».

— Voilà !

Fière et souriante, je me place près de la table de cuisine où gisent mes achats de la veille. Elle regarde à peine mes emplettes et jette un coup d'œil à l'aspirateur central que j'ai sorti pour lui éviter d'avoir à le faire.

— Ah non ! Pas ce modèle ! s'exclame-t-elle, un peu découragée.

Euh… De quoi parle-t-on, là ? Que peut-on tant détester d'un aspirateur central ? Le bouton de mise en marche ? La flexibilité du tuyau ?

— Je déteste les embouts par glissière. J'aime mieux les embouts *clipsés*.

« Les quoi ? » Non, mais là, un instant « princesse propreté » !

— On loue ici. Désolée ! Vous allez devoir faire avec notre modèle désuet à glissière qui ne *clipse* pas ! que je souligne en souriant, pour utiliser la décontamination par l'humour en contre-réponse à sa déception.

La vérité : je ne suis absolument pas désolée ! Voyons donc ! Dans la vie, on peut être navré d'avoir écrasé le pied de quelqu'un, d'être en retard à un rendez-vous, de dépasser quelqu'un dans une file d'attente sans s'en rendre compte… Pas d'avoir un aspirateur aux embouts par glissière !

— Pas grave, marmonne-t-elle en commençant à s'affairer à la tâche. Est-ce que vous avez laissé la clé du *condo* sur la table ?

— Non, je travaille de la maison ! que je lui annonce en me dirigeant vers l'escalier.

— Vous travaillez toujours à la maison ? demande-t-elle, surprise.

— Les lundis, oui ! que je confirme en gravissant les marches.

Curieuse, la Françoise ! Quelque chose cloche chez elle. Je n'arrive pas à identifier de quoi il s'agit. Je ferme la porte pour ne pas trop l'entendre bourdonner dans la maison.

Deux heures plus tard, je descends pour me faire du thé. *Wow !* Le bonheur ! Le *condo* reluit de propreté, du moins à l'étage principal. Françoise se trouve à la « playa del sous-sol ». Je me sens presque coupable de déplacer des objets dans la cuisine pour préparer ma boisson.

Lorsqu'elle remonte à l'étage supérieur, je reviens à la cuisine avec mon portable pour lui laisser le champ libre. Finalement, elle redescend et entre dans la chambre de Sacha. Je poursuis la rédaction de mon document pour mon cours de psychopathologie.

Françoise sort la tête de l'embrasure de la porte et me demande :

— C'est son copain, le gars sur la photo accrochée au babillard de liège ?

— Je ne sais pas de quelle photo vous parlez, que je précise, désintéressée par la question.

— Venez voir, s'il vous plaît.

« Qu'est-ce que ça change dans son ménage ? » Docilement, je me lève pour pénétrer dans la chambre de Sacha. Elle me montre en effet une photo de Sacha et Hugo prise l'hiver passé, lors d'une séance de patinage, sur le canal de Lachine.

— Oui, Hugo, que je confirme avant de me retirer.

— Ils se connaissent depuis longtemps, ces deux-là aussi ! Ils ont les auras fusionnées et ça ne date pas d'hier, me commente-t-elle sans hésitation.

— Pas tant que ça ; depuis deux, trois ans.

— Chère jeune fille… Ne limitez pas les balises de la vie à ce qu'elles semblent être dans vos yeux actuellement. Ce n'est qu'une parcelle de la réelle amplitude de ce que nous sommes.

— …

Notez ici que je reste de nouveau bouche bée. Mes croyances mythiques ont toujours été très rationnelles. Je suis du genre : l'eau bout à cent degrés, la glace fond s'il fait chaud, et vive la théorie de l'évolution des espèces de Darwin !

Donc, quand gourou Françoise me parle de « parcelle de la réelle amplitude des balises de la vie… », je réfléchis, oui, mais je ne suis pas d'emblée une fidèle assimilée. Malgré ma non-réaction stoïque, elle continue de me faire part de ses réflexions.

— Ils sont beaux, heureux, autant dans cette vie-ci que dans celle d'avant… C'est rare ça.

Consciente que Sacha est plus intéressée que moi aux aspects spirituels de la vie, j'interroge Françoise pour elle :

— Qu'est-ce qu'ils faisaient dans cette vie antérieure ?

— Ils sont en Europe, je ne sais pas précisément où. Ils forment un duo de trapézistes dans un cirque.

— Vous êtes certaine que ce n'est pas à Las Vegas ?

En réaction à ma taquinerie non subtile, elle apparaît dans l'embrasure de la porte et me fait une moue signifiant : « Vous n'y croyez pas… » Elle poursuit tout de même.

— Je vois qu'ils commencent à travailler ensemble dès leur très jeune âge et, à l'adolescence, ils tombent amoureux. Ils passent leur vie ensemble à tourbillonner dans les airs jusqu'à ce que lui meure en ratant un numéro de trapèze lors d'un spectacle.

Mon Dieu ! Je ne m'attendais pas à un dénouement aussi dramatique.

— Et elle ? que je m'informe, encore prise au jeu.

— Elle glisse accidentellement des mains de son nouveau partenaire peu de temps après, et elle meurt elle aussi.

Nom d'un chien ! Ça se termine donc bien mal, cette histoire-là !

— Ils n'ont pas eu le temps d'avoir des enfants, c'est la raison pour laquelle ils ont si hâte d'en avoir dans cette vie-ci.

— Ha ! Ha ! Non, je crois qu'il y a erreur sur la personne. Sacha ne veut pas vraiment d'enfant ! que je m'escalffe, fière de déceler une faille dans ses allusions prémonitoires.

— Vous vous trompez. Dieu du ciel, vous vivez ensemble : parlez-vous au moins !

Sans rien ajouter, je retourne à mon ordinateur.

Mon téléphone sonne. Je réponds machinalement :

— Allô ?

— *Babe*, c'est moi, dit Bobby, qui semble déduire que je suis occupée.

— Eh ! Tu vas bien ? Tu t'ennuyais déjà ? que je blague en reprenant mes esprits.

— Non.

— T'es poche ! que je réponds, déçue de sa réponse cartési-enne de « colonel rationnel ».

— Je déconne ! rit-il, sans toutefois m'avouer qu'il s'ennuie. Non, Mathieu vient de m'appeler. Je serai à l'enregistrement de *Tout le monde en parle* mercredi. Un invité s'est désisté et ils me font une place sur le plateau !

— *Wow !* Super ! C'est bon pour la tournée !

— Tu dis ! On est bien contents !

— Bravo ! On va l'écouter ensemble dimanche ?

— C'est sûr ! Et toi ?

— Je travaille sur mes recueils de notes. J'enseigne demain et j'ai quelques suivis téléphoniques de stages à faire.

— T'es bien, toi !

— Eille, je travaille fort !

— Je sais, je t'agace ! On se parle plus tard. Je t'embrasse.

— *Bye.*

Il aurait pu me dire « Je m'ennuie… » tout de même. Ah ! Je suis bébé. Suis-je la seule femme sur terre à avoir besoin de ce genre de réplique pour être comblée ?

> *La patiente se questionne sans arrêt sur l'attachement amoureux de son conjoint en tentant de comptabiliser les signes qui en témoignent. Elle doit comprendre que la réelle valeur de l'amour ne se quantifie pas. Devant cet aspect, Madame semble appliquer un mode de fonctionnement cognitif très juvénile. « Ce que l'on ne voit pas n'existe pas… », qu'on pourrait traduire ici par : « Il ne m'a pas avoué qu'il s'ennuie, donc il ne s'ennuie pas… »*

Ma psy n'a pas tort : je raisonne comme une enfant. Je n'en suis pas très fière, d'ailleurs. Ce doit être mes SPM. Je me sens à fleur de peau aujourd'hui, affectivement instable. Ouf…

Accueillir le silence

— Aaaaahhhh mon Dieu ! C'est don' bien propre, lance Sacha, presque en orgasme, en entrant dans le *condo* quelques heures après que Françoise l'eut quitté.

— Contente ! Contente ! La madame ! que je commente en la regardant faire le tour du *condo*.

Elle effectue de la haute voltige en visitant chaque pièce et en décrivant allégrement tout ce que la femme de ménage a nettoyé, comme si je ne le voyais pas.

— La salle de bain reluit, ma chambre paraît impeccable, avez-vous vu le vestibule ? Et quelle odeur de propreté…

— Elle a fait le ménage, Sacha ! C'est fou, hein ? que j'ajoute comme si on s'attendait à autre chose venant de sa part.

Ge arrive et s'exalte également pendant un long moment. Bon, on gère nos émotions, les consœurs ! Je reste à l'ordinateur un instant, toujours concentrée. Coriande, qui revient à son tour, semble moins expressive que les deux autres. Elle s'informe plutôt :

— Elle est gentille ?

— Oui, un peu bizarre par contre.

— Comment ça ?

— Je ne sais pas trop… Elle se prend pour une sorte de voyante. Imaginez-vous donc qu'elle a pris la photo de Bobby et moi lors de notre voyage en France pour l'analyser et me faire des révélations-chocs !

— Hein ? fait Sacha, intéressée.

— En plus, en entrant dans ta chambre, elle m'a dit qu'Hugo et toi aviez travaillé dans un cirque ensemble, dans une vie antérieure, et que vous étiez très amoureux avant de mourir chacun votre tour d'un accident de trapèze.

Je lance cette information sans préambule à Sacha, comme s'il s'agissait de paroles anodines.

— Quoi ? s'intéresse Sacha en prenant place sur un banc près de moi. Elle a dit quoi exactement ?

Un peu plus explicite, je lui raconte de nouveau les propos tenus par la femme. Elle boit mes paroles, complètement captivée.

— C'est n'importe quoi ! commente Coriande, qui sort des aliments du frigo pour cuisiner.

— Pantoute ! J'aime ça, moi, ces affaires-là, avoue Sacha. Elle a dit juste ça ?

— Oui.

— Et par rapport à ta photo ?

— Elle a dit que Bobby n'était pas prêt au début, mais que maintenant je l'aidais à apprendre à aimer, que j'affirme sur un ton désinvolte.

— Ses histoires, c'est n'importe quoi ! Elle aurait pu dire ça de tous les gars ! rationalise Cori, terre-à-terre.

Sacha se dirige vers sa chambre. Elle nous crie une fois qu'elle s'y trouve :

— Elle a pris ma photo aussi !

— Hein ?

— Bah… Tant qu'elle vole juste des photos ! pouffe Ge.

— J'aimerais vraiment la rencontrer, cette femme.

— Elle est ici tous les lundis matin, que je précise.

— Hum…, réfléchit Sacha.

En mangeant à table, quelque temps plus tard, Coriande fait un suivi intéressant en regardant le tableau de communication :

— Avez-vous fait cuire votre riz ?

Je fais signe que non de la tête. Ge m'imite.

— Ça n'a pas adonné, lance Sacha en tournant un morceau de brocoli avec sa fourchette.

— Hum… moi non plus, reprend Coriande.

Nous replongeons le nez dans notre assiette en pensant toutes la même chose : « Belle *gang* de chialeuses qui mettent le doigt sur le bobo, mais qui ne font rien après ! » Comme si les unes entendaient les pensées des autres, Ge affirme :

— Je lui en parle bientôt !

— Bien oui, moi aussi ! que je renchéris rapidement, comme si c'était une évidence.

— Ouais ! Ouais ! approuve Sacha en regardant Coriande, qui hoche la tête également.

De nouveau, nous accueillons toutes le silence à bras ouverts, sans que quelqu'une daigne le meubler avec des propos futiles.

M'en faire, pourquoi ?

En route vers chez Bobby, je songe à ma semaine. Je n'ai pas beaucoup parlé à mon *chum*. Je me sens comme irritable et, dans ces moments-là, j'évite un peu les contacts. On ne s'est pas vus, non plus. Honnêtement, je suis instable, triste, en colère, impatiente, nostalgique, et j'en passe. Encore une fois, est-ce qu'il n'y a que moi qui devienne réellement dingue une fois par mois ? On dirait que plus je vieillis, pire c'est. Et notez que, presque à tout coup, je nie la présence dudit « pré-m ». Si quelqu'un m'en parle : « Coudonc Mali, es-tu SPM ? T'es en train de te choquer après le brocoli que tu tentes de couper ? », je rétorque : « QUOI ? NON ! C'est de sa faute, au brocoli ! » Et si, par malheur, c'est un gars qui rouspète, je lui crache immanquablement la réplique classique : « On sait bien, hein ! Vous autres, chaque fois que les filles ont une réaction négative, c'est la faute de leurs hormones ! Grrrrr... »

Après le tournage télé d'hier soir, il m'a appelée vite fait. Comme il sera en spectacle tout le week-end, on se voit ce soir et dimanche.

Lorsque j'entre, il me rejoint et m'embrasse le bout du nez.

— Il est tout gelé !

— Il fait tellement froid !

J'enlève mon chaud manteau et le presse de me raconter plus en détail sa performance de la veille.

— Et puis ?

— Bien tsé, un *show* télé, là ! évoque-t-il, peu volubile. T'as le goût de manger des pâtes ?

— Oui, mais comment ç'a été ?

— Bien, comme je t'ai dit hier !

— Mais encore ? que j'insiste, déjà presque impatiente.

— Les gars sont super fins, je les connais bien !

Voyons ! On dirait qu'il est mal à l'aise. Il m'énerve...

— Mais tsé, on ne sait jamais ce qu'ils vont garder ou non pour le *show*… le montage et tout…

— Ok, que je fais, un peu bête.

— Dans le fond, faut pas s'en faire, c'est juste de la télé !

— S'en faire ?

— T'as don' bien l'air à pic toi, *Babe* ?

— Bien non. On dirait simplement que tu ne veux pas me répondre…

— Je ne sais pas trop quoi te dire. C'est du *showbuisness*, j'étais là pour ploguer ma tournée, mon nouvel album…

— Je sais, que je réplique en le regardant curieusement.

Non mais, il m'explique ça comme si j'étais stupide. À quoi cela rime-t-il ? Il semble bizarre. Bon, on se recentre Mali. On dirait que son attitude « désintéressé à en parler » me donne encore plus le goût de le faire ! Comme si j'avais envie de le contredire ce soir…

— Veux-tu une bière ? m'offre-t-il pour changer de sujet.

— Ouais, que j'affirme en le suivant des yeux, comme si le fait de le fixer allait me révéler ce qu'il pense.

Puisque je n'ai pas encore le don de lire dans les pensées, je n'obtiens aucune information supplémentaire au sujet de sa soirée. On s'obstine finalement pendant presque une heure sur la tenue ou non d'une commission d'enquête publique sur le milieu de la construction. Bon, une bonne chose de faite ! J'étais vraiment « cliente » pour me battre depuis deux jours.

Au cours de la soirée, je repense quelquefois à son attitude concernant l'émission. Peut-être que, dans le fond, il n'est tout simplement pas content de sa performance. Qu'importe, ce doit être moi qui hallucine encore des anguilles sous les roches...

Mali l'envieuse

Samedi soir, je reste à la maison avec Sacha et Hugo. Les autres sont tous partis. Je suis contente qu'ils y soient. Je n'avais pas envie de demeurer toute seule en cette journée de SPM tristounette, morose, grise, longue, plate... Ça perdure dans le temps, cette affaire-là !

En mangeant, Hugo s'informe :

— Où sont Chad et Coriande ?

— Ils ne sont pas ensemble. Cori est en ski et Chad avait un *party* avec ses amis.

— Ils font souvent des trucs seuls les fins de semaine, hein ? déclare You Go, comme s'il désapprouvait la situation.

— Ouais, que je marmonne sans avoir trop d'opinion sur le sujet.

— Moi je m'ennuierais bien trop de ma blonde, si elle était toujours partie de même ! roucoule-t-il, en faisant des yeux doux à Sacha.

Elle plisse le nez. Il fait de même. Je leur souris (un peu).

— Mais vous deux, vous êtes des trapézistes fusionnés ! que je précise encore sans émotion, en piquant machinalement ma fourchette dans mon assiette.

— Bien oui, elle m'a raconté ce que la madame a dit ! Drôle d'histoire, hein ? réagit Hugo.

— Mais pour revenir à Cori, ça la dérange aussi parfois, lance Sacha.

— Ah oui ? s'enquiert Hugo, intéressé.

— C'est certain. Mon *chum* travaille toutes les fins de semaine et je trouve ça plate des fois, que je confesse, le visage appuyé dans le creux de ma main.

— Surtout quand il va au hockey avec ses *chums*, son seul samedi de congé ! précise Sacha, désappointée pour moi.

— Hum....

— Toi, t'es mon petit amour, déclare spontanément Sacha, qui se penche vers Hugo pour l'embrasser, même si nous sommes en train de manger.

Ils sont terribles ! Les *frenchs* langoureux aux trois secondes, avec en prime les roucoulements d'oiseaux : de l'amour à l'état brut, qui explose continûment au grand jour. On s'habitue. Parfois ça m'agace, et je me questionne alors pour savoir si je suis jalouse. Pas de Sacha en tant que telle, mais de leur façon intense de vivre leur histoire d'amour, sans se soucier des personnes qui les entourent. Par moments, je me dis qu'il y a peut-être une pointe d'envie et, à d'autres moments, que ça me taperait probablement sur les nerfs à la longue. Aujourd'hui ? Disons que vu mon état de vulnérabilité hormonale qui s'étire dans le temps, j'aurais besoin de câlineries…

Nous louons un film sur la chaîne payante : *Café de flore*. Je suis captivée du début à la fin, autant par le jeu des comédiens que par l'histoire, que je trouve réellement fascinante. À la fin, nous adoptons tous les trois une position léthargique-penseur en regardant défiler le générique.

— Hum…, que j'envoie en guise de commentaire non explicite.

Sacha soupire. Probablement enivrée par la trame de l'histoire, qui porte justement sur les âmes sœurs et les vies antérieures. Elle tourne la tête vers Hugo et l'embrasse tendrement. Je les observe quelques secondes avant de me lever, pour les laisser vivre seuls ce moment d'émotion.

Lorsque je gravis l'escalier, c'est clair dans ma tête : ce soir, je les envie.

La réponse qui tue !

Bon, ce qui doit arriver arrive. Non pas Bobby, mais mes menstruations. *My god* ! Il était temps ! J'ai donné une excellente performance de syndrome prémenstruel durant presque cinq jours… les dents bien serrées. Non mais, je suis vraiment folle dans ces moments-là. Heureusement, une fois lesdits symptômes terminés, je suis capable d'en rire. Je texte même Bobby à ce sujet :

(J'ai hâte que t'arrives ! Je suis redevenue gentille !)

Il répond :

(Parle-moi de ça ! Jeudi, tu voulais te battre, hein ?)

Je le nargue, amusée :

(T'étais trop *chicken*.)

Il réécrit :

(Mets-en ! T'avais l'air vraiment perturbée ! Je réquisitionne ce droit de mauvaise humeur là sur-le-champ. xxx)

Perturbée ! On se garde une petite gêne, quand même ! Il a tout de même raison…

Notez ici le code secret de Bobby : lorsqu'il insère trois becs à la fin d'un texto, cela signifie que la conversation est terminée. Subtil comme un dix roues entre deux Fiat ! Inaperçu comme un char d'assaut dans le terrain de jeu d'un CPE ! Furtif comme un séquoia géant dans une jardinière de fines herbes ! En fait, ce n'est pas un « texteur ». Moi, par contre, j'aime ça.

Je réplique tout de même pour avoir le dernier mot :

(T'es vraiment une mauviette, Gaétan !)

Avec un « Gaétan » en prime, il arrivera de bonne humeur !

Pour continuer d'exploiter notre console Wii à son potentiel maximum, nous jouons une partie de quilles en après-midi. Ge attend son *chum*, qui doit venir la rejoindre. Cori n'est pas revenue du ski. Il neige encore. Hugo et Sacha ont décidé de faire cuire un gros jambon. Mmm… L'odeur se répand tout l'après-midi dans le *condo*. Comme de raison, mon *chum* arrive en pleine forme.

— Bon, une belle *gang* d'inutilités sur deux pattes que je vois ! commente-t-il en constatant notre activité Wii de la journée.

Je m'avance pour lui donner un baiser.

— Ça sent bon ! T'as été obligé de cuisiner encore, le gros ? demande-t-il à Hugo, en lui empoignant solidement la main en guise de compassion.

— Eh oui ! Les filles ne voulaient rien faire ENCORE ! se plaint celui-ci.

— Il faut tout faire ici !

— Bon ! Bon !

Il se rend au frigo pour y prendre une bière. Au passage, il jette un œil au tableau avant d'y ajouter une phrase. Je m'y rends, curieuse de la lire :

Section des filles :

—   L'âge mûr de l'homme s'apparente à celui des poires. Dans les deux cas, c'est la queue qui lâche. - Sacha

Section des gars :

—   Comment sait-on qu'une femme porte des collants ? Quand elle pète, ses chevilles gonflent ! - Hugo

—   Qu'y a-t-il de pire qu'une femme ? Quatre femmes... - B

Pendant que je lis ce qu'il a écrit, Bobby m'attrape par les hanches et me rapproche de lui d'un coup sec en me susurrant à l'oreille :

— Ne réplique pas, toi !

— Mon *chum* vient de m'empêcher de m'exprimer librement sur le tableau, que je me plains en parlant en direction du salon.

— Quelle surprise que Mali n'ait pas écrit : « J'ai le goût d'arracher les yeux des gens avec mes dents… », exagère Bobby en s'adressant aussi aux autres dans le salon.

— Franchement !

— Elle était légèrement dans ses SPM ? s'immisce Hugo, fier de déceler l'énigme.

— Légèrement ? J'ai été sur le qui-vive toute la soirée de jeudi pour savoir si j'allais m'en sortir vivant, dramatise mon *chum*.

— Mêle-toi-z-en pas ! En tant que gars qui fait des *jokes* de « chevilles qui gonflent », je pense que ta crédibilité dans la place est maintenant chose du passé, que je déclare, en secouant la tête, à l'intention d'Hugo.

— Moumoune Bobby ! Les sautes d'humeur de Mali, c'est de la petite bière à comparer aux miennes, lance fièrement Sacha, comme si c'était un aspect sur lequel on pouvait se vanter.

— C'est vrai mon amour, t'es la meilleure là-dedans ! la complimente You Go.

— Merci ! réplique Sacha, heureuse.

Rick frappe à la porte.

— Entre ! crie Ge qui se trouve près de la cuisinière.

Comme il ne semble pas l'entendre, elle court finalement pour lui ouvrir la porte. Ils chuchotent tous les deux dans le vestibule avant de venir nous rejoindre au salon. Rick porte une caisse de bière dans une main et une bouteille de vin dans l'autre. Il pose le tout sur le comptoir et les gars se serrent la main avant que Rick ne fasse le tour pour embrasser les filles. On va lui dire bientôt qu'ici, ce n'est pas une règle. Je ne sais pas pour les autres filles, mais moi, ça m'agace. Oh! Aurais-je un résiduel de SPM latent? Il s'installe au salon et Bobby lui sert une bière. On s'occupe un peu de lui, c'est quand même le dernier venu.

— C'est quoi ce jeu-là? demande-t-il poliment.

— La Nintendo Wii, ta blonde est une vraie accro! Elle ne t'en a jamais parlé? que je moucharde en plissant le front.

— Non! Quel loisir surprenant!

Il lui jette un regard mi-interrogateur, mi-amusé, et Ge retrousse le nez en lui faisant un signe négatif de la tête, voulant dire: «Elle déconne, je ne joue pas tant que ça...» Rick continue de la fixer amoureusement en l'observant s'élancer pour faire son abat.

— Bon! Besoin d'aide à l'îlot, si on veut manger avant l'émission, précise Sacha en se dirigeant vers la cuisine.

— On n'est pas obligés de l'écouter non plus! répond Bobby, gêné de devoir visionner sa performance en groupe.

— Mon amour! Laisse faire les autres filles. T'es bonne dans les syndromes prémenstruels... mais pas dans la cuisine, lui catapulte You Go en sachant très bien qu'elle sera furieuse.

Du coin de l'œil, je vois Rick faire toute une tête à Ge, comme s'il trouvait le commentaire vraiment surprenant. Elle le rassure d'un non de la tête, en guise de « tout est normal ». Il va s'habituer au couple de « fusionneux extrêmes » qui peut s'envoyer les pires insolences que la terre ait jamais portées. N'est-ce pas l'idéal pour notre belle Sacha ? Un doux-un-peu-rebelle capable de l'insulter tout en l'aimant profondément. Match parfait !

— Je vais te donner un coup de main, Sacha ! Je suis pas si mal en cuisine, offre Rick, en décochant une œillade complice à Ge.

Après un repas excellent, Geneviève nargue quelque peu Bobby en prenant place sur le divan.

— En passant, tu n'es pas le premier qui va à *Tout le monde en parle*, hein !

Elle fait référence à sa présence sur ce plateau, il y a déjà longtemps.

— Je me souviens que je t'avais trouvée tellement intelligente, souligne Rick, qui se rappelle l'épisode de gloire de Ge, même s'ils ne se connaissaient pas.

L'émission commence. Mon *chum* est le troisième invité. Nerveux, celui-ci commente :

— C'est n'importe quoi ! Je ne me regarde même pas d'habitude. J'haïs ça, me voir.

— Arrête ! On l'écoute tout le temps le dimanche de toute façon, que je le rassure.

— C'est con ! En plus, ils m'ont posé plein de questions pas rapport…

— Bébé ! Tu vas être super bon !

Je tente de le réconforter, car je sens qu'il est gêné qu'on en fasse un événement quasi festif.

— Il faut que tu comprennes que je ne parle jamais de ma vie privée…, me murmure-t-il en se penchant un peu vers moi.

Je le regarde à peine, préoccupée par le propos intéressant de la ministre de l'Éducation concernant les potentielles réductions budgétaires dans les commissions scolaires.

Bobby, visiblement anxieux, s'approche de nouveau de mon oreille, bien que je sois encore concentrée sur ce qui se déroule à l'écran.

— L'important, c'est nous deux, hein ?

Il me dit quoi, là ? Qu'il m'aime ? Presque… Doucement, je me tourne la tête et je lui souris en appuyant mon front contre le sien :

— Oui, l'important c'est nous deux, que je lui chuchote à mon tour à l'oreille.

Mon Dieu ! La nervosité lui va bien ! Comme l'entrevue qui précède la sienne se termine, on nous présente un bref extrait de Bobby avant d'aller en pause. Excitée et un peu nerveuse aussi, je vais aux toilettes en courant pour ne pas rater une seconde de la suite du *talkshow*. Au retour, je lui susurre :

— Tu vas être le meilleur.

L'émission reprend. Silence complet dans le *condo*. On entend Guy A. nommer le nom de Bobby en faisant un jeu de mots sur la chanson « L'amour voyage », en lien avec son immersion en Europe, et blablabla. Le voilà qui arrive.

— Hein ! T'as mis ce chandail-là ? que je demande, comme si la question était pertinente.

— Mali, cibole ! C'est pu le temps, ça fait déjà cinq jours, me corrige Hugo.

L'entrevue se déroule ainsi : Guy A. fait l'inventaire de ses disques, de ses albums, parle de sa tournée en Europe, on écoute certaines de ses chansons. Bon, il fait une entrevue « Voyage » à cause du succès de sa chanson. Il veut savoir où il est allé, où il aimerait aller, et ainsi de suite.

C'est drôle, léger. Bobby paraît dans une forme olympique et sa répartie est prompte. Guy A. blague ensuite sur la fête de la Saint-Valentin qui aura bientôt lieu, et lui demande : « Voici la question des filles recherchistes : Est-ce que la fille qui voyage existe ?

Bobby glousse et la caméra nous le montre en gros plan. Mon cœur fait quatre tours. J'écoute, je n'ai jamais écouté avec autant d'attention de toute ma vie. Bobby hésite, il répond un truc vague du genre : « Vous savez, il y a bien des mystères dans la création, dans l'inspiration… On se surprend parfois et c'est ça qui est beau, ne pas savoir quand l'inspiration nous frappe… »

Il ne répond pas à la question. Je suis un peu déçue. Il n'était pas obligé de me nommer, mais il aurait pu dire : « Oui, elle existe… »

Guy A. s'amuse de le voir habilement détourner la question. Il dit : « Comme tu ne réponds pas à la question, les filles recherchistes ont une autre question, plus précise pour toi : Est-ce que tu as une valentine ? »

Tout le monde dans l'auditoire pouffe de rire. Assise sur le canapé, j'ai un mauvais pressentiment, sans trop savoir pourquoi. Bobby, près de moi, me regarde en se grattant la nuque.

À la télévision, il se gratte aussi la nuque, nerveux, pas à l'aise. Dany Turcotte le nargue un peu : « Pourquoi es-tu si mal à l'aise de répondre ? On ne veut pas que tu ailles la chercher, inquiète-toi pas ! » Le public s'esclaffe encore.

On entend Bobby dire, en hésitant : « Je n'ai pas de blonde, mais ça ne veut pas dire que je n'ai personne dans ma vie… »

Je fixe l'écran pendant un moment, bouche bée. Tout le monde dans le salon se tourne vers moi. J'entends, en sourdine, Guy A. poursuivre l'entrevue avec d'autres questions relatives à je ne sais quoi, car je ne porte plus aucune attention au contenu de ses paroles. Bobby brise le silence :

— Bébé, c'est n'importe quoi cette entrevue-là !

Je ne réponds pas, je ne le regarde pas. Non mais, de toute façon, je suis juste sa « fréquentation », sa « nunuche-du-jeudi-soir », une « connaissance », mais pas sa blonde. Non ! Monsieur n'a pas de blonde depuis plus d'un an. Non ! Je suis un tas de merde ! Un coup de vent ! Casper ! Je n'existe pas !

Coriande entre dans le *condo* au même moment :

— Eh ! J'ai manqué l'entrevue ? gesticule-t-elle. C'était bon ? Bobby, t'es content ?

Puisque personne ne dit rien et que je suis encore là sur le divan à écumer de rage, elle poursuit, confuse, son manteau sur le dos.

— Voyons ? Qu'est-ce qu'il y a ?

Sous une impulsion subite, je réponds à la question de mon amie en me levant d'un bond :

— Qu'est-ce qui se passe ? Demande-lui ! Il va t'expliquer tout ça, Monsieur le célibataire !

Je gravis rapidement l'escalier sans me retourner. En entrant dans ma chambre, je me retiens de m'effondrer. Je me doute que Bobby va monter pour me parler et je ne veux pas pleurer devant lui. En m'approchant de la porte pour entendre ce qui se dit en bas, je songe : « Célibataire ? Je n'en reviens pas. Monsieur se garde publiquement disponible ! Pourquoi ? » En ruminant mes pensées négatives, j'entends la porte du *condo* s'ouvrir puis se refermer. Hein ? Il ne s'est pas sauvé j'espère ? Quelqu'un monte doucement à l'étage. On cogne à ma porte. J'ouvre. Sacha se tient debout, immobile.

— Il est parti. Il a dit : « Je savais… » et il s'est en allé.

— QUOI ? dis-je en rugissant de colère.

— Il avait peur de te parler maintenant.

Je dégringole l'escalier à toute vitesse avant de me planter debout au milieu du salon.

— OK, j'aimerais avoir l'opinion de tout le monde. Est-ce que je réagis de manière excessive ou c'est normal que je trouve inadéquat que mon CHUM, depuis plus d'un an, mais que je connais depuis plus de trois ans, ne soit juste pas capable de dire qu'il est en couple à la télé.

Personne ne dit rien. Ge se lance.

— Moi aussi, je serais très déçue Mali.

— Moi pareil, ajoute Sacha.

— Peut-être qu'au niveau marketing, il doit s'afficher célibataire pour faire rêver les femmes et vendre plus de billets ? propose Hugo pour excuser Bobby.

— Eille ! Tabarnak ! que je blasphème en guise de réponse à la supposition d'Hugo.

— C'est pas fou, admet Sacha.

— Bien oui. Et quand un artiste a un enfant, on explique qu'il vient d'une feuille de chou ! Une cigogne, criss !

Visiblement, je rougis de colère tellement je suis humiliée. Je me sens comme une moins que rien. Imaginez mes parents qui écoutaient ça, fiers, dans leur salon ! Je remonte dans ma chambre, cette fois-ci les yeux pleins d'eau. Merde ! Je suis si déçue de lui, de la situation. Je pleure seule pendant un moment, avant que Ge me rejoigne pour me consoler. Elle entre avec mon téléphone en main.

— Tiens, il t'a écrit, je pense.

J'ouvre mon écran et, comme de raison, je lis « BB ».

(Quand tu seras prête à m'entendre, fais-moi signe. xxx)

Je lis le message à haute voix.

— En plus, il ose me dire : « quand tu seras prête », après avoir annoncé devant le Québec que je ne suis RIEN dans sa vie.

— Mali… t'es en colère ! Laisse passer du temps et donne-lui au moins la chance de s'expliquer.

— Sur ce coup-là, pas de batifolage dans mon dos Ge, que j'avertis en la pointant. Je m'occupe de MES affaires, compris ?

— Je ne m'en mêlerai pas, promet-elle en regardant le plancher.

Brun : la couleur de l'amour

La patiente est visiblement blessée de l'attitude incohérente de son conjoint à son égard. Elle me déclare se sentir trahie et peu considérée par l'homme prétendument engagé auprès d'elle dans une relation amoureuse. Il est difficile pour elle d'évaluer rationnellement la situation étant donné l'étendue de sa frustration. Je conseille à Madame Allison de prendre un temps pour réfléchir, mais de tout de même envisager de faire le tour de la question sous peu avec l'homme concerné.

Le BIG BUCK a visiblement manqué d'égard envers sa compagne en omettant de mentionner publiquement son état civil. En tant que thérapeute, il semble évident que Monsieur a tenté de se garder disponible. Reste à comprendre les raisons ayant motivé cette décision. Est-ce la surprise de la question indiscrète ou une motivation professionnelle ? Seul lui pourrait me renseigner à ce sujet.

Je pose mon livre en me redressant quelque peu dans mon lit. Ce matin, je me sens plus posée par rapport aux événements d'hier, bien que j'aie très mal dormi. Ai-je réagi trop vivement ? Dans mon mode de pensée tout blanc, tout noir, je raisonne : « Soit j'ai vraiment trop réagi face à ce détail futile, soit c'est un cas de divorce… » Je suis vraiment confuse.

En couple, il y a beaucoup de situations où l'on sait, grosso modo, comment réagir :

- Ton *chum* te ment au sujet d'une super belle collègue de travail qu'il avait décrite comme étant très moche : tu soulignes le point en ayant une discussion avec lui à ce sujet.

- Ton *chum* flirte avec la belle collègue devant toi au *party* de Noël de la compagnie : tu fais assurément une scène explosive en quittant l'endroit.

- Ton *chum* te trompe avec la belle collègue : le meurtre, euh... une rupture s'impose, c'est évident.

Vous voyez, on sait très bien dans toutes ces situations quelle serait notre réaction. Mais dans le cas de :

- Ton *chum* omet de dire à *Tout le monde en parle* qu'il est en couple.

Je ne sais pas. À qui ça arrive une situation semblable ? Où se trouve le mode d'emploi dictant les réactions potentiellement acceptables dans ce cas ? Une chose est certaine : je boude ! Oh que oui ! Eille, je boude fort en plus ! Une bouderie bien calculée et dans les règles de l'art me paraît de mise. Je ne peux pas le rappeler ce matin en ouvrant la porte à la discussion... Je suis encore un peu trop en colère de toute façon.

En descendant bouder dans la cuisine, j'aperçois Rick installé sur la table à manger.

— Salut, que je prononce sur un ton neutre.

Embêté, il me demande :

— Allô, je suis dans ta bulle si je travaille ici aujourd'hui ?

— Non. Et tu sais quoi ? La femme de ménage vient ce matin et il doit y avoir quelqu'un ici. Je sortirai prendre l'air si tu restes.

— Pas de problème, j'ai un souper d'affaires juste à dix-sept heures trente.

— Merci.

En m'habillant chaudement, je songe : « Et la fête de l'amour qui est mercredi… » Foutue Saint-Valentin pas à la bonne place dans le calendrier. Mon amoureux et moi sommes en période de crise, peut-on la remettre à l'année prochaine ? Non pas que cette fête ait une grande signification dans ma vie, mais…

Lorsque je marche dans les rues de Montréal, tout m'y fait penser : les petits cœurs accrochés ici et là, la ribambelle de cupidons, le rose, le rouge… Ouache ! Bon, habituellement, j'aime bien ces couleurs. Mais aujourd'hui, j'aurais envie de noir. Ou de brun. Qui chante que le brun est la couleur de l'amour ? À l'instant présent, je suis bien d'accord avec l'idée !

Saint-Valen-quoi ?

(La Saint-Valen-merde, oui !) me texte Coriande, qui semble un peu agacée aujourd'hui.

Je réponds :

(Tu dis ! T'es toute seule ce soir ?)

(Mets-en, mon *chum* fait un double au travail… ☹)

Je lui demande, en guise de proposition :

(On sort ensemble ? ☺)

(OK !)

Naturellement, les filles, qui rentrent du travail, se préparent à sortir avec leur homme ce soir. Sacha revient au salon, belle comme le jour. Ge arbore un décolleté plongeant.

— *My god* ! que je commente en les voyant.

— Je ne sais même pas où il m'amène ! s'excite Ge en s'examinant dans le grand miroir de l'entrée.

— Moi non plus ! renchérit Sacha.

— Vous êtes chanceuses, que je souligne l'air triste.

— Mali…, miaule Ge comme si elle se sentait fautive de vivre des moments excitants.

— Excuse-nous, ajoute Sacha, aussi repentante que Ge de la soirée exaltante qui s'en vient.

— Franchement ! Arrêtez ! Je suis super contente pour vous ! C'est pas grave, je sors avec Cori ce soir !

— Tu ne lui as pas reparlé ? demande Ge.

— Non… On va souper chez Jy Hong ! que je leur annonce en changeant de sujet, afin de faire rebondir la question de Ge.

Les filles se regardent, en semblant se dire : « Pauvre Mali… » Je tente de dissiper leur malaise en déclarant, les deux pouces en l'air :

— Super soirée en perspective !

En disant ces mots, je leur fais un air enjoué, teinté tout de même d'une pointe d'amertume.

Elles me sourient toutes les deux.

— On dirait qu'il y a une partie de moi qui voudrait être avec vous deux ce soir, avoue Sacha en guise de solidarité.

— Non ! Vous deux, vous vivez votre belle soirée en amoureux. Coriande et moi, on va se soûler, euh… souper comme des grandes filles !

— Soûlez-vous certain ! m'encourage Ge.

— Bien non, je niaise, on est mercredi quand même ! que je rectifie, sérieuse.

Lorsque Coriande revient, les filles sont sur leur départ. Elle leur lance, un peu nostagique :

— Bonne soirée les poules !

— Vous aussi ! Faites-vous une belle soirée « mise en valeur de l'égo » ! nous propose Sacha.

— Quel égo ? que je m'informe en souriant.

— Mali…, soupire à son tour Sacha sans trop savoir quoi ajouter de plus. En passant, la femme de ménage a rapporté ma photo !

— Et moi, elle a pris une des miennes ! avoue Coriande.

— C'est n'importe quoi ! affirme Ge.

— Je viendrai la voir la semaine prochaine, c'est sûr ! confesse Sacha.

— Fais-toi pas embarquer dans des conneries, la met en garde Ge.

— Bonne soirée !

En refermant la porte derrière elles, je me tourne vers Cori et lui envoie une moue sceptique, la peau du nez plissée.

— Et là ? On se met belles ou quoi ? que je demande, comme si je ne savais pas trop compte tenu de la soirée.

— Tu dis ! Vraiment belles en plus !

— Parfait ! que je prononce en me dirigeant vers l'étage.

En gravissant l'escalier, je réfléchis : « Je devrais techniquement écrire un truc dans mon livre, mais je n'ai pas du tout envie de me faire dire par ma psy à quel point je fais un déni extrême avec mon air de "tout va bien"... »

Le carillon de la porte retentit pendant que je suis sous la douche. En me séchant, j'entends Coriande me sommer :

— Descends quand tu auras une minute...

Curieuse, je dévale les marches, la serviette enroulée autour de moi. J'aperçois Cori à la cuisine qui s'affaire à mettre deux énormes bouquets de fleurs dans deux vases différents. Sans rien dire, elle me tend une carte :

Pour toi ma puce, je pense vraiment à toi.

Je veux te parler... Bobby xxxxx

Contrairement à moi, Coriande sourit en lisant la carte qui accompagne son bouquet.

— Ils se sont appelés pour gérer notre cas ensemble, que je souligne, cartésienne.

— Hum, répond Coriande en humant une fleur écarlate qui dépasse de la gerbe.

— Bon, je retourne me préparer, que j'annonce sans plus d'ardeur.

En me maquillant, je réfléchis à l'attention de Bobby, mais de manière un peu négative. OK, il a pensé à moi, mais le truc des fleurs pour se faire pardonner… Je trouve le geste classique, ordinaire. Ça fait « maîtresse » ou je ne sais trop. De toute façon, je ne me sens pas prête à lui parler. Je boude ! Je pense que même s'il m'avait acheté une île déserte dans le sud du Pacifique, je bouderais quand même… Quoique… le sud du Pacifique… Mmmm !

Mon téléphone sonne. « C'est peut-être lui » me dis-je en allant chercher l'appareil dans ma chambre. Ma mère. Comme ça fait trois messages qu'elle me laisse depuis lundi, je réponds :

— Allô !

— Allô ma grande fille. Comment vas-tu ?

Je sens dans sa voix trop douce son ton de maman-déçue-pour-sa-fille-qui-s'est-fait-rejeter-à-la-télévision. Je n'ai pas envie d'en parler aujourd'hui.

— Ça va bien ! Écoute maman, je sortais pour aller souper. Est-ce que je peux t'appeler demain ? que je propose, expéditive.

— OK, mais je voulais seulement te dire que la Saint-Valentin est la fête de l'amour en général et que ton père et moi, nous t'aimons beaucoup !

— Bien oui ! Moi aussi je vous aime fort ! On se reparle. Bonne soirée à vous deux !

— *Bye.*

Sacrée maman ! Elle décharge de l'amour à sa fille qui fait pitié. Mais savez-vous quoi ? Je suis certaine qu'elle nous a acheté à Chad et moi un cadeau de Saint-Valentin comme quand on était petits. Pâques et la Saint-Valentin n'échappent jamais à ma mère !

J'opte pour une robe-chandail gris foncé assez *sexy* et bien moulée sur le corps. Mes bottes à talons hauts jusqu'aux genoux seront tout à fait assorties. En me voyant arriver dans la cuisine, Coriande siffle d'admiration.

— *Sexy bitch* !

— Pas si *bitch* quand même ! que je rigole en lui renvoyant un compliment sur sa propre tenue.

Rejetées par Cupidon !

Quelle surprise en entrant au restaurant. Plutôt, disons-le, quelle gifle à la figure ! Jy Hong et sa femme ont modifié la disposition des tables du restaurant ; ils ont divisé les tables multiples en table double. Histoire de bien aligner tous les couples amoureux dans des rangées d'amour parfaitement droites. Il y a foule ce soir. En plus, il y a une super table d'hôte en promotion pour l'événement. Je balaye la pièce des yeux. Zut ! Il ne reste plus de place ! Jy Hong est affairé dans le restaurant, mais dès qu'il nous voit, il agrandit démesurément ses petits yeux bridés. Il avance vers nous avec deux assiettes de riz frit dans les mains.

— Pas de place, madame. Pour quatre, non !

— On est juste deux…, que je lui précise.

— Oooooh… Minute, minute !

Il dépose les assiettes de riz aux clients qui ont commandé ce repas et nous fait signe, un doigt en l'air, d'attendre une minute. Une jeune fille asiatique lui donne un coup de main ce soir pour faire le service. On peut penser que quelqu'un aide aussi Suzy Kha à la cuisine. Jy Hong y entre et en ressort en transportant, avec la jeune serveuse, une petite table. Il nous invite à nous approcher. En zigzaguant entre les couples, je tente de supputer où il va la placer. Le resto est bondé. Il évalue la situation en tournant rapidement la tête de gauche à droite. Sans blague, aucun endroit ne semble adéquat. Soit on se retrouve collées sur un couple d'amoureux, soit on passe la soirée dans la toilette ! Et même, elle est tellement petite que je crois que la table n'y entre pas. Jy Hong semble avoir un éclair de génie, car il crie un mot en vietnamien à la jeune fille, en désignant de la main l'étroit passage qui mène le personnel à la caisse. Bien voyons donc ! Ils déposent la table à cet endroit exigu et retournent chercher deux chaises en vitesse.

— Ils ne seront même pas capables d'accéder à la caisse ! s'exclame Cori, aussi mal à l'aise que moi.

— Jy Hong, on reviendra plus tard… C'est correct…

— Non ! Assis, madame ! C'est la Saint-Valentin, ordonne-t-il, en prononçant drôlement le « in » de Saint-Valentin avec son accent asiatique si adorable.

Nous nous exécutons. Deux minutes plus tard, la jeune serveuse, qui doit se rendre derrière le comptoir, passe accroupie sous notre table en s'excusant. Comme une petite souris, elle y repasse rapidement, sans même nous toucher.

— Ça n'a pas de bon sens ! Aussitôt qu'une table se libère, on change de place.

Je sors une bouteille de vin de notre sac réutilisable. Une des deux que j'ai apportées, disons ! C'est un *meeting* important des oubliées-de-la-Saint-Valen-merde. Les rejetées par Cupidon ! Je regarde autour pour constater que les deux serveurs cabriolent d'une table à l'autre. Comme je me trouve pour ainsi dire derrière le comptoir, je m'allonge le bras pour attraper un ouvre-bouteille. J'agrippe aussi deux coupes au passage.

— Notre place a des avantages quand même ! que je plaisante en ouvrant habilement la bouteille.

Une femme assise tout près se lève et dit, en passant devant nous :

— Je vais aux toilettes et on s'en va. Si vous voulez prendre notre table.

— Oui merci ! que je réponds, un sourire sur les lèvres.

En nous voyant changer de table, Jy Hong prend la nôtre et la colle sur celle du couple qui s'en va, afin de libérer le passage vers la caisse.

— Bon, il nous manque juste deux *playboys* du 281 super sexés ! déclare Coriande.

— Ark ! « Sexé », c'est don' ben *vintage* ça ! On prononce « *sexy* » depuis les années 2000.

— Je le sais, ma tante dit tout le temps « sexé »... À chaque fois, je « trippe » !

Jy Hong vient finalement nous voir entre deux services.

— Vous être bien là, madame ?

— Oui, c'est parfait.

— Pas de banane royale pour la Saint-Valentin ? demande-t-il le front exagérément plissé.

Cette forte contraction oblige ses yeux bridés à se fermer presque complètement.

— Non, ils sont occupés. Il est sérieusement temps qu'on fasse cuire le riz ! que je lui réponds vaguement.

— Ohhhh…, fait-il en riant nasalement de façon bruyante.

Nous rions aussi en le voyant aller. Il tourne la tête dans tous les sens en nous parlant. On dirait un petit oiseau capable de faire un trois cent soixante degrés avec son cou. Il semble exalté du succès de son restaurant ce soir, tout en étant surexcité par le travail exigeant. Il s'éloigne puis revient sur ses pas pour nous dire :

— Vous savez : « Quand le sage montre la lune avec sa main, l'abruti regarde le doigt. »

Il s'esclaffe de nouveau. Je souris en direction de Cori, les sourcils arqués, pendant que Jy Hong, toujours pouffant de rire, s'éloigne vers la cuisine.

— La pognes-tu, toi ? que je demande à mon amie.

— Dans le contexte, non !

— Attends ! C'est nous autres les cruches probablement ; Jy Hong a toujours le proverbe qui semble être écrit pour nous à chaque fois qu'il nous en cite un.

— Je pense qu'il traite nos « bananes royales » d'abrutis, analyse Cori, satisfaite de son interprétation.

— Peut-être. De toute façon, si c'est le cas, je suis entièrement d'accord avec lui, que j'affirme en levant mon verre.

— Qu'est-ce que tu vas faire, Mali ?

— Je ne sais pas.

Je regarde sur la table avant de détourner les yeux vers un couple d'amoureux qui se donnent à manger à tour de rôle à l'aide de leurs baguettes.

À cœur ouvert, j'explique ensuite mes états d'âme à mon amie. Elle m'écoute sans trop commenter. J'ai l'impression que personne ne sait trop comment juger ma situation.

— Tout le monde sait que je vais lui reparler, que je conclue.

Je me dirige sans gêne près du comptoir pour prendre un récipient de sauce soya. Non mais, tant qu'à y être !

— Toi, parle-moi ! que je m'exclame, pour lui signifier que c'est à son tour de se vider le cœur.

Sa situation s'avère moins compromettante que la mienne ; ses angoisses récurrentes concernent mon frère, qui est toujours parti ; son indépendance légendaire, parfois un peu trop présente. J'ai l'impression d'entendre toutes les filles qui sont passées dans la vie de mon frère. Pourtant, Coriande est celle avec laquelle il fait le plus d'efforts. Est-ce qu'on est toutes comme ça, les filles : jamais satisfaites. Exigeantes ! Et un peu contrôlantes…

Je comprends Coriande dans ses insatisfactions, je saisis celles de Sacha aussi, celles de Ge également et les miennes… Coudonc ! Est-ce possible de ne pas être frustrées ?

— On dirait qu'on n'est jamais contentes, les filles, admet Cori comme si elle lisait dans mes pensées. Je savais dans quoi je m'embarquais avec ton frère. Mais là, ça fait de moins en moins mon affaire. Comme si je m'étais fait accroire que j'étais plus indépendante que je ne le suis réellement.

— J'ai un peu le même sentiment, que je précise, en faisant référence à ma relation avec Bobby.

— Bon, assez de remâchage pour ce soir ! On est gentilles, belles, intelligentes et super « sexées », donc on change le ton de cette soirée et on s'amuse, propose Cori en levant son verre.

— Hish... Je ne suis pas certaine de vouloir être « sexée »...

Jy Hong, qui était occupé à la caisse, semble avoir capté la fin de notre conversation. Il s'approche avec une petite assiette contenant deux biscuits de fortune chinois :

— Profitez de la vie : il est plus tard que vous ne le pensez !

Il dépose la soucoupe et tourne les talons. J'en prends un et je le brise afin de lire le message qu'il contient à haute voix :

— « Comme la chèvre, vous devez gravir la montagne. » Ben voyons ! J'avais eu le même l'autre fois. Décidément, je suis dû pour démarrer une chèvrerie.

— Ark ! Une chèvrerie ! Ça pue, ça ? me demande Coriande avec sa petite face de fille qui commence à être un peu « cocktail ».

— Toi ?

Elle ouvre le sien et fait une moue d'exaspération mal rendue, puis lance le bout de papier de mon côté. J'en prends connaissance. C'est le même message que moi.

— *My god* ! Le Chinois qui a écrit ce lot de biscuits-là manquait vraiment d'inspiration ! que je commente ironiquement.

— Finalement, ton projet de chèvrerie qui pue, ça m'intéresse…

Nous sourions en nous resservant du vin. Nous décidons de texter aux filles la phrase de « l'abruti qui regarde le doigt », puis de leur annoncer notre projet de chèvrerie. Nous venons de tomber dans un univers parallèle où la plaisanterie est à l'honneur. Ge et Sacha écrivent à tour de rôle des points d'interrogation, ne comprenant pas du tout nos histoires incohérentes. Nous répondons en joignant une photo de nous deux, les yeux dans le même trou, en guise d'explication. C'est clair, il me semble !

La partie délinquante de ma personnalité propose alors sans gêne :

— On sort !

— Tellement ! renchérit Cori, qui semble sur la même longueur d'onde que moi.

— Notre mentor nous l'a dit : « La vie est courte ! »

— Il a dit ça ?

— Bien quelque chose du genre.

En allant régler notre addition, je demande à Jy Hong :

— Quelle phrase tu nous as dite tantôt ?

Il nous répète « Quand le sage montre la lune avec sa main, l'abruti regarde le doigt » en pouffant encore plus de rire que la première fois. Il redit la maxime en vietnamien à la serveuse et elle se tord à son tour. Nous nous efforçons de rire, même si nous ne comprenons toujours pas l'hilarité que déclenche cet adage asiatique. De la cuisine, Suzy Kha crie quelque chose d'incompréhensible à son mari. Celui-ci s'approche du rideau et lui cite probablement ladite maxime ; elle s'esclaffe également. Finalement, je laisse tomber mon enquête pour trouver l'autre phrase qu'il a dite précédemment.

— Me semble que ce n'est pas SI drôle, se surprend Coriande en sortant du restaurant.

— Je sais ! L'humour, c'est culturel ! Pour eux, ce n'est pas juste drôle, ça semble tordant !

La chasse au trésor

Accoudées au bar d'un *lounge* sympathique, nous commentons le lieu :

— Il y a donc bien du monde pour un mercredi, s'étonne Coriande.

— Soirée de célibataires la plus prisée de l'année ! La « Saint-Valen-merde » !

— Mais nous, on n'est PAS célibataires ! rectifie Cori, moralisatrice, pour me rappeler le fait indéniable.

— Crois-moi que je suis TRÈS célibataire ce soir ! Monsieur l'est à la grandeur du Québec, je peux bien l'être à la grandeur du bar !

— Mali ! me met en garde Cori, en me faisant une paire d'yeux éloquents.

— Je ne ferai pas de niaiseries ! Mais, j'ai tout de même apporté quelques carottes, au cas où ! que je déclare en mimant stupidement de les sortir de mon sac à main.

— T'en as beaucoup, je trouve ! commente Coriande, complice de ma gestuelle.

Elle fait semblant de saisir quelques carottes parmi les miennes.

— Euh non ! Pas pour toi ! que je m'insurge en feignant de les reprendre.

— Ben voyons ! Une petite de rien du tout pour s'amuser ! lance-t-elle en simulant de n'en choisir qu'une seule.

— Non ! Tu sors avec mon frère ! que je m'oppose, en resserrant le paquet de carottes fictives vers moi.

Le serveur qui s'approche nous dévisage curieusement. Il faut dire que nous avons l'air de deux schizophrènes avec nos simagrées.

Après qu'il eut pris notre commande, nous échangeons un poing à poing amical. Puis, nous nous retournons pour repérer le gibier intéressant dans le secteur. Une grande variété de bêtes en vue : de tous les âges et de tous les styles. Beaucoup de filles aussi. Et la plupart ont mis le paquet, si vous voyez ce que je veux dire. Une marée de « matchs » parfaits potentiels. Comme un *speed dating* géant, mais sans les désagréables sons de cloches. Ou encore comme un site de rencontres en personne, mais sans le malaise de s'y être inscrit. Vraiment comique de sortir à la Saint-Valentin. Il ne doit y avoir que Cori et moi qui ne soyons pas célibataires ici. Dans mon cas, on n'est toujours pas fixées quant à mon état civil nébuleux !

Très vite, le gibier attaque avant même que nous lancions une minicarotte à quiconque.

— Salut, je m'appelle Denis. Voici mon ami, Steve.

— Salut les gars, ça va ? dit Coriande pour les accueillir gentiment.

Et blablabla ! Et blablabla ! Nous discutons un moment avec eux. Des gars corrects, mais sans plus. Denis me parle sans cesse de son entreprise en couvre-plancher.

— Connais-tu la surface de ta chambre ? s'informe-t-il.

« Fff… Je le sais-tu moi, assez grande, là ! »

— Tu sais que le tapis à poil long est le nouveau bois franc en matière de tendance design des années 2000.

« Re-fff… Plate… »

— Le plancher de cuisine est recouvert de quoi chez vous ?

Incroyable, on dirait qu'il veut me faire une soumission pour du prélart ! Je hoche la tête de temps en temps par politesse. Valorisation par le travail ! Ce n'est pas le premier spécimen que je rencontre de ce genre-là. Vous savez quoi ? Ça pue le manque de confiance en soi à trois kilomètres à la ronde ! Il doit aimer baiser la lumière tamisée lui, du moins au début.

Cori décèle mon manque d'intérêt ; c'est pourquoi elle me demande de l'accompagner aux toilettes.

— OUI ! dis-je, trop contente d'avoir une porte de sortie.

Denis me remet sa carte professionnelle. Je vous l'avais dit qu'il prospectait des clientes célibataires pour vendre ses foutus couvre-planchers !

— À plus ! leur lancé-je en empoignant Coriande par le bras. « Simonaque, à jamais j'espère ! » que j'ajoute une fois rendue un peu plus loin.

— Mec poche ? m'interroge Cori en arrivant aux toilettes.

— Tu sais, moi la tendance des planchers contemporains ce soir…

Pendant que mon amie va à la toilette, je jette tout de même un œil sur sa carte.

— Pouah ! que je pouffe de rire.

— Quoi ?

Un éclair de génie me frappe !

— J'ai une idée ! On est certaines de ne pas rencontrer d'hommes pour vrai ce soir, hein ?

— C'est certain, on est en couple.

— Bon bien, on se lance un défi pour s'amuser.

— OK ! Quoi ?

— Celle qui rapporte la carte d'affaires la plus drôle !

— La plus drôle ?

— Ouais…

— Eille, j'aurais dû demander celle du gars avec qui je parlais. Il disait juste des niaiseries. Il m'a déclaré être un « pilote de chasse » !

— Hein ? Ce n'est pas « pilote de brousse » le vrai terme ?

— Oui, mais il déraillait, je te jure.

— Si tu le croises, t'as le droit de lui demander. Au lieu de rapporter un panache de notre chasse, c'est une carte d'affaires unique que ça prend !

— *Deal* !

En me replaçant quelque peu les cheveux dans le miroir, je m'amuse en pensant à celle que j'ai déjà en poche. N'importe quoi !

Nous butinons dans le bar à la recherche du trophée de chasse en papier de la soirée. Un défi de consœurs, ça repose sur l'honneur ! En passant, ce n'est pas des blagues quand je vous disais que c'est comme un *speed dating* ! On ne reste pas trois minutes seules dans un coin sans que des hommes viennent nous voir. Quand on en a marre, on demande la carte professionnelle de l'homme en question et on fait de l'air. Il faut dire que cinquante pour cent de ceux qu'on rencontre n'en ont pas, mais bon. En prenant le défi très au sérieux, je tente de dénicher une perle rare, mieux que celle que je possède déjà, histoire de m'assurer la victoire.

Restée seule au bar avec Carl Poitras, le comptable (carte aussi passionnante qu'une carte de guichet), je regarde Cori qui revient de nouveau des toilettes. Elle se fait aborder par deux *bucks* stationnés près de là. Je la regarde au loin discuter avec l'un d'eux. Carl me détaille les émoustillantes péripéties de sa vie durant la période des déclarations de revenus. Je l'écoute d'une oreille en apercevant mon amie s'amuser avec les deux gars devant moi. Justement, un des hommes en question lui remet d'emblée une carte professionnelle. Elle rit à gorge déployée en l'examinant. Pfft ! Elle bluffe pour me faire suer. Je laisse en plan mon candidat (qui doit assurément porter des bas bruns) pour les rejoindre. En me voyant m'approcher d'eux, l'homme, qui tient encore quelques cartes dans ses mains, semble vouloir m'en tendre une aussi.

— Une pour toi aussi, ma chanceuse !

— NON ! crie Cori en retenant vivement la main du gars. J'en ai une, je lui donnerai ton numéro si elle a besoin de tes services. Excusez-nous, on revient.

Elle me saisit le bras pour m'entraîner plus loin.

— Je te signale que la compétition est terminée, Mali ! Je ne peux pas croire ce que j'ai dans la poche !

— Tu me fais marcher, menteuse !

— Pfft ! C'est toi la tricheuse. Tu penses que je ne sais pas que le gars du début t'a donné une carte drôle et que c'est pour cette raison que tu as lancé le défi ?

— Mets-en ! Rien ne battra ça !

— On verra…, me nargue-t-elle.

— *Shooter* ?

— *Yes* madame !

Quelle belle soirée nous passons ! Il y a longtemps que nous n'avions pas porté nos *shœs party* pour rire un peu. C'est curieux, mais nos hommes et leurs bouquets de fleurs pour taire leurs remords semblent bien loin dans notre tête. Et on ne fait rien de mal en plus ! Une chasse au trésor, c'est légal !

Jack quoi?

Je soupire en roulant dans mon lit de gauche à droite, confuse, encore un peu soûle. Ouf ! Quelle soirée ! Beaucoup de plaisir, mais un gros mal de tête ce matin. Un lendemain de veille difficile au cœur de la guerrière qui a soûlé sa peine de la Saint-Valen-merde.

Je descends doucement les escaliers pour constater que le *condo* paraît désert. Je ne peux pas croire que Coriande soit allée travailler. J'entre dans sa chambre sans frapper. En la voyant encore couchée, je saute dans son lit. Elle fait un soubresaut.

— T'es une grosse conne ! que je la salue affectueusement.

— T'es don' bien inutile ce matin ! Dégage ! gémit-elle en tentant de se retourner pour continuer à dormir.

— C'est pas gentil ça ! que je commente en la remuant un peu par l'épaule pour l'embêter.

— Mali, tu m'énerves !

— Ben non ! T'es mon amie aujourd'hui, je ne t'énerve pas !

— Laisse-moi y réfléchir… Oui ! Tu me tapes définitivement sur les nerfs !

— Lève-toi, je te fais un café cognac !

— Beurk ! T'es malade ! réagit-elle, nauséeuse.

Je me dirige vers la cuisine pour m'exécuter ; disons juste la moitié de la proposition : la portion café. Oublions le cognac. Rien que d'y penser, le cœur me lève.

— Ne va pas travailler, que je l'encourage négativement.

— Je ne vais assurément pas au bureau dans cet état. Je vais faire des téléphones d'ici cet après-midi.

— On est vraiment nulles pour prendre un coup depuis qu'on est en couple ! que j'analyse de la cuisine, comme si c'était un défaut de personnalité en soi.

— C'est plus de notre âge de toute façon ! ajoute Cori, qui me rejoint d'un pas lent.

Nous prenons notre temps ce matin, affalées sur le canapé en écoutant les nouvelles à la télévision. Après le deuxième café, notre teint se déverdit tranquillement. Nous rions en nous remémorant certains moments cocasses de la veille. La fin de la soirée reste un peu floue dans ma tête, mais je me souviens avec désolation que Coriande a gagné la gageure.

— Où sont donc les cartes ?

— En bas. On a délibéré en prenant un dernier verre... Comme si on n'était pas assez paquetées, me rappelle Cori.

Je descends pour ramasser la dizaine de cartes qui trônent sur la table à café entre deux verres de vin rouge encore à moitié pleins. Je remonte, l'air abattu.

— C'était impossible de tomber sur une carte de même ! que je râle en mauvaise perdante.

Je les passe en revue en jetant les inintéressantes sur le divan.

— Plate, plate, trop plate, plate, plate, archiplate, arrrrk ! Le comptable aux bas bruns... plate, et ah voilà, celle avec laquelle je croyais gagner !

— C'est quoi donc ?

— Le gars qui fait du couvre-plancher ; il a décidé de faire une rime poche avec son nom et son entreprise : Tapis-Denis ! Eille… En plus, il arbore un sourire d'annonce de prothèses dentaires en gros plan sur la carte. On voit juste sa grosse face !

— Tellement poche ! Sérieux, c'est terrible ! pouffe de rire Coriande en se couchant de côté sur le divan.

— Comment peut-on inventer pareil nom ? C'est peut-être comme une révélation ? Un matin tu te lèves : « Moi, mon entreprise va s'appeler Tapis-Denis ! »

— C'était dur à battre, mais je l'ai fait ! se vante Coriande en se redressant un peu.

Je tiens la carte gagnante entre mes mains, songeuse. Je la scrute de tous les côtés, clairement dépassée par les événements. Je la lis à haute voix :

— Jack le pirate…

— C'est fort, hein ?

— Je n'en reviens pas. C'était quoi les chances que tu tombes sur un magicien qui a monté un spectacle de pirates pour enfants ?

— Arrête donc ! C'est un VRAI pirate, plaisante Coriande en me poussant légèrement.

— Jack le pirate ! que je répète, presque traumatisée par la carte que je tiens entre mes doigts.

— On avait gagé quoi ? s'enquiert Cori, fière d'elle.

— Rien… L'honneur… Et tu as gagné… Cibole ! Jack le pirate ! que je prononce encore doucement, découragée.

Damon s'en mêle

Section des filles :

« Quand le sage montre la lune de la main, l'abruti regarde le doigt. »
Est-ce que quelqu'un pourrait trouver ça drôle, SVP ? — Mali
On aimerait vraiment que quelqu'un rie beaucoup de notre phrase... — Cori

Section des gars :

— Est plate votre citation ! C'est pas si drôle ! nous lance Sacha en vidant le contenu de son sac à *lunch*.

— T'aurais dû voir la communauté asiatique de tout Montréal pleurer de rire.

— Pour vrai ? se surprend Ge, assise au salon.

— Quand on dit que l'humour est culturel...

— On dirait que vous avez fait les nouilles hier… C'est quoi les cartes d'affaires qui traînent sur le divan ? s'intéresse Ge, qui agrippe les petits bouts de carton pour les brasser aléatoirement.

— On a fait une chasse au trésor : je pensais gagner avec Tapis-Denis, mais Coriande m'a battue avec Jack le pirate ! dis-je sans explication.

— Hein ? De quoi on parle, s.v.p. ? rigole Sacha en s'approchant du salon.

Nous récapitulons l'objectif de notre concours en donnant plus de détails aux filles. Elles rient.

— Voyons ! Un pirate ! s'exclame Sacha, en se levant pour chercher dans le paquet la carte en question.

— Il était donc bien le *fun*, votre jeu ! s'enthousiasme Ge, qui déduit tout le plaisir que nous avons eu en nous divertissant de la sorte.

— On a commencé la soirée en se disant : « Comme on est seules à la Saint-Valen-merde, on mérite de se faire "cruiser" par des gars super *cutes* ! » Ça a fini avec : un comptable-aux-bas-bruns, un tapis-Denis et un Jack-le-pirate ! Vous voyez ce qu'on méritait finalement ! que j'énumère, peu flatteuse pour nous.

— T'oublies le pilote-de-chasse ! rectifie Cori.

— Pas une grosse guignolée de l'égo, ça ! Vous êtes drôles vous deux ! déclare Sacha en comprenant que, pour bien saisir toutes les allusions, il fallait être audit club.

— Et vous, vos soirées d'amoureux ?

Elles nous racontent leurs soirées en rafale : Rick a amené Ge dans un restaurant de tapas du DIX30 et y avait loué une superbe chambre d'hôtel, où une bouteille de champagne bien fraîche les attendait à leur retour. Une soirée mémorable, paraît-il. Hugo, lui, a opté pour le restaurant aussi, mais un asiatique, où les convives mangent seuls dans une petite pièce close par des portes de feuille de papier de riz. Hyperromantique, avec une table basse et des coussins éparpillés partout.

— Les gens doivent faire des cochonneries là-dedans ! que je commente en imaginant le concept.

— Euh…, hésite Sacha en regardant par terre.

— Vous avez baisé là-dedans ? s'enquiert Coriande, les yeux ronds.

— Non, pas baisé, mais…

— OK ! Un concept de bordel asiatique ! que je rigole, comme si cela s'avérait tout à fait normal.

— Non, c'est super classe pour vrai. Mais dans notre cas, la serveuse cognait avant d'entrer avec les plats, avoue Sacha, un peu rouge.

— Quoi ? Vous vous rouliez dans le riz ? plaisante Cori, amusée par les confidences croustillantes de notre amie.

— Pas dans le riz, mais dans les coussins, confie Sacha.

— *My god* ! Ces coussins doivent être collants ! que je présume.

— C'était super ! Et parlant de riz justement, j'ai fait cuire le mien et j'ai parlé à Hugo de mes inquiétudes face à notre vie sexuelle moins active. Je suis contente de notre discussion, nous explique Sacha.

— Tant mieux ! Et c'est après la conversation que vous vous êtes roulés dans les coussins ?

— Mets-en ! Comme Mali m'avait dit, Hugo n'est pas du genre libido d'escargot, donc il a réagi par la bouche de son canon !

— La bouche de son canon dans les coussins en mangeant du riz… J'ai comme plein d'images pas le *fun* dans la tête ! réfléchit Coriande, en fronçant les sourcils.

— Vous avez reçu des belles fleurs vous autres, fait remarquer Ge pour changer de sujet.

— Hum…, que je réponds sans commenter.

Je me lève pour ouvrir mon ordinateur portable qui trône sur l'îlot. Les filles continuent de plaisanter en examinant les cartes professionnelles. Bon ! J'ai beau avoir fait l'adolescente hier, en plein soir de semaine, je dois tout de même organiser ma journée de demain. La semaine prochaine, je dois commencer les rencontres de mi-stage dans les prisons. Les rapports de stage hebdomadaires de mes étudiants s'empilent aussi dans ma boîte de courriels. Ils doivent m'en produire un par semaine, et ce, tout au long du stage. Voyons voir. En effet, six rapports sont entrés hier. Et un courriel de… Hein ? J'ouvre le message.

« Allô Mali,

Je me permets de t'écrire aujourd'hui de mon propre gré pour t'expliquer une chose. En écoutant la performance de Bobby dimanche dernier, j'ai déduit que tu serais probablement déçue de la tournure de l'entrevue. En le voyant cette semaine, il m'a confirmé la chose. Je ne veux pas me mêler de votre vie de couple, mais seulement te confirmer que, depuis le début de sa carrière, nous avons souvent joué la carte du "beau chanteur célibataire" ; comme il n'a pas d'enfant, ça allait de soi et, oui, c'est vendeur ! Bobby a donc figé dans l'entrevue, ne sachant pas s'il devait ou non mentionner ça.

Comme il déteste parler de sa vie privée, j'aurais dû d'emblée parler à l'équipe de l'émission pour l'informer de ne pas aller jouer là. J'ai omis de le faire en ne pensant pas que cette question serait posée. Voilà, c'est tout ce que je voulais te dire !

Avec respect,

Matt xxx »

Je fais la lecture du courriel aux filles avant de commenter :

— Son ami vient lui sauver les fesses !

— C'est un peu ce qu'Hugo disait, souligne Sacha.

— On ne sait pas comment ça fonctionne le monde artistique, ajoute Ge, toujours fervente défenderesse de Bobby.

— Peut-être, mais quand il a fièrement posé dans une revue avec sa pitoune blonde aux grosses boules, ça c'était correct ? que je râle, encore amère de cette situation.

Vous vous souvenez de la photo dans la revue, le soir de la première de son spectacle à Montréal ?

— Tu mélanges les affaires, me confronte Ge.

— Elle ne mélange pas tant que ça je trouve, désapprouve Sacha.

Je ne donne pas suite à leurs commentaires. Je focalise de nouveau mon attention sur mes dossiers de stagiaires.

Ce que j'en pense ? Bah… je prends conscience tranquillement que j'ai peut-être trop accordé d'importance à cet événement. C'est probablement dû à mon manque de signes concrets quant à son attachement pour moi. Je suis comme un juge de la Cour suprême : j'ai besoin de preuves pour croire ! Honnêtement, je suis prête à l'entendre, à le voir, à discuter. Mais une question reste : de quelle façon rétablir le contact ? Je l'appelle ? Hish… Je vois déjà les malaises et les silences interminables qui s'ensuivront. Mais en même temps, nous sommes des adultes… Peut-être l'humour ? Je réfléchis un moment à cette possibilité. Une idée me vient en tête… Je lui envoie un message texte.

(Merci pour les fleurs. Est-ce que c'était une gracieuseté d'une salle de spectacle que tu m'as refilée ou tu les as réellement achetées ?)

Je relis le message. J'ajoute un clin d'œil à la fin, pour montrer que je ne suis pas sérieuse. J'appuie sur *Envoyer*. Il répond en moins de trois secondes. Bon garçon !

(T'as deviné : gracieuseté d'une salle. Je suis comme ça, moi ! ☺)

Je souris. Bon, et maintenant ? La balle-message-texte est dans mon camp. C'est comme pas juste. J'ai amorcé le tout, c'est à lui de poursuivre. Comme s'il lisait dans mes pensées, il me réécrit aussitôt.

(Je suis content que tu m'écrives, Mali. Je veux te voir pour t'expliquer.)

Je réponds :

(OK…)

Il propose :

(Viens chez moi ce soir.)

J'accepte :

(Je mange et je te rejoins…)

Il répète :

(D'accord, je suis content. xxx)

— Je vais voir Bobby, que j'annonce aux filles.

— Boooonnn ! crient-elles toutes en chœur.

— Bien là ! J'ai à peine boudé quatre petits jours, que je précise pour leur signifier que leur « bon » exaspéré n'était pas justifié.

> *La patiente, plus calme face à la situation, semble comprendre certains aspects, indépendants de la volonté de l'homme, l'ayant peut-être porté à nier publiquement la nature de leur relation sentimentale. Elle est ouverte à l'entendre, et ce, seulement quelques jours après ledit événement. Madame Allison fait preuve de maturité en ne laissant pas son orgueil gérer ses actions.*

> *Le BIG BUCK paraît repentant des siennes en désirant engager le dialogue afin de démystifier une situation ambiguë. La question reste : au moment de mettre cartes sur table, sera-t-il capable de bien communiquer ou cherchera-t-il une échappatoire afin de se soustraire à la discussion ?*

Après avoir posé mon livre, j'enfile un chandail de laine. Songeuse, je ferme la lumière de ma chambre en redoutant quelque peu la suite des choses. S'il ne veut pas trop en discuter et qu'il veut aller acheter du lait, qu'est-ce que je fais ?

You Go la commère

En entrant chez lui, je me dévêts dans le vestibule, silencieuse-ment. De toute façon, Bobby (je devrais vraiment dire Gaétan) meuble très efficacement le malaise.

— Il fait froid ! On commence à être tanné de l'hiver. J'ai hâte à cet été, le soleil, la chaleur. Toi, ça va ? Tes stagiaires ? Ton cours le mardi ? Es-tu allée en prison ces jours-ci ? Ça doit être tout un monde, hein, les détentions et tout ça ? Veux-tu une bière ? Ça va ?

Complètement verbomoteur, le Gaétan ! Incroyable ! Je suis étourdie. J'opte pour l'humour. Sans dire un mot, je me dirige vers le frigo et j'ouvre la porte.

— Qu'est-ce que tu fais ? demande-t-il, confus.

— Je regarde si tu as du lait. Comme ça, tu n'auras pas à feindre d'aller en acheter tout à l'heure…

— Ah Mali !

Oups ! Il ne trouve pas ça drôle. Il s'assoit sur le divan et avoue, sans lever les yeux sur moi :

— Je suis là, super mal à l'aise, et toi tu me dis ça…

— Excuse-moi, que je me repens en le retrouvant sur le divan.

Bon, j'ai gâché l'ambiance qui était déjà tendue. On ne se dit rien, trop occupés à fixer le mur devant nous. C'est lourd. J'amorce la discussion.

— Ça m'a fait de la peine…

— Tu sais quoi ? J'ai eu une super idée. Il y a plein de revues à potins qui nous appellent tout le temps au bureau pour faire des entrevues avec moi. On va prendre une belle photo et j'annonce-rai publiquement que ma fréquentation est devenue ma blonde !

Hein ? De quoi il parle ? C'est n'importe quoi ! Je ne veux pas ça. Il ne comprend pas…

— T'es pas sérieux ?

— Bien quoi ? Quelque chose de simple, une page ou deux pour « ploguer » mon spectacle dans le fond.

— Non ! que je réponds, sans donner plus d'explications.

— Tu veux quoi, alors ?

— Je ne veux rien. Ce n'est pas la présentation publique le problème…

— C'est quoi, alors, le problème ?

Bon, j'avoue que ça ne paraît pas clair mon affaire. Je ne sais pas comment l'expliquer.

— Dans le fond, le problème, c'est que tu n'as pas été capable de nommer d'emblée que tu avais une blonde.

— Justement, c'est pour me racheter que je veux faire ça.

Colonel rationnel… On se comprend vraiment mal.

— Non… Tu sais, je saisis un peu mieux pourquoi tu as hésité à le dire, en tenant compte de l'aspect « question personnelle » dans les entrevues et tout, mais je pense que j'ai besoin de me faire rassurer un peu… Je suis une fille, ne l'oublie pas, que je termine comme si c'était l'argument qui tue.

— Ouin, parlant de ça. Chad m'a dit que Coriande et toi aviez des frustrations parce qu'on est trop indépendants.

— Hein ?

Un instant, là ! De quoi parle-t-on ici ? Qu'est-ce que c'est que cette histoire ?

— C'est Sacha qui a dit ça à Hugo qui l'a dit à Chad…

Qu'est-ce que ce téléphone arabe bidon ? Du papotage d'enfants d'école. Je me sens en colère tout d'un coup.

— Non, rectification : Cori disait, de façon tout à fait anodine, qu'elle s'ennuyait de son *chum* parfois les fins de semaine et je lui ai dit : moi aussi, des fois je m'ennuie du mien. Point à la ligne !

— Il ne m'a pas dit ça comme ça…

— C'est quoi votre « mémérage » ? que je m'insurge, un peu sous le choc.

— Il m'a appelé pour un truc sur notre *pool* de hockey et m'a dit ça, juste comme ça.

— Je vais lui en faire un, moi, « juste comme ça » !

— Ne fais pas de chicane avec ça Mali, ce n'est rien. Et je t'annonce que je réquisitionne également ton droit de bouder à partir de maintenant !

Je réfléchis : « Bien oui, ce n'est rien ! Eille, si tout le monde se met à répéter aux autres tout ce qui se dit dans ce *condo*, on n'a pas fini. Et d'ailleurs, pourquoi Sacha a-t-elle dit ça à Hugo ? » Je me rappelle alors que nous avions discuté de la situation, un samedi soir, devant You Go… Tout compte fait, il va avoir un chien de ma chienne, lui ! Langue sale !

— On se loue un film ? demande Bobby, en me souriant.

— Oui…

Est-ce qu'on a vraiment fait le tour de la question en deux minutes ? J'en doute, encore une fois… Pour un gars qui voulait me « parler », il n'a pas été très volubile.

C'est quoi ton problème ?

Lorsque je reviens au *condo* vendredi midi, naturellement il n'y a personne. Je grimpe dans ma chambre pour y déposer mes affaires. J'entends un bruit dans celle de Ge. Est-elle là ? En poussant la porte, je constate que Rick s'y trouve.

— Excuse-moi, je croyais que c'était Ge.

Il se trouve encore devant son ordi, assis sur le lit.

— Pas de problème. Ge est au bureau et elle m'a autorisé à rester ici pour travailler. Ça ne t'ennuie pas ?

— Non, pas du tout.

Je retourne dans ma chambre pour planifier mes rencontres de stage. Rick travaille beaucoup à partir de son ordinateur. Je ne croyais pas que faire des transactions immobilières impliquait autant de travail à la maison.

En fin d'après-midi, j'appelle Hugo afin de faire la lumière sur la situation ambiguë relative au placotage.

— Salut Mali chérie ! répond-il, enjoué.

J'entends Sacha batifoler derrière.

— C'est quoi, ton problème ? que je commence sèchement.

— Euh… Présentement, c'est que ton amie vient d'arriver de travailler et elle est folle, un peu comme toujours ! plaisante Hugo.

J'entends Sacha crier « Eille ! » en réplique à sa blague.

— Non, ton problème de dire à tout le monde que je trouve que mon *chum* n'est jamais là !

« Attends » dit Hugo à Sacha, probablement pour lui signifier d'arrêter de plaisanter, étant donné que je semble sérieuse.

— Répète ça…, demande-t-il, en portant plus attention.

— Bobby m'a fait part d'un commentaire venant de toi, que tu aurais dit d'abord à Chad et par la suite à lui. C'est quoi, l'affaire, de raconter aux gars ce dont je discute avec toi ?

— Heu…, j'ai dit ça de même, en conversant…

— Je trouve ça très plate !

— Excuse-moi Mali, je ne pensais pas mal faire.

— On va devoir préciser les balises de la communication dans le groupe, je pense. Bon, je vous laisse, bonne soirée.

En raccrochant, j'entends Ge revenir de travailler. Rick et moi la rejoignons. Elle embrasse tendrement son *chum* avant de me retrouver à la cuisine.

— Ça va ? demande-t-elle, sceptique face à ma potentielle réponse.

— Correct. Je suis un peu amère des gars qui racontent des affaires sur notre cas, là….

Je lui explique rapidement la situation. Elle semble de mon avis. Assis au salon, Rick nous écoute. Pauvre lui ! Il doit trouver qu'il s'en passe, des choses, ici. À vrai dire, il doit croire que je suis une vraie hystérique ! La scène du dimanche et maintenant celle-ci...

— Mais Bobby ? m'interroge Ge.

— Euh..., hésité-je un peu à cause de la présence de Rick.

Ce dernier semble comprendre mon malaise, car il propose :

— Je vais aller acheter une bonne bouteille de vin pour le souper !

Il se dirige vers le placard pour mettre bottes et manteau. Je le trouve délicat de s'effacer ainsi pour nous laisser seules. Lorsqu'il pousse la porte, je décris mon impression à Ge.

— Rick est très discret. Il travaille ici, toujours super *low profile*. J'apprécie beaucoup, Ge.

— Je sais, je l'aime tellement... Vas-y. Bobby...

Je lui raconte la soirée, la discussion... la très courte discussion. Il faut dire que ça n'a rien de surprenant. Je ne suis pas satisfaite de la fin de la conversation : encore une fois, je sens que nous n'avons pas fait le tour de la question, que les faits ont été exposés trop rapidement, que sans trop nous en rendre compte nous avons esquivé le problème en nous tournant vers autre chose. Les fameux non-dits de notre couple. Je lui explique l'entrevue que Bobby se propose d'accorder à une revue à potins.

— Hein ? Tu vas faire ça ?

— T'es malade, non...

— Mais au moins, tu as la preuve que ce n'est vraiment pas parce qu'il veut se garder disponible...

— Ouin...

— Rick est arrivé à quelle heure ? sonde-t-elle, curieuse.

— Je ne sais pas. Je suis rentrée à midi trente…

Comme il revient, nous changeons de sujet. En voyant Ge débuter la préparation d'un petit souper en amoureux, je songe à ce que je vais faire ce soir. Elle et son homme semblent en symbiose. Je vais les laisser seuls. J'ouvre une porte d'armoire et j'y attrape une bouteille de vin. Je sors un plat surgelé du frigo, que je glisse dans le micro-ondes.

— Qu'est-ce que tu fais ? s'étonne Rick en me voyant faire.

— Je vais aller au sous-sol manger devant un bon film ! que je clame, comme si ma soirée était la plus excitante de la Terre.

— Oh non ! Tu restes manger avec nous, rectifie celui-ci, catégorique.

Geneviève me fait un signe de tête affirmatif.

— Non, ça va, je vous assure, que je déclare en sortant une coupe de l'armoire.

En installant mon repas gastronomique sur la table à café (repas que j'ai laissé dans son réceptacle d'origine pour le rendre encore plus insipide), je pense au pathétisme de ma soirée excitante…

À la fin du film, un peu enivrée par le bon vin, je texte Bobby. Il doit tout juste sortir de scène.

(Je me demandais : si tu enlèves mon droit d'être bête durant mes SPM et mon droit de bouder… Qu'est-ce qu'il me reste ?)

J'ai le temps de prendre ma douche avant d'avoir une réponse.

(Il restera peut-être nous deux… enfin… xxxx)

Sweeeeeeet ! Je m'allonge sur mon lit et je relis le message en souriant bêtement. Bon, souvenez-vous que je suis un peu éméchée ! Un détail m'agace : il met déjà un terme à la conversation (les maudits becs à la fin). J'ai envie de lui parler encore… Bah ! Après tout, je ne vais pas enfreindre le Code criminel si je lui réécris malgré les bisous.

(Je m'ennuie de toi, bébé…)

Voyez qu'ici je cherche de l'amour à travers des mots textés à partir d'un téléphone. Je m'énerve !

Il répond :

(Mali, la loge est pleine ! ! ! On se parle demain matin. Bonne nuit ! xxx)

Bon ! Il diminue le nombre de becs, en plus. Trois au lieu de quatre. Non, je plaisante. Je sais très bien qu'il tient la touche « X » aléatoirement, sans calculer la quantité de bisous qu'il m'envoie. Il ne me reste plus qu'à me coucher… Je me demande bien « de qui » sa loge est pleine?

« Sunday's Meeting »

— Je suis d'accord avec Mali. Ça ne fonctionne pas du tout ! OK, j'avoue que je tardais à faire cuire le riz avec mon *chum*, mais j'aurais quand même aimé le faire cuire moi-même, commence Coriande, qui m'appuie dans mon insatisfaction en ce qui a trait aux commérages de tout le monde.

— En passant ! Tes métaphores sur le riz t'enlèvent beaucoup de crédibilité par rapport à ta frustration envers la situation.

— Oui ? Et pourtant, je ne suis vraiment pas contente.

Vous déduisez ici qu'il y tout de même place à l'humour dans le *meeting* de la consœurie de ce soir. Cori et moi ne sommes pas enthousiastes relativement à la tournure des événements, mais les filles n'ont techniquement rien à voir là-dedans.

— J'intitulerais la soirée : « Les gars sont des commères ! », propose Ge.

— Mets-en !

— Il faut se protéger de leur complicité grandissante ! C'est plate, mais la seule façon est de faire attention à ce qu'on leur confie et, surtout, à ce que l'on prononce devant eux, que je statue.

— C'est vrai. J'ai eu l'air vraiment scolaire quand Chad m'a dit : « Coriande, Hugo m'a informé que tu trouvais plate que je sois toujours parti. Je me sentais con que ma propre blonde ne m'ait pas parlé de ses insatisfactions elle-même. » J'avais l'air d'une petite fille du primaire qui demande à son amie d'aller dire à son *chum* qu'il *frenche* trop avec la langue.

— Excuse-nous, Cori, murmure Sacha. Tu sais, Mali et moi, on a juste discuté du sujet devant Hugo, tout bonnement. Et lui…, explique-t-elle en ne terminant pas sa phrase.

— Pour cette raison, je crois que pour chacune une discussion s'impose : on doit clairement reprocher aux gars cet épisode de téléphone arabe. Franchement !

— Mais là, il ne faut pas faire comme la dernière fois avec le riz et finir par ne pas le faire cuire finalement, déclare Cori, en faisant référence au fait qu'aucune des filles n'ait abordé avec son *chum* les supposées discussions qui devaient avoir lieu.

— Moi, je l'ai fait ! se défend Sacha.

— Toi, tu n'as pas fait cuire le riz, t'as baisé dedans ! rectifie Cori, pour rire.

— Eille, t'utilises vraiment avec abus le proverbe de Jy Hong, reproche Sacha à Coriande.

Je me lève en me dirigeant vers le tableau. J'efface les phrases faisant référence à notre délire sur « l'abruti qui regarde le doigt ».

— Donc la mission : toutes les consœurs doivent parler à leur mec et l'écrire quand c'est fait !

Que nous sommes protocolaires !

— On change d'expression. Le riz, je ne suis plus capable, propose Sacha, comme si c'était vraiment crucial dans notre démarche.

— On doit fourrer l'*egg roll* ? lance stupidement Coriande, fière de rester fidèle à la thématique des mets asiatiques.

— Franchement ! Les gars vont croire à un propos sexuel ! que je déclare.

— On aura l'air de vouloir se taper un Chinois !

— Ouin, j'avoue…, approuve Cori, tout de même déçue de voir sa proposition rejetée.

— On doit faire sauter le pad thaï[3] ! que je clame fièrement.

— Parfait !

---

[3] Plat thaïlandais de nouilles de riz sautées aux œufs. Sublime en bouche !

Je note sur le tableau une phrase ridicule pour faire penser aux filles d'aborder ladite question, sans que les gars comprennent de quoi il s'agit.

Section des filles :

Les filles, n'oubliez pas de faire sauter le pad thaï ! !

Section des gars :

Nous discutons de nos relations de couple respectives jusqu'à notre émission préférée : les beaux moments, les moins beaux, les impressions de chacune. Tout passe au peigne fin de l'analyse de groupe. C'est terrible comment les filles approfondissent toujours chaque fait et geste des gars. Les gars, eux ? Ils ne pensent même pas à ça, j'en suis certaine. Ou bien encore, ils considèrent probablement les filles sous trois catégories d'émotion : « Ma blonde contente ; ma blonde fâchée ; ma blonde ambivalente. Donc, entre contente, ou fâchée... »

De notre côté, nous nous disons : « Je crois qu'il pense que je pense qu'il pense... » De la pure folie. La plupart du temps, nous devons nous fourvoyer complètement, mais que de plaisir à discuter avec les consœurs. Pas certaine que les hommes s'adonnent aux mêmes séances de décorticage comportemental. Quoique, je ne soupçonnais pas les gars avides de colporter des secrets. Les nôtres viennent de nous prouver le contraire !

Étrange Françoise...

J'ai deux rencontres de stage prévues pour jeudi et trois autres la semaine prochaine. Un dossier de réglé. En fermant mon cellulaire, je sens la femme de ménage non loin de moi, chômant, comme si elle voulait me communiquer une nouvelle importante.

— Oui, je peux vous être utile ? que je lui demande poliment, en posant mon appareil sur la table.

— Euh… En fait, je me demandais : la fille de la chambre en bas, vous connaissez bien son *chum*, si je ne me trompe pas.

Bon, vais-je avoir encore droit aujourd'hui à des révélations-chocs sur Coriande ? Sans trop savoir pourquoi, je me sens réticente à lui divulguer l'information, car je n'aime pas ses supposés pouvoirs.

— Oui, je le connais bien.

Mais je me montre peu explicite quant à la nature de notre relation.

— Vous êtes juste deux enfants dans la famille ? me demande-t-elle, curieuse.

— Oui, que je réponds, un peu étonnée qu'elle soit déjà au courant.

Tout de même, ne soyons pas trop impressionnés par cette déduction : Chad et moi, on se ressemble un peu. Bien que je ne sache pas précisément quelle photo elle a prise…

— Il ne fait aucun doute qu'il a conservé son âme de voyageur. Il fut jadis un brillant archéologue au Pérou. Impliqué dans la découverte du Machu Picchu, imaginez ! Sans port d'attache. J'ai même peine à voir d'où il venait exactement à cette époque. Comme si c'était une âme appartenant à la terre entière.

Je la regarde tout de même, fascinée par ses révélations. Quelqu'un entre dans le *condo*.

— Votre amie doit faire preuve de beaucoup de patience dans cette relation. Les âmes de ce genre semblent souvent chercher où prendre racine définitivement.

Sacha, qui arrive, met fin à notre conversation.

— Bonjour madame ! prononce-t-elle exagérément enchantée en entrant dans la pièce.

Sacha voulait rencontrer notre Françoise à tout prix. Les deux femmes se serrent la main. Sacha la contemple avec une admiration manifeste.

— Je voulais vous dire que ce que vous avez dit à Mali à propos de mon *chum* et moi, c'est très intéressant…

Françoise l'invite à s'asseoir au salon. Bon, je sens qu'on va consulter la boule de cristal ! Je me demande si elle a terminé le récurage des salles de bain. Je m'éclipse dans ma chambre pour les laisser seules.

Une bonne heure plus tard, je descends au salon pour voir ce qui s'y passe. Sacha, un mouchoir à la main, semble tout juste venir de pleurer comme une Madeleine. *My god* ! Séance intense !

Je constate par contre que le ménage est resté en plan. Ma venue semble mettre fin à la consultation ésotérique. Françoise, de son côté, regarde l'heure et s'exclame :

— Oh là là ! Je dois partir.

Elle embrasse Sacha sur les joues en lui serrant les épaules chaleureusement. Elle enfile ses bottes et son manteau avant de me rassurer :

— Je ferai un ménage plus complet la semaine prochaine.

— Pas de problème, que je souligne, impuissante.

En fermant la porte, je reviens au salon, enjambant l'aspirateur resté au centre de la pièce.

— Ça va ? que je m'inquiète en prenant place près de Sacha.

— Je suis un peu secouée…

— Qu'est-ce qu'elle t'a dit pour te mettre dans cet état ?

— Mali, elle m'a parlé d'enfant, commence-t-elle.

— Oui, elle m'avait dit que vous alliez en avoir.

— Non, elle m'a parlé de ma fille, dit-elle en devenant émotive.

— Ta fille ?

— L'enfant que j'ai guidé vers les anges… Une fille, m'explique-t-elle.

« Son avortement… » que je songe, surprise.

— Tu ne lui as rien dit et elle t'a déclaré ça ?

Silence assourdissant. Sacha fixe le plancher.

— J'avoue que ça, c'est impressionnant....

— Une fille..., réagit Sacha, de nouveau émotive.

Nouveau silence. Lourd. Je lui flatte le dos.

— Tu sais, j'y pense souvent. Surtout depuis que je suis en couple. Parfois, je me dis que si j'avais décidé de la garder, Hugo ferait tellement un bon père.

Elle marque une pause avant de me raconter plus en détail son échange avec Françoise : elle lui a parlé de sa fille, de sa relation avec Hugo, de ce que leur futur enfant guérira comme blessure, de la douleur que Sacha porte depuis son avortement...

— Et ça fait du bien de savoir ce genre d'informations ? que je questionne un peu ambivalente, étant donné le chagrin de Sacha.

— Oui, je ne suis pas triste, Mali. Je me sens plus zen face à mon avenir. Françoise est géniale !

En la regardant, je pense à mes propres croyances. Elles ne sont peut-être pas assez développées. Je suis hésitante, on dirait que, chaque fois que je fais face à quelqu'un qui possède prétendument des pouvoirs, je suis sceptique. Mon premier réflexe est toujours de croire à l'arnaque. Peut-être que je devrais m'ouvrir un peu plus. Sacha me sourit, malgré ses yeux rouges un peu bouffis.

— Elle m'a demandé de lui faire faire une clé, me dit Sacha, qui semble se demander si elle devait acquiescer à sa requête.

— Pas besoin, je suis toujours ici !

Je me rappelle, pourtant, avoir bien précisé cette information à Françoise.

— Bon, on termine le ménage ! propose Sacha, en constatant que la tâche n'est qu'à moitié accomplie.

Hugo est terrible !

Coriande semble maugréer quelque peu dans le vestibule en pénétrant dans le *condo*. Suffisamment pour que Sacha me dévisage, le regard interrogateur, les sourcils en accents circonflexes. Nous regardons toutes les deux dans sa direction avant qu'elle n'entre en trombe dans la pièce.

— Sacha, je ne suis pas super contente...

— Quoi ? Qu'est-ce que j'ai fait ?

— Je viens de me chicaner au téléphone avec mon *chum* parce qu'il se demandait qui était le pirate qui m'a *cruisée* mercredi dernier !

Sacha ne dit rien, bouche bée. J'interviens :

— Bien voyons, c'est ridicule ! Chad doit bien déduire que c'était une connerie !

— Non ! Il pensait plutôt que je voulais le faire suer de m'avoir laissée seule à la Saint-Valentin.

Eh bien ! Mon frère, un peu jaloux ? Je n'ai pas vu ça souvent...

— Je trouvais trop drôle votre histoire de cartes d'affaires, j'ai juste raconté l'anecdote à Hugo, comme ça... Et je te signale que c'était ce week-end-ci, donc avant la conversation d'hier, se défend Sacha, qui semble douter elle-même de la pertinence de son argument boiteux.

— Coudonc ! You Go manque don' bien d'attention dans la vie ! Ça se « chronicise » son affaire ! Faut que je lui dise, que je déplore.

— Non, je le ferai, me lance Sacha en secouant la tête.

— Ça fait tout de même assez longtemps que je le connais, que je signifie à Sacha, en voulant dire que si je veux lui parler, je le ferai.

Elle roule des yeux avant de se lever. Cori fait de même en se dirigeant à sa chambre. Bon, voilà le bordel ! C'était facile à prévoir : mon amie avec mon frère, mon amie avec mon meilleur ami, les gars tous devenus amis… Fiou ! J'aurais dû présenter un de mes cousins à Ge, tant qu'à y être !

Mali au « trou »

— Bonjour ! Mali Allison, pour la supervision de stages, que je précise simplement à l'agente correctionnelle.

Je lui tends mon permis de conduire en le glissant par la mince ouverture de la baie vitrée. Elle est postée derrière un « aquarium », où il semble faire sombre. Elle scrute ma pièce d'identité en me toisant avec méfiance. Elle me redonne ma carte, accompagnée d'une clé.

— Enregistrez-vous ici. Ensuite, mettez votre manteau, vos clés et autres effets personnels dans ce casier.

Je m'exécute et reviens sur mes pas. Elle ouvre à distance une grande porte de métal. J'entre. Le temps que la porte se referme derrière moi, je patiente un moment dans le vestibule. Elle ouvre une autre grille. Les étapes protocolaires pour pénétrer dans une prison sont probablement un des aspects les plus impressionnants de ce type d'établissement. Le claquement sourd des grilles ou des portes ainsi que la gestion rigoureuse entourant les entrées et les sorties sont très stratégiques. Le passage précédent doit toujours être fermé avant d'ouvrir le suivant, afin d'éviter toute éventuelle évasion. Lorsque j'entre dans l'aire d'accueil, d'autres agents sont en poste. L'un d'eux met mes documents dans l'appareil à rayons X pendant qu'un autre me fait passer dans un détecteur de métal. Il termine son contrôle avec un appareil de détection manuel. Un troisième agent me demande de placer mes mains devant moi. À l'aide d'un tampon de tissu, il en fait l'inspection. Quand il a terminé, il insère le tissu dans une machine afin d'y déceler la présence de bombe et de drogue quelconque. Le même procédé, en fait, qu'utilisent les douaniers. Semblant satisfait de ma « performance générale », un agent me fait signe d'aller m'asseoir dans une modeste salle d'attente. Ouf ! Toujours stressant ce genre de fouilles préventives, même si on n'a absolument rien à se reprocher.

Un agent masculin traverse une porte grillagée et avance vers moi. Après présentation, je constate qu'il s'agit bien de l'agent-accompagnateur de mon étudiant. Celui-ci se trouve actuellement avec un autre agent à l'admission[4] afin de participer aux différentes tâches de ce service.

---

[4] Secteur où les nouveaux détenus admis transitent obligatoirement. Ils y subissent une fouille à nu et leurs effets personnels non admissibles sont entreposés dans d'immenses casiers. En prison, des listes précises définissent les objets auxquels les détenus ont droit.

— Il viendra nous rejoindre tout à l'heure. Je vous propose tout d'abord une visite des lieux.

— Parfait, que j'approuve.

En longeant les couloirs menant aux différents secteurs, les agents que nous croisons me dévisagent sans gêne. Que dire aussi des détenus ! C'est un milieu de vie. Une immense commune. « Qui est l'étrangère qui emprunte les corridors de notre grande maison ? » semblent-ils tous se demander.

— Vous êtes jeune, me lance l'agent qui m'accompagne.

Bon ! Toujours la même remarque récurrente.

— Pas tant que ça. J'ai plus d'une dizaine d'années qui me séparent de l'âge de mes étudiants, que je confirme sans préciser exactement mon âge.

— Hein ? Vous avez l'air d'avoir le même âge qu'eux !

Dans un autre contexte, ce commentaire réflexif aurait été bien perçu ; mais là, il semble vouloir dire que je manque de crédibilité.

Deux agents que nous croisons lui font une blague un peu macho du genre : « T'accompagnes une belle visiteuse, mon chanceux ! » En parcourant le secteur des réclusions[5], alias « le trou », les deux agents qui en ont la charge nous suivent durant notre trajet.

---

[5] Secteur d'isolement où les détenus sont maintenus en cellule 23 heures sur 24 sans droit de sortie, soit pour être protégés des autres détenus, soit pour être punis pour une faute au code de vie, comme un comportement violent, par exemple.

— Une petite nouvelle? s'intéresse l'un d'eux en fixant l'agent qui me sert de guide.

— Non, la superviseure de mon stagiaire.

— Hein? T'as ben l'air jeune! commente sans scrupules un des deux hommes.

«Bon, OK! On en revient!» me dis-je en balayant du regard l'endroit sombre. Un silence absolu règne dans ce lieu. Les détenus n'ayant pas d'aire commune[6], il n'y a aucun mouvement dans ce secteur. Un des agents m'observe et me dit:

— La 218 est vide, viens.

Il m'escorte jusqu'à la cellule, qu'il déverrouille manuellement avec un bouton pressoir. Je pousse la lourde porte pour mieux voir à l'intérieur.

— Entre, me suggère mon accompagnateur.

Je fais deux pas devant. Ça pue l'humidité. Un pas de plus et j'atteins le mur du fond de la minuscule cellule. La porte se referme bruyamment derrière moi. Bon, ne croyez pas que je sois surprise. C'était tellement prévisible. Ils m'ont enfermée. Je m'en fous. J'inspecte tranquillement la petite pièce qui fait environ dix pieds sur sept. Les murs sont en béton gris et le plancher en vinyle industriel pâle. La pièce est meublée d'un lit à une place dont le cadre est en métal, d'un petit bureau et d'une chaise ainsi que d'une toilette en acier inoxydable, voisine d'un minuscule

---

6 La plupart des secteurs possèdent une aire commune où l'on retrouve une télévision, des chaises, un four à micro-ondes et un frigo. Habituellement, les cellules sont à proximité de cet endroit. Dans les secteurs d'hébergement réguliers, les détenus sont libres d'y circuler dans la journée, hormis pendant les dénombrements et la nuit.

lavabo. Au milieu du haut plafond, une lumière halogène encastrée est recouverte d'un grillage massif de métal afin d'éviter tout bris. J'entends en sourdine les agents qui ricanent de l'autre côté de la porte. L'un d'eux approche de celle-ci pour me crier :

— On te laissera sortir quand tu seras fine-fine !

Franchement ! Pathétique cette blague sexiste de mauvais goût. Je ne réponds pas ; à la place, je continue de parcourir la pièce des yeux tout en réfléchissant. Je tente de m'imaginer vivre ici. Être incarcérée dans ce lieu exigu 23 heures sur 24. Ne pas pouvoir sortir. Passer six mois, deux ans, trois ans ici. Impossible, je deviendrais dingue. La porte se déverrouille et un agent l'ouvre.

— Coudonc, t'aimes-tu ça ?

Je souris largement en sortant de la cellule. Je leur lance dans un débit impressionnant :

— Ça doit être une belle blague récurrente d'enfermer les gens en cellule lors des visites, hein ? Juste vous préciser qu'on estime à environ 30 % la prévalence de gens souffrant de troubles anxieux. Sur ce nombre, on croit qu'à peu près la moitié pourrait présenter diverses angoisses phobiques, dont la peur des espaces clos, appelée la claustrophobie. Ce n'est pas mon cas, heureusement, parce que vous auriez probablement été obligés d'appeler votre chef d'unité, en lui expliquant de faire venir une ambulance parce que la superviseure de stage était en train de faire une crise de panique avec hyperventilation dans la cellule 218 !

Les trois hommes me fixent, la bouche ouverte, comme si je venais de leur parler en mandarin.

— On continue ! que je demande, enjouée, comme si de rien n'était.

L'agent qui m'escorte salue les deux autres avant de me rejoindre devant la porte pour quitter le secteur. Il ne revient pas sur la situation du reste de la rencontre et m'appelle « Madame » jusqu'à mon départ de la prison.

Pad thaï, toupet et visite-surprise

Après trois visites de stage, je rentre chez moi exténuée. Je pense à la réalité du milieu carcéral. Non pas juste en ce qui a trait à la captivité des prisonniers, mais en ce qui concerne le personnel. L'ambiance générale des lieux reste encore assez machiste, malgré la proportion quasi égale d'agents correctionnels féminins par rapport aux agents masculins. Durant tout l'après-midi et dans tous les établissements que j'ai visités, les détenus que j'ai croisés ont tous été très polis avec moi : « Bonjour Madame. Excusez-moi Madame. Bonne journée Madame. » Quant aux agents, la plupart ont été très professionnels et très gentils avec moi, sauf quelques-uns qui ont eu des remarques un peu crues ou des propos plus ou moins convenables. Rien de dramatique, mais bon. Disons qu'il faut faire sa place dans ce genre de lieu, et ne pas se laisser marcher sur les pieds.

En ouvrant la porte du *condo*, je constate que les filles sont toutes là. Rick aussi. Je salue tout le monde et me dirige vers le frigo pour planifier mon repas. Je suis affamée ! Je jette un œil au tableau.

Section des filles :

Les filles, n'oubliez pas de faire sauter
le pad thaï ! !
— Pour moi, c'est fait. - Sacha
— Me too. - Cori
— Check ! - Ge

Section des gars :

Pas très subtile votre affaire les filles,
je comprends tout... - Hugo.
Les gars, nous on connaît personnellement le grand « Général Tao », hein ?

— Il comprend quoi, lui ? que je demande à Sacha en riant.

— Il ne comprend rien pantoute ! Il n'arrêtait pas de me questionner hier, rectifie-t-elle. Il pense qu'on prépare un souper thématique asiatique pour leur faire une surprise...

— Général Tao ? N'importe quoi ! Tu comprends, toi ? demande Ge, en regardant Rick.

— Si je parle, ils devront m'éliminer, plaisante Rick l'air sérieux.

Pour ajouter au mystère, j'envoie aux filles :

— Il reste juste moi à faire ma recette !

— Hum…

Je lève les yeux vers Coriande et je fais un saut en l'apercevant. Je lui dis, comme si je ne le voyais pas :

— T'as un toupet ?

— Oui, mais là, c'est beaucoup trop court…

En effet, c'est un peu trop court pour sa morphologie faciale, mais je garde cette observation pour moi.

— J'ai lu un article qui prônait le « pouvoir séducteur du toupet », explique-t-elle.

— Le pouvoir de la frange ? Eh ben…

Je n'ose pas demander à Sacha comment s'est passée la discussion avec You Go, vu la présence de Rick. Le téléphone de Cori sonne. Comme elle se trouve au milieu de la cuisine, nous portons, sans trop le vouloir, une certaine attention à son appel.

— Allô ? répond-elle en se dirigeant vers l'évier avec un poivron pour le laver.

— …

Elle laisse échapper le piment dans la cuvette. Ge et moi nous échangeons un regard inquiet. Coriande prononce :

— Maman ?

Elle se rend dans sa chambre et ferme la porte derrière elle. Sa mère ? J'ai peine à y croire. Depuis que je la connais, je ne l'ai jamais vue. Cori n'en parle jamais ou presque. La seule chose que l'on sait, c'est qu'elle vit en Ontario et qu'elle a quitté le Québec lorsque Cori avait autour de dix ans. Je pense même qu'elles ne discutent presque jamais au téléphone.

Toutes les consœurs se regardent, traumatisées. Encore une fois, Rick ne comprend rien. Il ne pose toutefois pas de questions.

— Sa mère…, dit doucement Ge, en réfléchissant à haute voix.

— Sa mère, que je répète, pour confirmer les faits.

Nous préparons le souper presque en silence en attendant impatiemment le retour de notre amie. Elle sort de sa chambre quelque vingt minutes plus tard. Quatre paires d'yeux la dévisagent avec appréhension. Même Rick, qui ne connaît pas la nature de la situation, a le regard rivé sur elle. Sans émotion, Cori reprend son piment et termine sa tâche. Ge se lance :

— C'était ta mère ?

— Oui, et elle vient de se rappeler qu'elle a une fille, rage Coriande, en frottant le pauvre poivron presque au point de l'écraser.

— Tu lui parles souvent ?

— Non, la dernière fois, ça doit faire trois mois. Sinon, j'ai pris un café avec elle, aux alentours de ma fête, l'été dernier.

— Ah oui ? Tu ne nous l'avais pas dit ! s'étonne Ge.

Coriande est tellement secrète pour certaines choses.

— Qu'est-ce qu'elle voulait ? que je me risque à demander.

— Venir me porter quelque chose.

— Elle habite Montréal dorénavant ?

— Non, elle vient passer une semaine au Québec.

Coriande répond strictement à nos questions, sans se répandre en explications.

— Quand ?

— À partir de ce week-end. Dimanche, je pense…

— T'es contente ? ose s'informer Ge, en se doutant bien de la réponse.

— Pfft ! Je ne sais pas ce qu'elle veut me donner, je m'en fous.

Nous ne faisons pas suite à son commentaire, conscientes qu'elle doit avoir besoin d'un peu de temps pour digérer la nouvelle. Elle prend finalement un couteau pour trancher son poivron, rendu plus propre que propre…

À mon tour, le pad thaï

— J'ai pas fait de longueurs au téléphone ! C'est toi qui hallucines encore ! que je hurle après Bobby, qui m'accuse une fois de plus d'être lente au téléphone comme si j'étais une attardée mentale.

— « Euh… Euh… » J'étais certain que t'étais tombée dans les pommes. On perd tellement de temps avec tes pauses interminables dans une journée !

Sacré Gaétan, il exagère encore…

— Bon, on fait quoi ? Tu manges quoi ? Qu'est-ce que tu fais ? Comment vas-tu ?

Je le bombarde de questions sans prendre de pauses entre celles-ci.

— Bon, elle se réveille enfin ! Viens chez moi, si tu veux.

— OK…

— Je t'attends ! *Bye.*

Il m'énerve. Ce n'est pas vrai que je dors au téléphone.

En me préparant, je pense à la discussion que je veux avoir avec lui. C'est anodin, mais je dois y aller doucement. Surtout, ne pas commencer par « Il faut que je te parle… » Sinon, il va faire un cent quatre-vingts degrés dans ses chaussettes et s'enfuir sans toucher le sol. Il ne supporte pas ce genre d'introduction.

Lorsque j'entre chez lui, monsieur regarde la télévision, concentré. Je vous confie un secret d'État : Bobby s'enroule toujours une mèche de cheveux autour de l'index et du majeur lorsqu'il est captivé. Très infantile comme réaction d'autostimulation. C'est certain que cela vient des abîmes de son enfance ou d'un inconscient affectif quelconque. J'ai réellement cru, en remarquant son tic, qu'il souffrait de trichotillomanie[7] ! Heureusement, il ne fait que tourner les mèches entre ses doigts sans les arracher. Chaque fois que je le taquine avec sa manie, il me dit : « Ne dis jamais ça à personne. C'est zéro viril… » Je sais qu'il est sérieux. Il serait

---

[7] La trichotillomanie est un comportement impulsif et anxieux amenant les sujets à être incapables de s'empêcher de toucher et d'arracher leurs cheveux (ou poils). Très bizarre…

vraiment fâché d'arriver au *condo* un de ces soirs et de voir sur le tableau de communication : « Bobby est venu se tourner la couette ici ce week-end ! » Personnellement, je trouve ça craquant. Vulnérable, attendrissant. Quand il compulse de la sorte, j'ai envie de le prendre sur moi et de le bercer pour calmer ses anxiétés refoulées. Mais il ne faut pas lui dire !

— Je suis content que tu sois venue faire tes silences interminables en personne. Mais fais-en pas trop, la soirée va être plate, commence-t-il, pince-sans-rire.

— Allô ! Ma belle Mali. Je suis content de te voir. Tu es vraiment resplendissante ! lui lancé-je comme si je le personnifiais.

— Les gars ne disent pas ça, « resplendissante »...

Je roule des yeux avant de sauter sur le divan pour l'embrasser.

Après avoir regardé la fin de son film de guerre long à n'en plus finir, je lui glisse en douce :

— Vous êtes assez mémères merci, vous autres les gars !

— Comment ça ?

— Votre « déblatérage » au téléphone sur nos supposées insatisfactions... Vous avez compris tout croche.

— Je ne comprends pas...

— Ce que Chad t'a dit...

— OK ! Justement, ce n'est pas moi. Je n'ai rien dit à personne.

Je lui explique en détail la situation, avec le contexte et la futilité de la conversation initiale.

— C'est correct, je n'étais pas fâché, puce. Je sais bien que tes amies et toi, vous parlez de gars tout le temps.

— Pfft ! Pas vrai, que je mens allégrement.

— Vous devez être là à tenter de nous comprendre, à nous analyser…

Voyons, d'où sort-il, lui, avec sa réalité incontestable ?

— Pantoute ! On a d'autres choses à faire, tu sauras !

— Bien oui ! Comme de vous faire « cruiser » par des pirates ! lance-t-il tout bonnement.

Bon ! J'aurais dû m'en douter…

— Aucun rapport, que je déclare sans rien dire de plus.

De toute façon, quel gars serait jaloux d'un pirate ?

— Regarde, le gars va se faire rentrer dedans solide, commente Bobby, en me désignant l'émission de catastrophe-en-direct-machin-truc qui joue à la télévision.

Sans prêter aucun intérêt à son changement de sujet trop subit, je poursuis mon « objectif Pad Thaï » :

— Non mais, c'est ridicule de tout se répéter. Imagine, le téléphone arabe est réellement déformé à la fin de la chaîne de communication !

— Ne me dis pas ça à moi ! Je ne dis rien à personne.

— Justement, c'est ce que tu dois faire. On se mêle de notre couple, de nos affaires.

— Bien d'accord… Et le pirate, il venait d'où ? Des Caraïbes ?

Il rit en voyant mon air peu convaincu face à la pertinence de revenir là-dessus. « Il ne veut pas en entendre parler, mais il en reparle à deux reprises par contre… »

— Oui, des Caraïbes, que je poursuis, l'air en extase sur le pirate.

Il me fait un air ambigu, en fronçant légèrement les sourcils. Je décide de commenter l'émission à mon tour :

— Regarde, il va foncer dans le poteau de téléphone…

Sans se tourner vers la télévision, il continue de m'observer de façon insistante. Oh ! Qu'est-ce que je vois ? Un Bobby vulnérable ? Pris à son propre jeu ? Fin de la discussion à propos de ce sujet pour la soirée. *Niet* !

Au petit matin, il me rejoint à la cuisine.

— T'as pas dormi avec moi, dit-il en baillant.

Je m'approche de lui pour le câliner dans le cou en lui empoignant les fesses.

— Bébé, tu prenais toute la place. J'ai déménagé dans la chambre d'amis.

— Bon, c'est le début de la fin, on fait chambre à part ! s'exclame-t-il, les baguettes en l'air.

— Non, c'est que d'habitude, je ne travaille pas le lendemain matin, mais aujourd'hui oui.

— Donc, tu dors toujours mal avec moi ? sonde-t-il, inquiet.

— Euh… Oui.

— Et quoi encore ? Dans un mois, tu me diras que je baise comme un pied et que tu feins les orgasmes depuis le début de notre relation ?

— Hum…, que je fais en accompagnant mon onomatopée d'un visage crispé, comme s'il venait de mettre le doigt sur une question délicate.

— QUOI ? crie-t-il en fonçant sur moi comme un malade.

— NON ! NON ! C'est pas vrai ! que je le rassure en courant vers la salle de bain.

Il me suit. Je commence à me maquiller. Il me regarde. Je cesse de me farder pendant un instant, intimidée.

— T'es belle…, me lance-t-il sans avertissement.

Bon, je râle souvent parce qu'il ne me fait pas assez de compliments. Mais pourquoi, chaque fois qu'il m'en débite un, on dirait que je ne suis jamais prête ? Je commence à me brosser les dents. Il fait de même. Nous nous regardons sensuellement, la brosse à dents dans la bouche. Je sais que ça peut paraître curieux comme image, mais on réussit à le faire. Il a des yeux amoureux ce matin, lui. J'en suis presque embarrassée. Je prends mon mascara pour débuter l'application, mais il me le retire doucement des mains en disant :

— Attends un peu…

Il m'embrasse langoureusement. Sans crier gare, il me hisse sur le comptoir du meuble-lavabo.

— Euh… C'est qu'il faut que…

Il me coupe la parole en enlevant lentement mon chandail :

— Non… Il faut que rien…

Je me laisse quelque peu enivrer par la douceur de ses gestes avant de prononcer de nouveau :

— Non… Il faut vraiment que…

Il me susurre à l'oreille :

— Non, je t'assure… Il ne faut que rien…

Zoui-zoui chinois ?

— Arrête de mettre plein de légumes dans le bouillon. Dans la fondue chinoise, il y a un principe qui dit d'utiliser des baguettes ! râlé-je en direction de Sacha, en donnant un coup de baguette sur la sienne.

— C'est trop looong…, couine-t-elle, avec une moue d'insatisfaction.

— Mon amour, prends ton temps. Tu diras encore que tu as trop mangé tantôt et que tu as des flatulences, lui conseille Hugo, presque paternel.

— Ah bien oui ! Mon *chum* qui me traite de grosse péteuse à table, c'est le *fun* ! dit-elle en regardant tout le monde, sauf Hugo.

— Je n'ai pas dit ça, mon amour… J'ai dit que tu manges toujours trop vite, rectifie-t-il.

— Ah bon ! Pas grosse tout court, mais grosse cochonne ! C'est vraiment mieux ! exagère-t-elle encore.

Tout le monde semble se demander, à cet instant précis, si elle plaisante ou si elle est réellement insultée. Je tente une diversion sarcastique.

— Je m'excuse. Permettez-moi de quitter la table un moment : je vais téléphoner à Bobby pour le mettre au courant que vous êtes en train de vous disputer.

Je fais mine de me lever. Mon frère me lance une serviette de table, qui atterrit presque dans le bouillon.

— Très drôle ! commente-t-il.

— Oui, très drôle, ajoute You Go, peu innovateur.

Rick rit un peu au bout de la table. Ge et Cori aussi.

— Non, à vrai dire, je vais vous laisser l'appeler. Il devrait sortir de scène vers vingt-deux heures, que je précise, sérieuse, en regardant l'horloge de la cuisine.

— Petite conne ! me lance mon frère.

— Elle n'a pas tort, approuve Cori.

— Bon, l'autre qui l'encourage ! gesticule Chad, offusqué.

Ge et Rick s'esclaffent encore en plongeant leur baguette dans le plat au centre de la table. Rick laisse échapper malencontreusement son champignon dans le bouillon. Il se tourne vers Ge et l'embrasse discrètement. Ils sont tellement *cutes*… Rapidement, je focalise de nouveau mon attention sur Hugo, qui piaffe d'impatience en se plaignant d'être victime de préjugés.

— T'es un panier percé, c'est tout. Et Chad, t'es pas mieux… On va débattre là-dessus toute la soirée s'il le faut, que je clame haut et fort.

— Ton *chum* était TRÈS intéressé par les deux histoires en tout cas, me nargue Chad, en sachant très bien la fragilité de la corde qu'il vient de toucher.

— Pfft !

— Il posait des questions…

— Pfft ! que je fais de nouveau, peu originale dans mon choix de bruitage.

— La morale de cette histoire est : on vit en communauté, on se mêle de ce qui nous regarde et on ne parle pas des autres. Sauf à l'interne bien sûr, plaisante Ge en faisant un poing à poing complice avec Coriande.

— C'est ça ! Vous autres vous avez le droit, s'indigne encore Hugo.

— On aurait dû faire du pad thaï ce soir au menu ! lance Coriande à brûle-pourpoint, sans aucun rapport.

— Bon ! Encore vos insinuations culinaires asiatiques ! commente Hugo, toujours aussi frustré de ne rien comprendre.

— De quoi ?

Comme le tableau a été effacé, Chad ne saisit pas de quoi nous parlons. Hugo lui explique que nous faisons toujours des allusions bizarres à des mets asiatiques.

— Je les soupçonne de fréquenter des clubs de danseurs chinois ! déclare Hugo en montrant Chad du doigt, sérieux, comme s'il venait d'élucider un mystère national.

Nous pouffons tous de rire.

— Voyons, toi ! Des danseurs chinois ? le regarde Sacha, stupéfaite.

— Des petits moineaux asiatiques, toi, éclate de rire Chad.

Si Bobby avait été présent, on aurait eu droit à un épisode de dix ou douze blagues de petits pénis en rafale. Vous saviez que c'est la chose la plus drôle du monde, les farces de pénis ? Non ? Moi non plus…

— Imagine les filles qui paient pour voir des minizoui-zoui chinois ! s'étouffe Chad, encore tordu de rire.

Évidemment, cela amuse aussi beaucoup Hugo et Rick. C'est de l'humour masculin. J'avoue cependant qu'une blague de gros seins bien placée, je trouve ça toujours savoureux. Chacun son registre de sujets, je présume !

Nous restons longtemps à table à dire des absurdités de part et d'autre. Bobby me texte à vingt heures quarante-cinq. Il a déjà terminé. Super ! Ce soir, il avait un spectacle corporatif, c'est-à-dire un spectacle payé par un particulier ; le concert ne se déroule donc pas dans une salle de spectacle du réseau habituel. Il nous rejoint à l'instant. Au moment où je lui réponds, le cellulaire de Coriande sonne à son tour. Elle se lève, va jusqu'à l'îlot et regarde son écran. Elle se rend dans sa chambre pour prendre l'appel.

— Oh ! Ça semble important ! commente Hugo, encore trop curieux.

— Tant que ce n'est pas son criss de pirate ! blasphème Chad, toujours tiraillé par cette histoire.

— Eille le frère ! La jalousie, c'est assez ! D'un pirate en plus ! que je lui ordonne sans gants blancs.

— Pfft! Je niaise! Je m'en fous! ment-il en se levant pour commencer à débarrasser la table.

— Que je te voie te faire « cruiser » par un pirate, toi! dit Hugo à Sacha, qui s'approche pour l'embrasser gloutonnement.

— C'est toi mon pirate d'amour, balbutie Sacha entre deux baisers.

Coriande revient à la cuisine en annonçant :

— Ma mère débarque ce soir finalement. Elle me remet quelque chose et repart *rapido presto*.

— Tu vas me la présenter au moins? s'informe Chad, qui semble la trouver un peu expéditive.

— Oui… oui…

— On dirait que tu as peur qu'on ne l'aime pas, que j'affirme doucement.

— Non, c'est tout le contraire justement, réplique-t-elle, peu claire comme d'habitude.

Je me rends compte à cet instant précis à quel point il est étrange que jamais la situation de Coriande à propos de sa mère n'ait eu de place dans nos discussions de groupe. Elle a toujours voulu nous cacher leur difficile relation et on ne s'en est jamais formalisé. Personne, non plus, n'a jamais trop posé de questions et ainsi va la vie! Je suis très déçue de ma performance de psy (et surtout d'amie) sur ce coup-là…

Hélène

Lorsque la sonnette à l'extérieur retentit, l'atmosphère se transforme : on semble tous nerveux. Même Bobby, qui vient tout juste d'arriver, me regarde avec un drôle de visage du genre : « C'est bizarre qu'on soit tous ici pour assister à cette rencontre… »

— Ayez l'air normal s.v.p., nous implore Coriande en allant ouvrir.

Du salon, nous n'avons pas visuellement accès à l'entrée. Tout le monde s'apprête à écouter la scène. Coriande ouvre la porte.

— ALLÔ ! Ma belle grande fille ! crie sa mère d'une voix forte.

— Allô Hélène !

— Bon, laisse-moi poser mes valises que je te serre dans mes bras ma chérie !

— T'as beaucoup de bagages, commente Cori, surprise.

— J'arrive de l'arrêt d'autobus en taxi. Je ne suis pas passée à l'hôtel comme prévu. Viens ici toi ! hurle de nouveau sa mère avant, probablement, de la prendre dans ses bras.

Silence radio.

— C'est *too much* chez vous, ma chérie !

En entrant dans la pièce commune, la mère de Coriande recule d'un grand pas, stupéfaite.

— *MY GOD* ! Je pensais pas voir du monde de même icitte !

C'est vrai qu'au total on est tout de même huit ! Tous assis dans le salon en silence, avec le téléviseur en sourdine. On a vraiment l'air d'une *gang* d'adolescents voulant faire croire aux parents qui reviennent à la maison que le *party* a été super tranquille.

— Bien oui, ils sont discrets, reprend Cori, avec une moue signifiant « Faites de quoi ! »

— Bonjour, je suis Chad ! lance mon frère, qui se lève poliment pour lui donner la main.

— Mon *chum*, ajoute Coriande pour rendre les choses plus claires.

— *Really* ! s'exclame Hélène, en le serrant littéralement dans ses bras comme on le fait avec un vieil ami du collège.

Pour faire diversion à l'interminable accolade, je me lève à mon tour.

— Moi, c'est Mali. Une coloc ! que j'explique en souriant.

Elle m'enlace à mon tour.

— Vous vivez deux *girls* icitte ? demande la mère de Cori, en faisant un tour visuel de la cuisine.

— Non, Geneviève. Une autre coloc ! l'informe Ge en se dressant aussi.

— Et moi, c'est Sacha. La quatrième coloc !

— Un appart de femmes ? remarque Hélène en admiration.

— Les *chums* des filles : Rick, Hugo et Bobby.

Cori, toujours aussi expéditive, les présente rapidement.

Sa mère leur sourit à tour de rôle. Naturellement, en arrivant à Bobby, elle jubile sur place.

— T'es pas…, débute-t-elle sans terminer sa question.

— Oui, il paraît que c'est moi ! plaisante Bobby, en sachant qu'elle le reconnaît.

— *My god ! I can't believe it !*

« Elle ne peut le croire ! » La mère de Cori est visiblement une femme colorée. Très expressive, voire un peu histrionique[8] ! Comme nous sommes dos à Hélène, qui embrasse en ce moment Bobby en le couvrant de louanges, Coriande roule des yeux en me regardant. Je lui lance un regard rassurant pour lui signifier : « Capote pas. Tout va bien. » Sa mère semble l'agacer en raison de ses gestes flamboyants et démesurés. La mère et la fille sont diamétralement à l'opposé par rapport à cet aspect de leur personnalité. On dirait que je comprends bien des choses…

— J'aime tellement ce que vous faites. Je suis chanteuse aussi, *you know that ?*

— Non, je ne savais pas, affirme Bobby, poli.

— Je peux vous offrir un bon verre de vin ? propose Chad, gentleman.

— *Yes !* Je suis tellement contente d'être au Québec et de voir les gens qui fréquentent ma fille chérie que je vois si peu, explique Hélène dont les yeux pleins d'amour maternel se posent sur Coriande.

Cette dernière lui renvoie un sourire légèrement faux, avant de revenir s'asseoir au salon avec les autres. Je la sens à fleur de

---

[8] Une personne histrionique a besoin de se mettre en scène, de théâtraliser ses échanges avec les autres. Ce trait de personnalité est souvent associé aux artistes, aux gens extravertis.

peau, agacée par la présence de sa mère. Mais Hélène a un charisme fou. En moins de dix minutes, elle nous a tous conquis. Nous sommes là à l'écouter raconter ses soirées de spectacle en Ontario, en riant aux éclats. Pour s'occuper, Coriande devient la serveuse de la soirée. Elle est toujours debout à faire je ne sais quoi à la cuisine.

— Ce serait le *fun* d'avoir une guitare ! déclare Hélène.

— Oh ! J'en ai une de réserve ! s'exclame Bobby, en se dirigeant vers l'entrée pour aller à sa voiture.

Afin de valider une impression, je le rejoins discrètement en lui demandant à l'oreille :

— Comment trouves-tu l'ambiance ?

— Super ! Cette femme est vraiment gentille. Tu ne penses pas ?

— Oui, Coriande semble juste un peu bizarre.

— Bien non ! Tu vois encore des problèmes où il n'y en a pas, puce !

Il m'embrasse rapidement et sort. Ce qui est fascinant avec lui, c'est son incroyable sens de l'observation et sa grande capacité à analyser les émotions des gens ! Coriande se tapit entre le mur et la peinture depuis le début de la soirée, et là, Bobby prépare un rigodon avec Hélène en se disant que Cori gère très bien la situation ! Je me demande si elle ne préférerait pas que sa mère parte. J'attrape mon cellulaire qui gît sur l'îlot et je me dirige vers les toilettes. Je texte Cori :

(Ça va mon amie ? Je te trouve bizarre…)

Je patiente légèrement pour lire sa réponse. Comme celle-ci tarde à venir, je reviens au salon. Je fouille du regard à la recherche de son cellulaire. Visiblement, elle ne l'a pas sur elle. Je retourne à la cuisine et le trouve sur le four à micro-ondes. Je le lui apporte en lui disant que je l'ai entendu sonner. Elle me réécrit :

(Non, ça va... Qu'est-ce que tu veux que je fasse ?)

Elle ne semble pas trop exaspérée. Ce que je déplore, c'est qu'elles ne se parlent pas réellement toutes les deux, il y a trop de monde. Et Dieu sait qu'elles en ont probablement grand besoin. Au retour de Bobby, la soirée monte d'un cran en décibels. Hélène chante merveilleusement bien, elle a une voix rauque, de blues. Bobby et elle s'amusent follement en interprétant diverses chansons d'un répertoire assez international, merci ! Cori se laisse même aller à en chanter quelques-unes...

Au moment où Chad tente de resservir du vin à Hélène, celle-ci refuse en disant :

— Je dois rentrer à l'hôtel, il est tard...

— L'hôtel ? répète Chad, stupéfait, en se tournant vers Coriande.

— Voyons donc ! Reste à dormir ici, on a un divan-lit au sous-sol, propose Ge en examinant aussi Cori.

— Bien oui, reste ici Hélène, confirme celle-ci en souriant un peu.

Encore une fois, je perçois un léger agacement dans la réponse de mon amie, mais elle semble tout de même trouver la solution logique. Bobby, le comique, enchaîne en chantant la chanson populaire de Rock Voisine.

— « Hélène *things you do… Make me crazy about you…* Pourquoi tu pars, reste ici. J'ai tant besoin d'une amie… »

— Ha ! Ha ! Ha ! *Let's drink to that then* ! s'esclaffe Hélène, charmée par la performance très à propos de Bobby.

— Chanceuse ! Il ne me chante même pas ça à moi, que je souligne, jalouse.

Bobby se tourne vers moi avec sa guitare et recommence la chanson du début.

— « Seul sur le sable, les yeux dans l'eau, mon rêve était trop beau… »

La petite fille en moi (celle d'à peu près huit ans) est presque prise de vertiges lorsqu'elle regarde Bobby lui dédier la ballade, la fixant de ses grands yeux.

La patiente vit un moment de « groupisme » extrême en confondant la réalité avec son monde fantasmatique antérieur. Monde où elle a tant idéalisé un chanteur du prénom de Rock. Madame Allison, ayant cru à l'époque que ce chanteur serait l'amour de sa vie, transpose maintenant ce sentiment vers le chanteur qui lui fredonne actuellement la ballade. Au moins, on se console, étant donné que le chanteur actuel incarne bel et bien le rôle de l'amoureux dans la vie de la patiente.

C'est moi ou ma psy se fiche de moi ?

Le BIG BUCK surprend ce soir par sa performance romantique publique. Dans son incohérence affective récurrente, monsieur adopte le plus souvent des comportements exempts de toute démonstration trop explicite d'attachement. Est-ce que l'événement de ce soir est dû à sa consommation d'alcool ou est-ce que l'homme commence réellement à apprendre à partager à l'autre, de diverses façons, son amour grandissant ?

Un autre complot ?

Les matinées au *condo*, lorsque tout le monde y est, ressemblent à des lendemains de *partys* de Noël. Vous savez, quand on se réveille tous ensemble et que l'on sent encore l'ambiance de la veille. On ramasse ce qui traîne, on jase, on badine...

Préposés au déjeuner (sans même avoir perdu de gageure), Rick et Bobby concoctent une omelette ce matin. Depuis que je suis debout, je n'ai pas croisé Coriande ni sa mère. Elles discutent au sous-sol toutes les deux. Peut-être que cette soirée aura été bénéfique finalement.

Bobby semble bien taquin ce matin, avec son petit air de gars en vacances.

— Déjà le mois de mars, lance-t-il en brassant les œufs dans un plat en pyrex.

— Si le printemps peut arriver, que l'été suive, complète Sacha, toujours aussi adepte de la saison chaude.

— Je suis bien d'accord avec toi ! déclare Rick en agrippant trois œufs.

Il fixe Ge en faisant mine de vouloir jongler avec. Celle-ci écarquille les yeux en croyant qu'il va risquer le coup. Il se ravise, l'air espiègle, en levant le menton, fier de l'avoir impressionnée.

— Qu'est-ce qu'il y a de spécial, don', au mois de mars ? poursuit Bobby en me dévisageant.

Je souris en baissant les yeux, consciente de son allusion.

— Ah oui ! La fête d'une grande et gentille fille ! conclut-il, comme s'il venait tout à coup de s'en souvenir.

Je grimace en sa direction, un peu gênée.

— J'avais oublié de te dire, Mali : ne planifie rien le week-end de ta fête.

— Hein ? que je m'étonne, en fronçant les sourcils.

— Hum...

— C'est tout : « hum... » ?

Tous s'échangent alors un flot de regards complices qui n'en finit plus de finir.

Bon, c'est quoi ? Encore un complot dans mon dos ?

— J'ai l'air d'être la dernière au courant, en tout cas ! que je déduis, perspicace.

— Pas du tout : Hugo sourit comme ça parce qu'il est idiot, et Chad parce qu'il est content d'avoir une grosse graine, plaisante Bobby en versant le mélange à omelette dans une poêle.

— C'est vrai ! approuve You Go.

— Eh oui ! renchérit Chad.

— C'est le *fun* que tu sois à l'aise d'en parler devant nous, que j'ajoute, en faisant référence au sous-entendu explicite concernant le phallus de mon frère.

La discussion se termine ainsi. Je vrille mon regard dans celui Bobby. Bon, qu'est-ce qu'il mijote, lui ? Je tenterai de tirer les vers du nez des filles cette semaine.

Levons le voile sur le passé

Au milieu de la semaine, je meurs d'envie de discuter avec Coriande à propos de sa mère. Comme Bobby et Rick sont restés dimanche soir, la conversation n'a pas eu lieu. En début de semaine, il faut dire que Coriande s'est faite distante. C'est beaucoup d'émotions à la fois pour une consœur ! Hélène a passé une partie de la journée dimanche avec nous. Elle est finalement partie pour se rendre à son hôtel, je présume. Après nous avoir fait d'interminables accolades, elle a lancé des invitations à tout le quartier pour qu'on vienne la voir en Ontario !

Au moment de son départ, j'avais eu de la difficulté à déchiffrer avec exactitude l'état émotif de Coriande. Elle paraissait soulagée et mélancolique à la fois. Un mélange de : « Tu m'énerves… mais tu es ma mère… », ou : « Bon, il était temps que tu partes… mais reviens demain s.v.p.… » Normal qu'elle vive une grande ambivalence. Les retours parentaux de la sorte créent toujours un remous émotionnel non négligeable.

Lorsque Cori revient de travailler, je suis à la cuisine à compléter mes interminables notes de cours (deux recueils de notes de terminés !). Je lui annonce d'emblée en fermant mon ordinateur :

— Bienvenue à la rencontre avec votre psy humaniste. Nous débuterons par vos sentiments actuels pour explorer ensuite vos sentiments passés, dis-je en guise d'introduction à la conversation.

Elle prend place sur le tabouret devant moi, résignée, mais tout de même avec une attitude d'ouverture semblant dire : « Oui, j'en ai besoin… »

— T'es docile aujourd'hui, que je poursuis, un peu surprise.

— Tu devrais appeler des collègues en renfort… J'en ai vraiment besoin. Tu ne travailles pas avec deux autres folles dans ce bureau, habituellement ?

En entendant la porte d'entrée s'ouvrir, je sonde :

— Justement, en voilà une ! Qui est là ?

— Je vous donne un indice : je suis grosse ! envoie Sacha, enthousiaste, dans l'entrée.

— Bon, elle est encore grosse ! répété-je, l'air découragé.

En entrant dans la pièce, elle tournoie sur elle-même, pour que l'on approuve sa déclaration.

— Sérieusement, avouez que je suis difforme ! Je ne me suis pas entraînée du week-end, pleurniche-t-elle.

— T'es vraiment obèse. Fais quelque chose ! que je lui recommande en exagérant.

— Merci de me confirmer mon surplus de poids, ça va me forcer à faire des efforts. Je pense que je vais de nouveau commander une cure sur Internet…

Je la mets en garde :

— Eille ! Que je te voie !

Je me tourne de nouveau vers Coriande pour l'encourager à poursuivre notre conversation, qui a été interrompue par les angoisses de Sacha relativement à son excès de poids.

— Je suis un peu troublée…, lance Cori.

— Ta mère ? déduit Sacha.

Elle vient s'asseoir avec nous en reprenant son sérieux.

— On dirait que de l'avoir vue ici, avec vous, avec les gars, j'ai réalisé qu'elle existait dans ma vie.

— Avant, tu ne considérais pas ça ?

— Oui et non. Elle était comme un accessoire pas nécessaire, adjacent à ma vie. Il y a une partie d'elle qui me tape tellement sur les nerfs : son côté toujours excessif ; quand elle crie ; quand elle cherche l'attention…

— C'est une artiste, analyse Sacha.

— Un peu trop à mon goût ! Mais d'un autre côté, tout le monde l'aime. Vous l'avez aimée, j'en suis certaine, présume-t-elle.

— Oui, elle est spéciale, mais vraiment gentille.

— Qu'est-ce qui s'est passé avec elle, exactement ? que je tente de savoir, en la voyant réceptive à nous raconter finalement la vérité sur son enfance.

Comme la porte s'ouvre, Cori attend un instant avant de débuter son récit. Cela permettra à Ge de se défaire de son manteau. Intuitive, celle-ci prend place sur un banc de l'îlot, comme si elle savait d'emblée que Coriande se confiait enfin à nous ce soir.

Après avoir soupiré bruyamment, comme pour se donner du courage, Coriande récapitule les faits à partir du début.

— Mes parents se sont rencontrés dans un restaurant. Mon père était cuisinier et ma mère aide-cuisinière. D'où la provenance de mon nom débile ! Ils sont vite tombés amoureux, entre deux tables d'hôte…

Elle marque une pause et sourit. Notez que la plupart des gens qui racontent la façon dont leurs parents se sont connus sourient ou ressentent une émotion positive. Cela fait partie intégrante de notre existence en soi. Elle poursuit :

— Tout s'est passé très vite, ils ont emménagé ensemble dans un appartement et je suis arrivée… Paf ! Moins d'un an après. Mon père m'a toujours dit que leur relation s'était bien déroulée jusqu'à ce que ma mère commence à parler de chanter professionnellement. Il tentait de la dissuader, vu la difficulté de percer dans ce métier. Elle s'est accrochée à son rêve ; plus les années passaient, plus elle était dépressive, comme moins comblée par sa vie familiale. Mon père voulait un autre enfant, mais pas elle. Elle a commencé à chanter dans les bars comme emploi d'appoint. Elle aimait tellement ça, à ce qu'il paraît…

— Ça donnait un souffle de plus à son rêve, réfléchit Sacha.

— Oui. Un soir, un groupe pas rapport l'a remarquée durant sa performance dans l'un de ces bars. Ils lui ont proposé de se joindre à eux pour une tournée de trois mois en Ontario. Probablement trop contente de cette chance inespérée, elle a accepté, sans même en parler à mon père. Il a pété les plombs… Je me souviens de cette nuit comme si c'était hier. Ils s'étaient engueulés des heures. Au petit matin, elle était déjà partie. J'avais neuf ans, presque dix…

— Elle n'est jamais revenue ?

— Dans la semaine où elle est partie, c'était mon anniversaire. Je n'ai jamais eu de nouvelles. Elle est revenue trois mois plus tard. Elle a voulu me persuader qu'elle avait tenté de me rejoindre pour ma fête, mais que mon père avait refusé qu'elle me parle. Durant son absence, mon père a côtoyé une femme, une serveuse du restaurant où il travaillait. Elle me faisait toujours des laits frappés aux fraises. Je croyais que c'était juste l'amie de mon père. Quand Hélène est revenue, ils se sont chicanés de plus belle et j'ai alors compris que mon père fréquentait cette femme. Je crois que ma mère les a surpris ensemble dans leur lit. Elle est repartie la journée même où elle était revenue. Et cette fois, ce fut pour de bon. Elle venait me voir deux fois par année au début, et par la suite une fois aux deux ans. Mon père a arrêté de parler d'elle. Comme si elle n'existait pas.

— C'est ben triste...

— Je me suis mise à la détester et à ne plus vouloir lui parler. Je me souviens, à l'adolescence, lui avoir écrit une lettre lui demandant de ne plus être ma mère... Elle n'a pas donné de nouvelles pendant presque quatre ans.

— Elle ne t'en parle jamais ? que je demande, touchée de connaître enfin certaines parcelles de l'anamnèse[9] de la vie de mon amie.

— Tout le temps. En fait, c'est le problème. Chaque fois que je lui parle ou que je la vois, elle essaie de me justifier son geste, sa décision, comme si elle voulait que j'approuve qu'elle a fait le bon choix à l'époque. Jamais je ne lui ferai ce plaisir.

---

[9] En psychologie, l'anamnèse signifie l'histoire du sujet.

— Elle voulait te donner quoi, ce week-end ? s'informe Sacha.

— Des photos. D'elle et moi, de mon père et elle, de ses spectacles là-bas. Elle a encore tenté de me convaincre qu'elle m'a vraiment appelée pour mes dix ans… comme si c'était le point culminant de notre relation de marde. Et là, comme elle pense de plus en plus revenir au Québec, elle veut une autre fille. Mon cul, tu veux une fille ! Ta fille n'a plus besoin de sa mère aujourd'hui ; c'est passé l'étape des angoisses des premières menstruations, du premier gars avec qui tu couches, de la première peine d'amour, des questionnements face à l'avenir… Ce n'est pas à trente-trois ans que j'ai besoin d'une mère, criss…

Les yeux pleins d'eau, Coriande dirige son regard vers la table. Une larme roule sur sa joue. Elle l'essuie tout de suite, pour se montrer forte. Pour nous, c'est comme un poignard planté directement dans le cœur que de voir notre amie pleurer ainsi. C'est rare… Sacha ne peut se retenir de renifler à son tour. Je tente de surmonter ma tristesse. Ge regarde le plancher. Silence. Lourd silence. Qu'est-ce qu'on peut dire devant pareille situation ? La relation parent-enfant est viscérale, essentielle, mais si unique et personnelle à chacun.

— Donc quand je la vois, je la trouve « trippante », mais en même temps, je la hais tellement. C'est comme une étrangère, mais à qui je dois beaucoup. Comme si une petite voix me répétait : « Coriande, elle reste ta mère… » Cibole, ce n'est PAS ma mère. Je n'en ai pas de mère.

Nouveau silence éloquent. Je ne sais pas quoi dire. Je comprends maintenant sa haine et je la normalise :

— C'est correct que tu sois en colère.

— Je crois que cette souffrance devra se dissiper avant que tu daignes lui faire une place dans ta vie, déclare Sacha.

— Une vie sans maman, c'est comme un gruyère : c'est plein de trous. Peut-être que de lui faire une place pourrait justement apaiser ta rage, suggère Ge, qui s'y connaît bien en frais de «manquements maternels», sa mère étant décédée depuis longtemps.

— Je ne sais pas. Pour le moment, j'ai eu ma dose.

Nous discutons pendant un moment de sa vision de la suite des choses. Pour l'instant, elle ne veut pas lui donner de nouvelles. Je crois qu'Hélène devra concrètement prouver à sa fille son désir de revenir dans sa vie. Coriande ne fera aucune tentative de rapprochements.

Sentant le désir de Cori de mettre fin à sa thérapie, Sacha propose tout bonnement :

— Tu devrais discuter avec Françoise…

— Ben non, franchement ! s'objecte Cori.

Lorsque je lui ai mentionné ce qu'elle avait révélé au sujet de Chad, elle a à peine tendu l'oreille, prenant pour des «stupidités» les propos de Françoise. Depuis, cette dernière a remis la photo de Coriande à sa place, sans rien dire de plus.

— Désolée, je ne crois pas à ça, moi ! rajoute Coriande, catégorique.

— Moi non plus ! De toute façon, dans mon cas, je n'ai pas de photo qu'elle pourrait voler dans ma chambre ! renchérit Ge, aussi sceptique que Cori.

Afin d'éviter un affrontement relativement aux croyances de chacune, je tente stratégiquement une enquête au sujet de mon anniversaire.

— C'est le *fun*, Bobby m'a annoncé la surprise pour ma fête ! Je suis super contente !

— Ah oui ? Je ne croyais pas que tu aimerais ça chanter avec lui à son spectacle, me lance Sacha, sans aucune hésitation.

— Hein ? que je fais, horrifiée.

— Surtout pas le soir où il enregistre le DVD de son spectacle, ajoute Ge, les yeux ronds.

— Hein ? que je répète, incrédule.

— Mais la chanson qu'il a choisie pour toi est belle en maudit, reprend Cori.

Je ne dis rien, affolée à la seule idée de chanter en public.

— On sera là, en première rangée, pour faire tes *back vocals* !

Pendant un instant, je crains que les filles disent vrai. Muette sur ma chaise, je les dévisage afin de déceler la vérité. Elles pouffent d'un rire généralisé.

— Vous êtes vraiment connes ! que je leur crie, trouvant leur canular de mauvais goût.

— Franchement ! Ce serait un vrai suicide professionnel de sa part ! rigole Sacha, peu confiante en mes talents de chanteuse.

— Je ne vous ai même pas crues, que je mens sans vergogne.

Interlude télévisuel

Section des filles :

Ce qui est passé est trop tard ; ce que tu espères est absent ; mais le présent reste à toi... belle Coriande ! - Ge

L'amour et la haine sont de si proches parents... - Sacha

Section des gars :

Le paradis des hommes ? Trois télécommandes et un siège de toilette toujours relevé. - Allan Pease par Hugo

Vous voyez qu'on est simplement constitués, les filles ! - Chad

— Mon *chum* a tellement raison là-dessus ! Hier soir, j'ai identifié pourquoi on baisait moins souvent lui et moi : la cibole de télé ! avoue Sacha, un peu grogne-ours ce soir.

— Je suis tout à fait d'accord ! renchérit Cori en se versant de nouveau un verre de vin.

— Quand ce n'est pas le hockey, trois fois par semaine, c'est les *Rocky* un, deux, trois ou quatre qui repassent n'importe quand, ou encore les émissions connes de pilotes de glace ou les autres « zoufs » qui conduisent des dix-roues dans le Nord, je ne sais pas où ! peste de plus belle Sacha.

— Attends ! Tu oublies : le baseball, le soccer, le golf, le poker et, l'autre fois, les quilles ! Voyons donc… les quilles ? ajoute Coriande, en rangeant la vaisselle du souper dans le lave-vaisselle.

— J'haïs pas ça, moi, les quilles, avance Ge, en faisant référence à son sport préféré sur la Nintendo Wii.

— Moi les filles, c'est les infos : LCN matin, midi, soir, nuit… Bobby chéri, c'est les mêmes satanées de nouvelles. Je peux te les réciter par cœur, si tu veux ! que j'exagère.

Bobby possède une cuisine et un salon à aire ouverte. On voit donc bien la télévision de la cuisine. Parfois, je lui demande de la fermer lorsqu'on soupe ensemble. Non mais, c'est beau se tenir informé, mais une fois suffit !

— Moi, j'avoue que la télé n'est pas très présente avec Rick.

— Parce que ça ne fait pas longtemps que vous vous fréquentez. Quand vous êtes tous les deux, vous passez réellement du temps ensemble. Pourquoi, en début de relation, les soirées sont meublées de discussions autour d'un bon repas, de placotage dans le salon avec un verre de vin, de parties de fesses mémorables et après un certain temps, tout prend le bord pour laisser toute la place à la maudite télé ?

— On loue des films, on loue des films ! On fait juste ça, louer des simonaques de films ! Présentement, Bobby et moi, on est à court d'options. On les a tous vus. Hollywood ne fournit pas ! que je proclame haut et fort en riant.

— Mon *chum* veut que l'on mange devant la boîte à images les trois quarts du temps quand on est chez lui. On ne jase pas en mangeant devant la télé, explique Cori.

— On ne baise pas non plus devant la maudite télé, renchérit Sacha, les bras croisés, en haussant le ton.

— À moins que tu tombes sur un cave dans un site de rencontres…, précise Ge, découragée, en faisant référence au gars qui voulait écouter de la porno en faisant l'amour.

— C'est pas réglé ton insatisfaction sexuelle, Sacha ? que je m'intéresse, curieuse.

— La semaine où je lui en ai glissé un mot, il a répondu par la bouche de son canon, oui… Mais après coup, tout semble être redevenu plutôt calme. Je suis moins partante aussi, je dois l'avouer. Tsé, pour être cochonne, ça prend un contexte. Je ne peux pas être Miss Sexe Machine après avoir écouté deux films écrasés sur le divan en jogging. Ça nécessite une belle soirée, des regards langoureux, un verre de vin, du flirt, quelque chose, explique Sacha.

— Je pense que je suis trop souvent en jogging ! que je déclare, comme si c'était un élément crucial.

— Je confirme que je suis définitivement TROP tout le temps en pyjama, révèle Coriande en posant son front sur la table, honteuse.

— Je vous confie un truc : comme je travaille au *condo* ces temps-ci, je porte un jogging toute la journée, et le soir, en prenant ma douche, je change de jogging pour me faire croire que je me suis habillée dans la journée…, que je révèle, gênée.

— Hish… C'est vraiment *loser* ça ! souligne Ge en me tapotant l'épaule.

— Je sais. Et souvent, en arrivant chez Bobby, je saute dans mes joggings en faisant ce commentaire : « Aaaah ! On est-tu bien en linge mou ! », pour éliminer la possibilité qu'il suspecte que je ne m'habille jamais.

— OK ! Tu fausses sa perception de toi ! exagère Sacha.

— Mets-en !

— C'est notre faute, d'abord ! On tue le désir de nos hommes en s'habillant de même ! Mais je déteste quand même la télé, reprend Sacha, pour se déculpabiliser un peu.

— Vous savez quoi ? La télé ruine nos vies, la télé détruit les couples ! Il faut riposter pour l'empêcher de faire plus de désastres, brandit Cori, un poing en l'air, comme si elle défendait un programme électoral controversé.

— Quoi ? On kidnappe un gars du câble ? s'amuse Ge.

— Non, on va se battre la tête haute, avec nos atouts les plus enviables, en jetant aux ordures nos joggings ! affirme Coriande.

— On sort dans la rue et on les brûle ! que je clame, en levant un poing en l'air pour imiter Cori.

— Non ! dit-elle, en nous toisant à tour de rôle, sérieuse.

On la regarde toutes en attendant la suite impatiemment. Que veut-elle faire ?

— Avez-vous un cent dollars de lousse dans votre budget de la semaine ? demande Coriande, l'air mesquin.

— Bien on est jeudi, c'est le jour de paie ! Mais tu veux payer qui ? Je ne comprends pas, que je l'interroge, sceptique.

— Une femme qui connaît ça ! On l'appelle Victoria's Secret ! affirme Cori, un sourire en coin.

— Euh… Je veux juste rectifier une chose ici : Geneviève peut nous proposer d'acheter de la lingerie, Sacha aussi… mais pas toi ! que je plaisante en regardant Coriande, dévergondée dans sa féminité.

— Oh que oui, je le peux ! Et on y va maintenant, en plus. Il est dix-neuf heures. On a deux heures pour trouver une arme de destruction antitélé !

— Woot ! Woot ! crie Sacha, beaucoup trop enthousiasmée par le projet.

— Vous me laissez le temps de me changer car je suis encore en jogging, que je commente avec autodérision, comme si les filles ne pouvaient pas voir ce que je porte.

— Non, au contraire ! On met toutes nos joggings. Les vendeuses vont bien voir que la situation est urgente !

Victoria et ses secrets

La belle soirée pas trop froide de début mars nous donne droit à un magnifique ciel floconneux. En marchant dans les rues de

Montréal pour nous rendre aux artères regorgeant de boutiques de toutes sortes, nous bavardons en nous lançant de temps à autre de la neige avec nos bottes. Beau moment improvisé que cette sortie magasinage « sexé » !

Aux abords de l'immense boutique de lingerie, Sacha s'arrête brusquement sur le trottoir.

— Quoi ? se surprend Ge qui trébuche sur elle.

— Ah non ! Je crois qu'il n'y a pas de tailles fortes ici !

— Aaah ! Tu m'énerves et tu énerves aussi tout le monde dans Montréal ! dit calmement Cori, en désignant de la main les gens autour de nous comme s'ils étaient au courant des exagérations stupides de Sacha quant à son poids.

— On sait bien ! Vous autres les maigrichonnes, vous ne comprenez jamais rien ! renchérit Sacha, en passant devant Cori le nez en l'air.

— Maigrichonnes ? Tu ne m'as pas vu le ventre, toi ? s'écrie Coriande en la regardant passer devant elle.

Je roule des yeux en observant Ge qui suit les filles, l'air découragé pour la suite des choses.

En entrant dans la boutique, nous sommes visuellement inondées de couleurs vives variées. Rouge. Rose. Jaune vif. Le blanc et le noir semblent de moins en moins en avant-plan en ce qui a trait à la lingerie. Le magasin est presque vide. Une jeune vendeuse avance vers nous.

— Salut les filles ! Je peux vous aider ?

Elle paraît très gentille. Sacha lui fait un portrait de la situation.

— Nos *chums* écoutent la télé sans arrêt et on porte tout le temps des joggings. On voudrait raviver la flamme en leur montrant notre cul et nos seins à travers des tissus vaporeux et très chers, lance-t-elle sans ambages, comme si elle expliquait un problème de carte de guichet à la réceptionniste de sa banque.

La fille ne dit rien, mais lui esquisse tout de même un sourire.

— Regardez, madame, nos joggings ! On est tout le temps habillées de même à la maison. C'est *turn off* rare ! ajoute Coriande, en nous dévalorisant complètement.

— Avec notre surplus de poids des fêtes pas encore perdu, ce n'est pas beau tout de suite ! ajoute Sacha.

— Bon, ça va les filles ! On n'est quand même pas les laide-ronnes de l'univers, que je rectifie pour mettre un terme à cette dépréciation extrême.

Quand même ! Ne nous abaissons pas plus que nous le sommes déjà : en pyjamas dans un magasin branché du centre-ville !

— Vous êtes à la bonne place, les filles ! nous indique la vendeuse.

Elle approche sa bouche près du petit microphone agrafé à son chemisier et dit : « On a un code sept à l'entrée ! » Un code sept ? En moins de deux minutes, une autre vendeuse se présente, presque hystérique.

— Bon ! Pas un autre code sept ? dit-elle d'une voix aiguë en regardant sa collègue.

— Euh... C'est quoi un code sept ? « Grosse toutoune ayant besoin de maintenance ? » spécule Sacha.

— Pas du tout ! C'est F.V.T. : femme-victime-de-la-télé ! explique une des vendeuses sur un ton dramatique.

Est-ce un phénomène planétaire généralisé ?

— À bas la télé ! crie Sacha, en brandissant à son tour son poing dans les airs.

— Oh ! *My god* ! On dirait qu'on est dans une secte, réfléchit à haute voix Ge, la main sur le front.

— Ouin... On a l'air vraiment folles, dis-je en souriant à deux clientes qui semblent croire que nous sommes des itinérantes venues quêter des *G-strings*.

— Venez toutes par ici ; en plus, on fait une vente de liquidation ! Vous allez leur faire fermer leur télévision à ces nigauds ! On a deux heures !

« Deux heures, c'est beaucoup trop ! » que je songe en trottinant derrière le peloton de joggeuses, ne courant pas très vite.

Les deux vendeuses comiques nous présentent des murs entiers de soldes. Comme des enfants dans un Toys "R" Us, les filles se dispersent, la bouche ouverte et les yeux écarquillés, attirées viscéralement par toutes les dentelles et les tissus délicats.

Voyons voir, qu'est-ce que je recherche ? Pas un ensemble assorti soutien-gorge-petite-culotte classique. Quelque chose de nouveau, de plus osé...

Vingt minutes plus tard, ce sont les bras chargés de potentielles armes antitélé que les consœurs prennent simultanément d'assaut les cabines d'essayage.

— Gardez juste vos petites culottes, rappelle la vendeuse en nous assignant chacune une cabine.

— *Shit* ! J'ai vraiment des grosses bobettes de semaine laides ! ronchonne Coriande qui se rend compte de ce qu'elle porte actuellement.

— On se montre tout ! précise Sacha, motivée.

Nous sortons à tour de rôle avec notre premier essai. Sacha s'écrie avant de nous exhiber sa trouvaille :

— Hish ! C'est vraiment pas beau tout de suite !

— Sors ! que je l'encourage en me regardant dans l'immense miroir mural.

Je porte un ensemble rouge de dentelle, modèle camisole assez simple avec un slip italien qui monte assez haut sur le ventre. Ge et Sacha me rejoignent en même temps.

— J'ai vraiment les seins bizarres là-dedans, commente Sacha, en tentant d'ajuster les bonnets d'un élément hyperserré sur le corps.

— Simonaque ! Vous avez ben l'air cochonnes ! que je gesticule, les yeux ronds, en les voyant apparaître.

Ge porte un ensemble brassière et porte-jarretelles mauve, et Sacha une guêpière noir et rouge très ajustée. Coriande sort à son tour de la cabine et blasphème aussi en voyant les filles.

— Plate ! réagit Ge en désignant ce que je porte.

— Plate tant que ça ? que je demande, en m'examinant de nouveau.

— Plate ! Plate ! Plate ! renchérit Sacha en me montrant du doigt.

Les filles examinent curieusement Coriande, qui semble peu à l'aise dans son choix de vêtement. Elle tente en effet d'allonger le bas d'une drôle de pièce d'un blanc douteux.

— C'est une gaine de maintien ça, Coriande ! Pas un déshabillé ! analyse Ge.

— Ah ! Je ne sais pas, moi !

Ge se tourne vers les deux vendeuses qui se tiennent près de nous.

— On a une consœur qui va avoir besoin de supervision dans ses choix !

La vendeuse note ses mensurations et part en mission dans le magasin.

— Rien de trop extravagant ! la met en garde Coriande.

— Vous, c'est bien ! remarque l'autre vendeuse en regardant Ge et Sacha.

Ge est parfaite ! Tellement *sexy*, ce n'est pas croyable. Je m'approche d'elle en lui fixant les seins avec fascination.

— Voyons donc ! que je commente en haussant les épaules, toujours hypnotisée par sa poitrine généreuse, démesurément remontée.

— Quoi ? s'enquiert-elle en s'esclaffant.

— Je veux des seins de même madame, que je dis en regardant la vendeuse.

— C'est dur à battre en effet, plaisante la fille.

— On a toutes le goût de te pogner les boules, ce n'est pas normal ! lâche Sacha, spontanée.

— Toi la grosse ! T'es vraiment « sexée » là-dedans ! commente Ge en regardant Sacha.

— Non, trop de culotte de cheval ! Et un peu trop de lousse au niveau du poitrail aussi, se plaint Sacha, qui est réellement superbe.

Comme la vendeuse revient avec de nouveaux articles pour Cori, nous retournons en cabine. Je me force pour faire un choix plus osé cette fois-ci. Les filles ont vraiment déniché des « *kit*-de-courses » !

Quelques instants plus tard, je m'observe de nouveau dans la glace, portant une guêpière, un peu comme celle qu'avait Sacha, mais blanche.

— Voyons ! J'ai donc bien les seins asymétriques ! que je rechigne, en tentant de d'ajuster légèrement l'armature des bonnets.

— Moi aussi, j'ai les boules comme décalées dans celui-là, s'écrie Sacha en sortant.

Elle porte un bustier en similicuir, à la hauteur du nombril. Je m'approche pour la regarder.

— *My god* ! C'est un *kit* sado-maso ?

— On fait la guerre à la télé, oui ou non ? Toi, c'est beau, rectifie-t-elle en m'examinant.

— Hugo le pervers va capoter raide sur celui-là ! que je déduis.

Encore une fois, Ge sort de la cabine dans un mouvement gracieux. Elle porte une guêpière comme moi, mais en tissu léopard.

— Re-simonaque ! que je m'exclame, éblouie par la physionomie quasi parfaite de Ge.

— C'est vraiment beau ! commente une des jeunes vendeuses.

— Je ne suis pas à l'aise ! hurle Coriande en sortant de la cabine.

Elle porte une guêpière noire aussi, mais elle semble effectivement tout sauf à l'aise. On l'examine un peu et, visiblement, quelque chose cloche. Sans que nous fassions de commentaires précis, elle retourne en cabine en disant :

— Non, dégueu, vraiment pas !

Après plus d'une heure trente d'essayages divers à entendre des : « fesses trop longues », « seins trop petits » et « bedaine molle », les choix semblent faits pour toutes.

— On sort en même temps avec le choix vainqueur, propose Sacha de sa cabine.

— Je suis prête, que je dis en ouvrant ma porte.

J'ai choisi un *baby doll* noir et vaporeux, un peu plus ample au niveau du ventre, agencé à une culotte brésilienne très *sexy*.

— C'est vraiment le plus beau de tous sur toi ! me confirme la vendeuse.

Ge sort avec une guêpière, mais noire, lacée sur le devant avec un ruban rouge vif et un string conventionnel assorti à un porte-jarretelles. Elle aurait pu choisir n'importe quoi, en fait. Tout lui allait comme un gant !

— T'es parfaite ! lui dis-je.

Sacha, qui sort à son tour, a opté pour l'option « bête de sexe » comme Ge, avec un corset en similicuir encore une fois et un tanga rouge.

— Grrr, prononce Ge en s'approchant d'elle.

Coriande nous rejoint, gênée, en portant mon morceau du début. Une camisole plus classique en dentelle rouge et un slip italien qui lui fait un postérieur d'enfer.

— C'est super beau Cori, l'encourage Ge.

— Bien oui, tsé ! Le *kit* plate de Mali du début ! râle-t-elle en regardant les filles, plus osées qu'elle dans leurs choix.

— L'important avec la lingerie est de ne pas se dénaturer. Si tu portes quelque chose que tu n'assumes pas et qui ne te ressemble pas, tu ne vas pas être bien, ou tu ne vas tout simplement jamais le mettre, explique la vendeuse.

— Ouin, approuve Cori en s'observant le derrière dans le miroir.

— Bon, vos choix sont faits ! conclut la commis, heureuse.

— Je vais peut-être essayer la gaine de maintien que Cori avait au début, plaisante Sacha.

— Fatigante ! lui lance Ge en entrant dans sa cabine pour se rhabiller.

De la sienne, Coriande propose :

— On va suivre les développements de tout ça sur le tableau. Comment allons-nous appeler notre mission ?

— Pour rester fidèle à la thématique asiatique : avez-vous effilé vos baguettes ?

— Oui, l'opération « Effilons nos baguettes », plaisante Sacha.

Lorsque nous sortons des cabines d'essayage, les deux vendeuses nous dévisagent bizarrement. Sûrement à cause de nos propos incompréhensibles.

— On « trippe » sur les Chinois ! que je leur explique pour les rendre encore plus confuses.

Elles me font un signe affirmatif de la tête, les sourcils ondulés. Bon, on ne va pas entrer dans les détails quand même ! Elles en savent déjà pas mal...

Plate...

Je cours littéralement sur le trottoir enneigé afin de me rendre le plus rapidement possible à ma voiture. Je vais être en retard ! J'ai complètement oublié la femme de ménage en ce lundi froid. Elle n'a toujours pas la clé du *condo*. Comme je ne peux pas rouler plus vite que les automobilistes, qui semblent tous au ralenti ce matin, je songe à mon week-end. Plate... (comme disaient les filles lorsque j'ai défilé avec mon premier essai de lingerie) On n'a rien fait ; Bobby a réalisé des entrevues téléphoniques une partie de la matinée de samedi et il est allé à son spectacle le soir. Je suis restée chez lui.

J'aime bien être chez lui, dans ses affaires... C'est typiquement féminin comme comportement, ça aussi. Je suis certaine que les gars ne sont pas en état de béatitude lorsqu'ils restent dans l'appartement (rempli de coussins roses) d'une fille durant son absence. Nous, on aime ça ; on se love dans le divan de notre homme, on fouille dans son frigo, dans les tiroirs et dans la pharmacie... Mais non, je plaisante, voyons ! On ne fouille jamais nulle part ! Pfft !

Bobby possède un poêle à granules, j'adore ça. Chez lui, c'est paisible l'hiver...

Vous vous demandez ce qu'on a fait dimanche ? Moi, j'ai travaillé un peu et lui aussi ; le reste du temps, le troisième élément de notre couple a meublé presque tout l'espace : le magnifique téléviseur. Il fallait bien qu'il y ait une montée de lait consœuriale à ce sujet pour que je vive un week-end de la sorte. Sans surprise, Bobby me répète toujours : « Mali, les vendredis et samedis, je suis en *show*. Le dimanche donc, c'est très relax pour moi. » Je sais, je sais. J'avais apporté mon arme secrète de couleur noire en dentelle, mais elle est restée bien au fond de ma valise. Ah ! Il faut tout de même un contexte minimum pour porter ça ! Et surtout une attitude réceptive. Quand ton homme franchit la porte en soupirant : « Je suis brûlé, j'ai mal à la gorge, ffff... », tu ne lui sors pas l'artillerie lourde pour l'inviter à une partie de fesses mémorable. Tu réponds plutôt, pour lui faire plaisir : « Viens bébé, on va écouter la télé lovés dans un doudou. »

En gravissant l'escalier du *condo*, j'aperçois Françoise assise en haut des marches, l'air offusqué. Heureusement, il ne fait pas trop froid.

— Je vous accordais encore deux minutes et je m'en allais, m'annonce-t-elle.

— Excusez-moi, je suis désolée, dis-je en déverrouillant la porte.

— Vous devriez vraiment me donner une clé, réclame-t-elle en entrant.

— Hum, que je réponds, avant de retourner à ma voiture, stationnée à l'autre bout du monde, pour y prendre ma valise.

À mon retour, je grimpe dans ma chambre. Mon téléphone sonne. En l'agrippant, je constate que c'est ma mère. Je discute un instant avec elle. Elle veut savoir ce que je fais le week-end de ma fête, dans deux semaines. Je lui annonce que Bobby me kidnappe pour je ne sais où. Excitée, elle demande :

— Il n'a pas de spectacle, lui ?

— Euh… Je ne sais pas, probablement pas, s'il veut me voir…

Elle me fait part de quelques nouvelles générales avant que nous raccrochions. J'ouvre mon ordinateur pour vérifier si Bobby a des spectacles. Je n'y avais même pas pensé. Voyons voir : vendredi, oui, et samedi aussi. Zut ! Il veut que nous fassions quoi, alors ? Peut-être qu'il va me faire une surprise durant un spectacle. Une « bonne fête » *a capella*… Je suis tout de même un peu déçue. Passer ma fête dans une arrière-scène de théâtre. Bof ! J'y suis allée mille fois plutôt qu'une.

Je scrute mon agenda afin de planifier le travail que je dois abattre, selon le plan que je me suis rédigé, pour être le plus efficace possible. J'ai aussi une pile de corrections de travaux de stage épouvantables qui m'attend. Je regarde par la fenêtre. Le temps est gris, le ciel semble bas, pesant. « Plate… » me dis-je, peu enthousiaste face à ma journée. Oh ! Est-ce que Mali l'intrépide et téméraire manquerait de piquant dans sa vie ?

La patiente, fidèle à son émotivité de bipolaire, aurait visiblement besoin de stimulations extérieures et de projets motivants. Elle attribue cette impression à certains moments tranquilles passés avec un homme, mais est-ce vraiment garant de la réalité ? Jeter le blâme sur autrui pour un sentiment personnel et récurrent est une façon simple de faire du déni pour s'empêcher de se mettre en action. Si Madame Allison veut du renouveau, elle doit elle-même le créer. Assez la léthargie !

Le BIG BUCK semble très bien vivre les moments plates avec sa blonde. Il est bien chanceux. Rien à dire de plus aujourd'hui.

Pas un lundi soir ?

En voyant Ge inscrire quelque chose sur le tableau de communication, nous sommes toutes les trois figées, curieuses de savoir ce qu'elle y a noté. Elle s'éloigne pour nous permettre de voir.

Section des filles :

N'oubliez pas d'effiler vos baguettes...

— C'est fait ! - Sacha

— Moi aussi, j'ai eu chaud... - Ge

Section des gars :

— Le paradis des hommes ? Trois

télécommandes et un siège de toilette

toujours relevé. – Allan Pease par Hugo

Vous voyez qu'on est simplement

constitués, les filles ! – Chad

— Hier ? que je crie, abasourdie. Un lundi soir ?

— Il n'y a pas de jour de la semaine approprié. T'es don' *stuck-up*, Mali ! me taquine Ge.

— *Stuck-up* tant que tu veux. Moi j'ai besoin de… euh… de je ne sais quoi, mais d'un contexte spécial pour enfiler ça ! Euh, « effiler » ça plutôt…

— On aurait dû imposer une limite de temps. Je suis certaine que ces deux-là n'oseront jamais, présume Sacha à Ge, en levant un sourcil en l'air.

— Dites-nous comment ça s'est déroulé pour vous au lieu de nous mettre de la pression, conseille Cori, curieuse.

— Hugo a capoté ben raide samedi soir !

— Je comprends ! Les actrices de *hard porno* ont l'air de saintes nitouches à côté de toi habillée de même, que je rétorque, catégorique.

— Question de novice : le déshabillé en tant que tel, le gars nous l'enlève ou on le garde parce que c'est spécial ? questionne Coriande, avide de connaître le fonctionnement technique dudit morceau de tissu.

— Oh *boy*! Dans mon cas, il n'était pas question que je l'enlève! fait clairement savoir Sacha.

— Tu vois, dans mon cas, Rick l'a enlevé, même un peu trop vite à mon goût. Non mais, tant qu'à l'avoir payé, se désole quelque peu Ge.

— Est-ce que vos *chums* ont profané un commentaire du genre : « Beau petit kit... » ou une autre remarque du même genre? semble s'inquiéter Cori.

— Moi oui, un peu, réfléchit Sacha.

— Moi non, c'était comme normal, précise Ge.

— On dirait que j'aimerais mieux que Chad ne dise rien. Sinon, ça n'aura pas l'air naturel, mais ça ressemblera plutôt à un défilé de mode, angoisse Coriande.

— J'avoue! que j'ajoute.

— Arrêtez de capoter! Vos *chums* vont « tripper » comme tous les gars! s'écrie Ge.

— Tu penses? s'inquiète Cori en la regardant, peu convaincue.

Je pense à ma découverte de la veille et j'en fais part aux filles.

— Bobby est en spectacle le week-end de ma fête.

— On te l'a dit qu'il voulait chanter avec toi, mais tu refuses de le croire, m'envoie de nouveau Sacha, impatiente.

— Sur la Rive-Nord, c'est ça? demande Ge.

— Tu sembles beaucoup trop au courant, toi! que je m'écrie, stupéfaite.

— On a nos billets en tout cas! ajoute Cori.

— Je vous hais !

— Tu vas être bonne ! renchérit Sacha.

— Je n'aime pas les surprises ! Est-ce qu'il y a quelqu'un sur terre qui va respecter ça un jour ?

Fétichiste de perruque…

Depuis le début de la soirée, j'essaie de tirer les vers du nez à mon *chum*. Au départ, j'ai opté pour la méthode douce en parlant d'une petite voix : « Dis-moi, bébé d'amour… » Il a roulé des yeux en faisant « Pfft… » Ensuite, j'ai tenté la stratégie directive, avec un air autoritaire : « Bon assez de niaisage, tu me le dis maintenant ! » Il a ri aux éclats en me donnant une petite poussée sur l'épaule. Est venue par la suite la menace : « Explique-moi tout, sinon je te fais mal. » Il a levé les poings devant son visage, prêt à se défendre. Finalement, je me suis abaissée à lui faire des avances sexuelles : « Si tu me le dis, je te ferai une… » Il a ouvert sa braguette sur-le-champ en me promettant de me le dire plus tard. Pfft ! J'ai songé à bouder, mais je ne pouvais pas. Il m'a enlevé mon droit de « boudage » depuis déjà plusieurs semaines. Zut !

Le lendemain matin, au moment où je me dirige vers la porte pour partir, il me saisit le bras et m'attire près de lui.

— *Bye*. On se voit bientôt.

— Quand ? Où ? À quelle heure ? que je m'informe, encore en quête d'informations.

— Tu sauras tout ça en temps et lieu.

Je pousse un long soupir en appuyant ma tête sur son épaule.

— Bien là, t'es quasiment dépressive ou quoi ?

— Ouais… Si tu ne me le dis pas, je vais faire une dépression majeure, je pense, que je maugrée en soupirant de nouveau.

— Manipulatrice ! fait-il en me repoussant légèrement.

— Ah… C'est commencé…

— Quoi ça ?

— Ma dépression…

— Va-t'en avant que j'annule tout !

— *Hey !* On ne frappe pas sur quelqu'un qui est déjà à terre, que je me plains, l'air exagérément dépressif.

— Dehors ! crie-t-il en me désignant la porte.

Je lui envoie un clin d'œil en m'en allant avec un grand sourire contradictoire, compte tenu de mes révélations précédentes.

— Bipolaire ! crache-t-il juste au moment où je ferme la porte.

L'effronté ! J'ai le droit de m'attribuer moi-même des diagnostics, pas les autres.

Sur la route menant à la maison, je réfléchis aux options possibles concernant la surprise :

- Un spectacle où assisteront mes parents et amis. (Bof ! Un peu facile et les filles ne m'auraient pas vendu la mèche.)

- Il n'est pas en spectacle finalement. (Quoique… C'est vraiment confirmé sur son site Internet…)

- Il a loué une chambre l'hôtel de rêve où je me prélasserai avec des serviteurs pendant tout le week-end. (*Wow !* Le rêve…)

- Probablement un événement où il nous rejoindra après (C'est probable...).

Vous avez une impression de déjà-vu ? Effectivement, vous vous souvenez, il y a longtemps, lorsque Bobby m'avait annoncé au téléphone avoir une surprise pour moi ? Finalement, c'était qu'il s'en allait en Afghanistan ! J'espère que ce n'est pas encore un dénouement de ce genre qui conclut le *suspense* !

Je rêvasse à tout ça en pénétrant dans le *condo*. Une fois dans ma chambre, je constate que l'intrigue débute maintenant : une enveloppe gît sur mon lit. Qu'est-ce ? Une lettre de la main de Bobby :

Salut belle fille ! Petite directive pour ta surprise : tu dois faire une valise contenant à la fois des vêtements de soirée et des vêtements plus décontractés. Apporte aussi du linge chaud pour l'extérieur et un maillot de bain. Tu as également besoin d'une perruque...

Sois prête pour vendredi, treize heures tapantes, dans l'entrée chez toi.

Voilà ! Et ne tente pas de soudoyer ton entourage avec de l'argent ! Personne ne parlera.

Gros bec,

Bobby, alias le meilleur chum du monde ! XXX

Bon, « le meilleur *chum* du monde » maintenant. Regardez-le se vanter allégrement ! J'énumère tout ce dont j'aurai besoin. Coudonc, ça laisse présager plusieurs types d'activités différentes. La perruque ? Pour quoi faire ? Ce n'est pas du tout le temps de l'Halloween !

Je commence ma valise en étant dans le néant le plus total. Est-ce que je trouve la saga excitante ? NON !

Je me fais une toilette de luxe tout l'après-midi, histoire de relaxer un peu : pédicure, manucure, épilation du corps au grand complet, exfoliation, masque, bain chaud... Alouette !

Pendant que je mijote dans une eau aux effluves de fleurs exotiques, j'entends la porte d'entrée s'ouvrir.

— Allô ? que je crie de la salle de bain de l'étage.

— Allô, c'est Rick.

Ge doit lui avoir prêté sa clé, car j'ai barré la porte. Un vieux réflexe latent quand je sais que je prendrai un bain. Non, je devrais plutôt dire : un traumatisme-maternel-débile ! Maman me disait, quand j'étais petite : « Mali, on verrouille toujours la porte quand on prend un bain. Les voleurs peuvent venir, même quand on est là ! Toute nue, une femme est sans défense ! » Retenez que l'on habitait à Danville, dans un petit village de moins de deux mille habitants, où le facteur est le frère du médecin, qui est le mari de la directrice d'école.

Je sors de la baignoire avant d'être irréversiblement ratatinée et je retourne à ma chambre afin de décider de mon habillement pour demain. Jeans ou tenue *sexy* ? Je ne sais pas si l'après-midi sera importante dans la surprise. Fff...

Un peu plus tard, Ge et Sacha montent dans ma chambre, mais je ne les entends pas gravir l'escalier. Je fais un saut en les voyant ouvrir la porte.

— *Hey !*

— T'es don' bien nerveuse ! note Ge, en riant.

— Mets-en ! Je fais une valise sans savoir où je vais ; je ne sais pas encore quoi mettre demain, parce que je ne sais même pas ce que l'on fait, et je dois apporter une perruque toujours sans savoir pourquoi !

— Une perruque ? répètent les filles, abasourdies autant que moi en lisant attentivement la lettre.

— Est-ce que Bobby cultiverait des fantasmes fétichistes ? soupçonne Colombo Sacha.

— Tu penses ? Si c'est ça, c'est vraiment un vice caché ! dis-je, horrifiée à l'idée qu'une fantaisie sexuelle de la sorte soit révélée au grand jour après plus de trois ans de fréquentation.

— Tu possèdes une perruque me semble, se souvient vaguement Ge.

— J'en ai deux, que je confie, en prenant les deux postiches dans mes mains.

— Essaye-les, suggère Ge.

Je mets la première : une coupe courte, carrée au menton, brun foncé.

— Jolie…

Je l'enlève pour mettre l'autre, sensiblement pareille, mais d'un bleu très vibrant. Un deux pour un d'après-Halloween !

— Sans l'ombre d'un doute, la bleue ! Ça va être parfait pour les photos de journalistes ! Oups ! déclare Sacha, en se mettant la main sur la bouche comme si elle avait encore dévoilé un secret.

— Sacha ! crie Ge, comme si elle lui en voulait d'avoir ainsi révélé la vérité.

— Ce soir au Gala des prix Gémeaux, dans la catégorie Meilleure interprétation premier rôle féminin, les nominées sont : Geneviève et Sacha pour la série « Prenons Mali pour une conasse » ! Vous me tapez sur les nerfs ! que je rugis à la fin de ma fausse présentation de prix.

— Vraiment pas crédible de te fâcher avec une moumoute bleue sur la tête, souligne Sacha.

— Ouin, j'avoue, que je fais docilement en redevenant calme instantanément.

J'enlève la perruque et je leur envoie une moue contrariée avant de me laisser choir sur mon lit.

— Est-ce que mon week-end va être super ?

— Oui Mali, ça va être merveilleux !

— J'aimerais ça être toute petite afin que tu me glisses dans tes bagages ! fantasme Sacha en s'asseyant aussi sur mon lit.

— Tu apportes ton déshabillé pour effiler tes baguettes ?

— Tu crois ?

— Tu voulais un contexte, tu vas en avoir tout un !

Décidément, les filles semblent très au courant ! En les voyant sortir, je ferme ma valise après y avoir glissé les deux perruques. N'importe quoi !

Coup de théâtre !

Bien entendu, le lendemain à dix heures, je suis prête ! Ge se trouve au *condo*, étant donné qu'elle se prépare pour un dîner d'affaires important. Sacha revient de s'entraîner, car elle travaille seulement le soir. Elles me regardent faire les cent pas durant un moment et se réfugient finalement dans leur chambre, agacées de me voir trépigner d'impatience. Je navigue sur le Web jusqu'à l'heure convenue. À treize heures pile, je suis dans l'entrée, sur le qui-vive de le voir arriver. Rien… Ge me rejoint.

— T'es don' bien belle ! que je commente en la voyant.

Coriande entre au même moment.

— Allô ! Tu lui as dit ?

— Non, répond Ge.

— Vous lui avez dit ? s'informe de nouveau Sacha, qui nous rejoint.

— Laissez-moi le temps ! Bon Mali, on a la mission de te déposer quelque part.

— Hein ?

— Donc tu es prête ?

Coriande empoigne ma valise et descend l'escalier.

— Attends, je m'en occupe, que je déclare.

— Non ! Non ! Laisse-toi gâter, dit Ge en me tournant les épaules vers elle.

Je n'y comprends plus rien. Pourquoi les filles viennent-elles toutes me conduire ? Et pourquoi sont-elles sur leur trente-et-un ? Viennent-elles également au spectacle ? C'était donc vrai ? Il ne veut pas que je chante réellement ?

— Je me demandais si...

— Non, tu ne te demandes rien ! Et tu nous suis gentiment ! m'ordonne Ge en mettant sa mitaine devant ma bouche.

J'acquiesce de la tête, obéissante. De toute façon, je suis complètement à leur merci. Sacha verrouille la porte derrière nous.

Muette dans la voiture, je tente de déduire où nous allons, selon la direction que Ge prend. En arrivant près de l'autoroute 20, direction Québec, je déduis aussi que nous devons aller chez mes parents. L'événement se passe donc en Estrie ? La musique joue à tue-tête ; les filles se trémoussent en regardant le paysage défiler. Une heure plus tard, nous passons droit à Drummondville. Hein ? Direction Québec alors ? Je texte Bobby.

(Je ne comprends rien...)

Il me répond :

(Tout vient à point à qui sait attendre... xxx)

En plus, il m'envoie ses fameux trois becs de fin de conversation. Franchement ! Il ne peut pas m'évincer maintenant !

214

En passant droit à Québec, je dis aux filles :

— Non mais, le bout du monde, ce n'est pas par là !

— Oui, c'est par là, je t'assure.

Deux heures plus tard, je comprends que nous allons dans Charlevoix. Bizarre, le spectacle de Bobby était dans le coin de Montréal, il me semble. Ce doit être un canular, le site Internet annonçait le mauvais lieu. Je ne sais plus. Lorsque nous tournons dans la cour d'un hôtel gigantesque, je conclus la résolution de cette partie de l'énigme.

— Vous m'avez bien roulée, que je fais, en voyant les filles sortir leurs valises du coffre.

Elles ont toutes organisé cette escapade dans mon dos. Je n'ai rien vu ! Dans le vestibule de l'hôtel, Ge s'approche de moi en disant :

— Mali, tu dois appeler Bobby.

— Maintenant ?

— Oui.

Je m'éloigne un peu pour composer son numéro.

— Bébéééé…, que je miaule en entendant sa voix.

— Salut puce ! Vous êtes arrivées ?

— Oui…

— Bonne fête Mali ! Comme je travaille tout le week-end et dimanche aussi exceptionnellement, je n'avais pas du tout de temps libre, donc j'ai décidé de te payer une vacance avec tes amies ; pour ma part, je me reprendrai sans faute dès lundi en passant le début de la semaine avec toi !

— T'es donc bien fin !

— Tu sais, j'aurais préféré y aller, mais les dates de tournée se planifient des fois un an et plus d'avance, je ne pouvais rien faire…

— Eille, je comprends tout à fait bébé, arrête de te justifier voyons !

— Donc, profitez-en bien ! On se parle demain ! Gros bec !

— Merci mille fois ! Gros bec aussi.

En raccrochant, je regarde par la grande fenêtre devant moi. Je suis comme déçue. Je m'attendais vraiment à le voir, à ce que la surprise se passe en sa compagnie. Je me retourne vers les filles qui me font signe de les retrouver pour monter aux chambres, en trépignant d'excitation. Bah ! Un week-end entre filles à Charlevoix… Ça se prend très bien ! Je souris en les rejoignant pour les serrer dans mes bras.

Nous avançons vite dans le corridor, à la recherche des chambres 211 et 212.

— Voilà ! que je fais en arrivant près des portes desdits numéros.

— À toi l'honneur, m'invite Ge en me tendant la carte magnétique de la 212.

J'ouvre toute grande la porte :

— SURPRISE ! crient les deux personnes qui se trouvent déjà dans la chambre.

Une surprise multiétapes

Je m'avance pour embrasser ma mère et celle de Sacha.

— Le partenariat externe dans le coup! dis-je spontanément.

— Pour un week-end de femmes à Charlevoix! Oouuuu! s'excite la mère de Sacha en se dirigeant vers sa fille pour l'embrasser.

— C'est l'idée de qui, toute cette mise en scène? que je demande en me doutant que Bobby ne doit pas être le seul organisateur.

— Ton *chum*, me lance ma mère, comme si elle semblait étonnée que, rendue à cette étape de la surprise, je ne sois pas encore au courant.

Je souris en regardant la splendide chambre.

— On a une réservation au resto de l'hôtel à dix-neuf heures. On se poupoune un peu et on se retrouve en bas? propose la mère de Sacha, motivée à l'idée de respecter l'horaire.

— Notre chambre est juste à côté, me précise Ge en se dirigeant vers la porte.

Je la suis docilement, ma valise à roulettes en laisse derrière moi. Sacha et Cori entrent dans leur chambre, en face de la nôtre. Naturellement, une dernière surprise m'y attend: une bouteille de champagne plongée dans un seau à glace, avec six flûtes sur un plateau. Je souris à Ge, puis je m'assois sur le lit pour lire le petit mot de Bobby:

Profite bien de ton week-end ma puce. xxx

J'ouvre la bouteille comme une automate. Mais une automate au large sourire... J'ai peine à croire à toutes ces attentions ; il a vraiment pensé à tout.

— Je suis très touchée, que je confesse à Ge.

J'empoigne la bouteille et je verse équitablement le champagne dans les six coupes. Elle ne dit rien, le visage radieux. En prenant chacune trois coupes en main, nous allons vers le corridor pour y appeler les filles. De toute façon, chacune a laissé sa porte ouverte. Tout le monde se retrouve dans notre chambre. Comme si la parole me revenait d'emblée, toutes me regardent en levant leur verre.

— Merci d'être là ! Je suis vraiment contente ! À Bobby et à ses plans de nègres !

— À Bobby et à toi ! rectifie ma mère, en me faisant un signe d'affirmation.

— Et aux femmes qui vireront la région de Charlevoix à l'envers ! lance Sacha, avec ses yeux de coquine prête à faire de mauvais coups.

— Hé ! Hé ! que je m'étonne, apeurée par l'attitude de Sacha.

— On va tellement s'amuser : pas d'hommes autour ! lance la mère de Sacha pour ajouter à la blague de sa fille.

— Elles me font peur ces deux-là ! que je confesse en regardant ma mère.

— T'inquiètes pas, ma chérie ! *Hasta la fiesta* ! crie ma mère, excitée, en sautant légèrement sur place.

Maman ? Bon, j'ai définitivement peur de la suite !

Qui gagne quoi à ce jeu-là ?

Après un souper très (trop) bien arrosé, nous dirigeons nos bottes à talons hauts (trop hauts) respectives vers le casino.

— Allons gagner de l'argent ! clame fort la mère de Sacha.

— Allons nous faire « cruiser » ! Euh… Non, ce n'est pas ce que je voulais dire, s'excuse à tort Sacha.

— Si vous vous faites draguer, ce n'est pas votre faute, même si vous êtes en couple. Mais si vous entreprenez vous-mêmes l'initiative, c'est une autre histoire, avertit ma mère, moralisatrice.

— De toutes petites carottes de casino de rien du tout ! Question de se sentir désirable, précise tout bonnement Cori.

— Toi, je te surveille, ma bru ! déclare ma mère en pointant Cori.

— Maman ! Personne ne surveille personne !

Je prophétise très bien le tourbillon qu'un groupe de femmes seules peuvent créer dans un casino. Elle me concocte une moue, en voulant dire : « Non, je vous ai à l'œil… »

Trois secondes après avoir déposé nos manteaux au vestiaire, Sacha déclare solennellement :

— J'ai soif !

— Moi aussi ! affirme Ge.

— Bon, on y va avec la famille ! que j'annonce, en désignant au groupe une section bar à proximité.

Un orchestre de musique blues se produit dans l'aire qui fait fonction de cabaret. Nous prenons toutes un verre.

— Je veux tellement jouer à la roulette ! que je déclare, excitée.

— Coudonc ! C'est un troupeau de gibiers retraités, ici, non ? remarque Sacha, en arborant une moue dégoûtée.

— Franchement ! s'exclame la mère de Sacha, souriant discrètement à deux hommes qui fixent sur nous un regard intense.

— Eh là, on se calme les carottes « liberté 55 » ! souligne Sacha en donnant un petit coup de coude à sa mère.

— Arrête don' ! l'avertit celle-ci, un peu gênée de se faire ainsi regarder.

— On va se mettre riches ? lance Ge, confiante.

— *Yes* ! approuve Coriande.

— Allez-y. Nous, on reste au bar à écouter la musique, explique ma mère en se dandinant légèrement au son de la ritournelle.

La mère de Sacha approuve d'un signe de tête tout en prenant place sur un tabouret.

— Parfait !

Nous jouons quelques dizaines de dollars à la roulette. Toutes les filles s'émoustillent à miser sur chacune de nos dates d'anniversaire ainsi que sur celle de nos *chums*. Après une heure de jeu, le tableau est : gain = zéro ! Pas grave, on a du plaisir.

Je texte Bobby pour le remercier encore une fois.

(Bébé, on s'amuse beaucoup ! Merci encore, t'es fantastique.)

Il me réécrit :

(xxx)

Bon, un peu plate comme réponse, mais il est probablement occupé.

— Ça manque de mâles ici dedans ! souligne encore Sacha.

— Tu dis ! approuve Ge.

Nous retournons au bar pour retrouver les mamans. En entrant dans la « zone cocktail », nous apercevons rapidement les deux mères riant, assises au bar entre deux hommes bien sapés.

— On s'amuse ici ! que je commente en m'approchant d'eux sans gêne.

— Oui ! répond ma mère avec un sourire resplendissant.

« C'est qui, eux autres ? »

— On vous présente : Serge et Jean-Pierre ! lance la mère de Sacha, qui rit à gorge déployée elle aussi.

— Bonsoir mesdemoiselles ! Pouvons-nous vous offrir un verre de champagne ? offre poliment Serge.

OK ! On ne boit rien de moins que du Dom Pérignon ici ! Excusez pardon ! Comment s'appelait notre organisation déjà : « Le partenariat externe qui chasse en buvant le champagne ? » Je jette un regard suspicieux à Sacha, qui fait de même dans ma direction. Nos mères se sont-elles fait assaillir ? Nous acceptons les verres, qui terminent du coup la bouteille de bulles. Jean-Pierre lève sa main pour faire signe à la serveuse d'en apporter une autre. Rien de trop beau ! Ma mère se retourne pour me faire un sourire encore plus béat. Elle paraît soûle. Est-elle complètement gaga ou quoi ? Ge, qui voit ma réaction scandalisée, s'approche de moi pour me murmurer à l'oreille :

— Calme-toi ! Elles ne font rien de mal.

Sacha, qui semble dans le même état d'esprit que moi, saisit le bras de sa mère et ordonne :

— Viens jouer aux machines à sous avec moi.

Sa mère, nullement intéressée par cette proposition, fouille dans sa bourse :

— Non non, vas-y avec tes amies, là !

Elle sort un billet de vingt dollars, qu'elle tend à Sacha. En la voyant faire, ma mère ouvre aussi sa petite bourse et me tend elle aussi un billet en disant, expéditive :

— Allez vous amuser, là !

Je reste figée, les vingt dollars dans les mains, en fixant Sacha qui arbore la même posture que moi. Qu'est-ce que ça signifie, ça ? « Allez-vous-en, les petites filles ! » Il y a confusion sur notre âge, ici. On se croirait dans une scène de film pour enfants : « Allez vous acheter des bonbons et laissez les adultes tranquilles ! » Elles se débarrassent de nous !

— Parfait ! On les jouera pour vous ! propose Ge, qui nous entraîne plus loin en nous tirant par le bras.

Les mères écoutent à peine Ge. Elles se tournent vers l'orchestre, l'air satisfaites.

— De quessé que c'est ça ? fulmine Sacha, insultée.

— Arrêtez de capoter de même ! Elles ne font rien de mal !
déclare Ge, pour tempérer nos appréhensions négatives.

— Pas encore…

— C'est vrai les filles, ce n'est rien. Laissez-les se faire compli-
menter un peu, ajoute Coriande, en souriant en direction des
mamans.

— Venez, conseille Ge en s'éloignant.

— Non ! Non ! Non ! Ma mère paraît soûle, la tienne aussi.
Elles vont faire des niaiseries ! craint Sacha, paranoïaque.

Au même moment, la mère de Sacha pousse un rire bruyant
après que Serge lui ait murmuré quelque chose à l'oreille.

— Moi, je reste ici ! annonce catégoriquement Sacha.

— Moi aussi. Si le vieux cochon la touche de quelque façon
que ce soit, je le frappe ! que je menace, agressive.

— On, on, on…, réagit Coriande, découragée de notre attitude
extrémiste.

— Tu viens faire un tour, toi ? propose Ge à Cori.

— Ouais, approuve celle-ci.

— On s'installe devant les deux machines, ici. On va bien voir,
que j'explique à Sacha.

J'ai ciblé l'endroit idéal pour avoir une vue latérale sur le bar.
Elle s'assoit près de moi et nous commençons à jouer sans réellement regarder nos appareils. Jean-Pierre semble susurrer
quelque chose à ma mère tout en lui versant du champagne.

— Ils veulent les soûler les pervers ! que je m'insurge.

— Non mais, on la connaît-tu la tactique ! C'est peut-être des maniaques ? exagère Sacha, les yeux démesurément ronds.

La scène peut paraître pathétique, mais nous restons là, embusquées derrière nos machines, à surveiller nos mères dévergondées. Techniquement, c'est vrai qu'elles ne font rien de mal, mais…

Au moment où ma machine se met à carillonner, Jean-Pierre pose subtilement sa main sur l'épaule de ma mère.

— Il la touche, là ! que je beugle en dévisageant Sacha.

L'œil rivé sur le résultat affiché par la machine plutôt qu'en direction du bar, Sacha s'écrie :

— Sti Mali, t'as gagné !

— Hein ?

Je me retourne vers l'écran pour analyser ce qui s'y passe. Honnêtement, je ne sais même pas trop à quel jeu je joue exactement. Je vois le chiffre au compteur augmenter. Cela dure de longues secondes. « Vingt mille crédits », s'exclame Sacha. Les gens des appareils voisins se tournent vers nous. Voyant notre mine perplexe, un homme me confirme :

— Vous avez gagné cinq mille piastres !

— Hein ? que je m'étonne de nouveau.

Un employé du casino arrive sur-le-champ.

— Bravo madame !

— Je vais chercher les filles ! annonce Sacha en se levant, excitée comme une puce.

Je reporte mon attention vers le bar. Je grogne presque en constatant que Jean-Pierre a encore sa grande-main-de-retraité posée sur l'épaule de MA maman-mariée-à-MON-père…

Distraite par l'omelette !

— Je vais prendre un autre thé, s'il vous plaît, demande gentiment ma mère à la jeune serveuse.

— Et moi du café, ajoute la maman de Sacha.

Sacha et moi examinons nos mères, qui semblent se la jouer au-dessus de leurs affaires ce matin. Ge et Cori feuillettent chacune un journal, pour se soustraire à la conversation qui s'engage à notre table.

— Vous vous êtes fait « cruiser » rare, hier ? débute Sacha avec une intonation de voix laissant sous-entendre la révélation d'un fait accompli plutôt qu'une simple question.

— T'exagères ! réplique vivement sa mère.

Celle-ci soulève sa tasse pour faciliter la tâche de la serveuse, revenue avec la carafe de café.

— Bien oui, j'exagère, répète Sacha en croisant les bras.

Ma mère me lorgne du coin de l'œil. Il y a visiblement un malaise ce matin.

— Les filles, ne nous jugez pas, lance ma mère en baissant la tête, comme si elle avalisait l'accusation de Sacha.

— On discutait sur le chemin du casino que ce n'était pas si grave si on se faisait draguer, se souvient la mère de Sacha, un peu sur la défensive.

— Quand on n'est pas mariées, lance Sacha.

— Elle est là la différence ? Dans la nature de l'engagement ? répond ma mère à Sacha.

— Je ne sais pas trop, réfléchit cette dernière plus certaine de la pertinence de son commentaire précédent.

— Les filles, il n'y a pas de différence entre vous et nous, on reste des femmes, explique la mère de Sacha en empruntant l'air calme et confiant de ma mère.

— Mon père, lui ? que j'envoie, en sous-entendant je ne sais trop quoi.

— Quoi, ton père ?

Je ne réponds pas. En fait, je me sens trahie pour lui. Je dois probablement tout mêler. Comme si je n'accordais pas certains droits à ma mère, sous prétexte qu'elle est ma mère justement. Les mamans des autres, ça va ! Pas la mienne ! Dans le fond, c'est vrai qu'elles n'ont rien fait de bien terrible.

— Ça fait bizarre, c'est tout, que je confie, un peu moins sur la défensive.

La serveuse nous apporte notre déjeuner. Les assiettes qui se posent en rafale sur la table nous détournent de la conversation. Sacha et moi ravalons notre amertume en même temps que nous avalons notre omelette jambon-fromage-suisse. À quoi bon faire une scène ? Nos mamans sont revenues avec nous hier, chancelantes oui, mais seules. Et puis, les chances sont minces qu'elles recontactent un jour ces hommes. Le danger de demanded'amitié-sur-Facebook-suite-à-un-flirt est nul ! Ma mère croit encore que Facebook, c'est un réseau privé pour échanger des livres. Une fois sur deux, quand elle tente de consulter ses courriels, elle m'appelle, car elle s'est trompée encore une fois sur la façon de procéder.

Ge nous rappelle notre programme de la journée avec enthousiasme.

— Mmmm ! Des soins au spa !

— Oui, ça va être génial !

Algues et lingerie

En nous délassant avant de nous rendre au spa, j'essaie d'obtenir encore des détails auprès de Ge.

— C'est vraiment Bobby qui a organisé tout ça ? que je réitère, allongée sur le lit.

— Il a lancé l'idée oui, et on a suggéré des trucs, explique Ge sur un ton de voix signifiant « Je t'ai expliqué ça hier… »

Qu'est-ce que je tente de découvrir ?

La patiente semble croire plus ou moins que son conjoint est à l'origine des machinations entourant son anniversaire. Elle tente de se convaincre que celui-ci n'a pas pris part au projet pour des raisons inconnues. Comme si elle voulait dénaturer le projet afin d'attribuer le mérite à ses amies au lieu de son chum. Comme si Madame Allison se refusait de croire que l'homme ait pu entreprendre une démarche de la sorte. Je ne saisis pas très bien quelle angoisse elle tente de faire taire.

En fait, ce n'est pas son genre, il me semble. J'accorde beaucoup de valeur à son geste, peut-être trop. Et le fait de savoir que ce sont les filles qui ont eu l'idée m'amènerait à comprendre et à enlever le mérite à Bobby. Pourquoi ? Si ma psy ne saisit pas mon comportement, imaginez-moi !

Je ne songe pas trop à cela du reste de la journée. Pendant que nous sommes enveloppées de boue et d'algues, nous discutons calmement de tout et de rien, jusqu'à ce que Coriande revienne sur une anxiété latente.

— Portez-vous des sous-vêtements *sexy* ?

— Moi, toujours ! lance Ge, prévisible.

— Pas toi, spécifie Cori, en laissant sous-entendre que la question s'adresse plutôt au partenariat externe.

— Honnêtement, pas vraiment. Dans le passé oui, mais aujourd'hui moins, explique ma mère, intègre.

— Mon corps me permet moins de me sentir affriolante dans ces tenues souvent peu confortables, ajoute la mère de Sacha.

— Papa aimait ça quand t'en portais ?

— Bien tu sais ma chérie, je crois que la lingerie, on porte ça surtout pour nous-mêmes. La plupart du temps, les hommes veulent l'enlever rapidement, glousse-t-elle en tournant la tête vers ma mère.

— Papa voulait l'enlever vite ? Il est ben *cheap* !

— Bien non, il aimait ça, mais il était surtout curieux de voir le dessous ! rectifie-t-elle, un sourire en coin.

— Vous avez des questionnements concernant la lingerie ? tente de comprendre ma mère.

— On analyse les comportements des hommes en lien avec le désir, expose Ge.

— L'entretien du désir : une partie si importante du couple ! approuve la mère de Sacha.

— Importante ! Un job à temps plein, tu veux dire ! exagère Sacha.

— Tu as des problèmes avec ça, belle Sacha ? s'intéresse ma mère.

Celle-ci explique ses inquiétudes face au désir, à la passion. Les filles renchérissent les propos de Sacha en donnant des exemples. Nous exposons notre peur de l'abus du port du jogging. De l'influence de la télé. Les mères rient.

— Les filles, n'oubliez jamais que ça se joue à deux. Mais, il ne faut pas attendre après les hommes pour faire bouger les choses !

— C'est ce qu'on se disait ! que j'approuve.

— La passion varie dans le couple après un certain temps, mais cela ne veut pas dire qu'elle disparaît à jamais, explique ma mère.

— Non ? s'intéresse Coriande.

— Il faut réévaluer nos attentes. Se laisser enivrer par d'autres aspects de la relation de couple. Comme l'amour véritable, les petites joies au quotidien. La stabilité.

— Parce que la stabilité enivre ? que je l'interroge, peu convaincue.

— C'est rassurant, en tout cas, exprime la mère de Sacha.

— De toute façon, en recommençant sa vie tous les deux ans avec un nouvel homme, on conserverait sans doute une certaine passion, mais pour obtenir quoi en fin de compte ? fait valoir maman.

— Ouin, que j'approuve, consciente de la vérité dans les paroles des deux mamans.

En les observant, silencieuse, je songe : « Peu importe l'âge, une femme reste toujours une femme, avec ses désirs, ses angoisses, son besoin d'être rassurée, protégée… Mais au-delà de tout ça, plaire à un homme, que ce soit le nôtre ou non, reste flatteur pour toutes les femmes de la terre ; même pour ma mère… »

Conclusion à la hauteur de mes attentes

J'ouvre un œil, de façon confuse, en tentant de déterminer où je suis. Tapisserie crème, foyer, chambre d'hôtel, Charlevoix… Oui, ça me revient. Je ne bouge pas. Je fixe le plafond, les images de mon rêve s'y cristallisant partiellement. Je tente de me rappeler le plus possible de certains détails. Je me souviens juste de la dernière scène. J'étais dans un manège, comme dans les foires agricoles. Bobby me poussait pour que je grimpe sur un cheval mécanique. Comme j'hésitais, il insistait davantage. Les filles étaient à l'extérieur des barrières, spectatrices du tour de manège que j'allais faire. Elles m'encourageaient bruyamment à y monter, comme si c'était un défi en soi. Toujours pressé et acharné, Bobby m'y installa rapidement et redescendit de la plateforme pour actionner le bouton. Je fis quelques tours.

Les filles et Bobby semblaient ravis. Soudain, j'aperçus une mascotte orange, assise dans une carriole, derrière un des chevaux. Je la voyais avec grand-peine parce que le manège tournait très vite. J'avais du coup de la difficulté à me tenir après ma propre monture. Jy Hong arriva, par surprise, à ma droite. Il était cramponné à un poteau. Il me dit : « Est-ce la banane royale qui conduit ? Toi madame, est-ce que tu regardes le doigt ? » Puis il éclata de rire, en se laissant tomber hors du carrousel. Mon Dieu ! Était-il mort ? Je criai à Bobby de tout arrêter, mais il ne m'entendait pas. J'avais désormais peine à voir quoi que ce soit, à cause de la vitesse toujours grandissante du manège. J'avais mal au cœur. La mascotte arriva derrière moi et m'agrippa de sa patte poilue. C'était Youppi, l'ancienne coqueluche des Expos, aujourd'hui devenue celle du Canadien. Il me dit d'une voix sourde, à travers son costume : « Ce n'est pas le chanteur qui gère le manège. » Il m'empoigna le bras et me jeta en bas du cheval. Je tombai dans le vide, longtemps, longtemps, puis je me réveillai.

On peut d'ores et déjà affirmer une chose : je suis définitive-ment schizophrène ! Ma foi ! Qui se fait tuer dans son rêve par Youppi ? Moi, ici présente ! Et Jy Hong qui remet ça avec sa mauvaise plaisanterie « d'abruti qui regarde le doigt » ! N'importe quoi ! Est-ce possible de ne pas être fière de son rêve ?

J'attends que Ge s'éveille avant de la saluer et de lui raconter mes péripéties nocturnes. Après mon récit, elle commente :

— T'as vraiment un problème psychiatrique ! Mais bonne fête quand même !

— Merci...

Techniquement, c'est aujourd'hui mon anniversaire. Mon sentiment en dedans ? Un plate « bof ». Vous vous souvenez, on dirait que je n'aime pas ma fête. Nostalgique du temps qui passe, la psy ! Je soupire bruyamment dans mon lit.

— Mali, tu ne veux tellement pas croire que ton *chum* puisse juste être gentil et tout simplement t'aimer. Tu voudrais découvrir qu'il n'est pas le gars qui conduit le manège pour te valider je ne sais pas quoi !

Elle a raison. Qu'est-ce que je veux me prouver ? C'est mon mécanisme de négativisme aigu qui refait surface. Je pensais que je lui avais réglé son cas, à celui-là.

Je veux prévoir le pire pour ne pas être déçue. Peur de l'échec, des surprises, d'avoir tort… On guérit ça de quelle façon, cette maladie-là ? Notez qu'ici, je parle de ma peur de l'échec et non de mes délires psychotiques de « Youppi l'assassin ».

Je me lève pour ranger quelque peu mes effets personnels. Je regarde mon déshabillé, qui gît dans le fond de ma valise. « Pas cette fois ! » me dis-je en y superposant quelques vêtements. Je suis en forme physiquement. Nous avons pris le temps de souper hier, sans toutefois nous coucher trop tard. Je me sens juste un peu maussade, sans trop savoir pourquoi.

— Mets-toi belle ! On va déjeuner pour ta fête.

— Je pensais faire la route en jogging !

— Non ! On a dit : il faut être belles plus souvent et arrêter de remettre ça au lendemain !

— Belle avec mon *chum*, pas avec vous autres !

— C'est gentil !

Après avoir réussi à ma rendre présentable, je rejoins les filles. Je suis la dernière arrivée. Elles m'attendent au restaurant avec

une bouteille de bulles pour faire des mimosas ! Bien oui !
Pourquoi ne pas boire de l'alcool au réveil, histoire de bien
débuter ma nouvelle année !

— Bonne fête ma grande ! clame ma mère, en levant son
verre.

— Merci ! Merci à toutes, que je m'incline, un peu gênée.

Nous déjeunons tout en bavardant longuement. Le menu du
dimanche est composé de tapas. Original ! Le concept idéal
pour manger et prendre son temps. L'heure du retour à la
maison finit par sonner. Comme nous avons cinq heures de route
à faire, toutes les consœurs aimeraient être au *condo* à des heures
raisonnables.

J'arrive la dernière (je suis très lente aujourd'hui) dans le hall
de réception avec ma valise un peu mal rangée. Sacha et Cori
s'affairent à mettre les bagages dans le coffre de la voiture, et
ma mère place les siens dans la voiture de la maman de Sacha.
Je m'approche de Ge, qui semble s'acquitter de la facture.
Curieuse et polie, je m'informe :

— Ça va ? On paie une partie des frais en groupe ?

— Non, non, tout est réglé.

La femme à la réception nous demande, en regardant son
écran :

— Avez-vous les enveloppes de pourboire de vos chambres ?

— Non. Pourquoi ? s'enquiert Ge.

— On demande aux gens de les apporter ici, avec leur clé,
pour éviter de les perdre. Pouvez-vous aller les chercher, s'il vous
plaît ?

— J'y vais !

Je me propose d'y aller, étant donné que les autres sont occupées avec les bagages et que Ge s'occupe du paiement des chambres.

La femme me donne les trois cartes magnétiques.

— Je dirai aux filles de ranger ta valise, me confirme Ge.

En me rendant dans les chambres à tour de rôle, je cogite : « C'est quoi cette façon de faire ? La réceptionniste vole peut-être une partie du pourboire des femmes de chambre… » Les trois enveloppes en main, je reviens à la réception en sifflotant.

— Voilà !

— Merci madame et bonne fin de journée.

Je me dirige vers la porte. Ma valise se trouve encore par terre. Les voitures sont parties. Voyons ! Je reviens vers la femme.

— Savez-vous où sont parties les voitures qui étaient juste là ?

Elle hoche rapidement la tête avant de retourner à sa tâche. J'appelle Sacha sur son portable. Pas de réponse. Je tente de joindre Ge sur son cellulaire. Rien. Elles me niaisent, là ! Je fume une cigarette, patiemment dehors, en pensant qu'elles sont allées mettre de l'essence en faisant mine de m'abandonner ici, le jour de mon anniversaire. Je texte Coriande :

(C'est quoi votre problème, bande de connasses ?)

Assez explicite comme commentaire. Toujours pas de réponse. Décidément, elles me font une blague, mais je n'en comprends pas le but. À moins qu'elles ne soient pas très loin dans le stationnement, à rire de moi. Je m'approche légèrement de l'espace réservé aux voitures. Je scrute les alentours. Rien. Je commence à trouver le gag de moins en moins drôle. Déjà que la journée a débuté un peu «tristounettement», je n'ai juste pas envie de me faire niaiser. Je texte Coriande à nouveau :

(Je ne la trouve vraiment pas drôle.)

Elle me répond.

(Ne capote pas ! Attends dehors en face de la porte principale, on revient...)

Je réponds un peu bêtement :

(Où est-ce que tu penses que je suis ? Dans la buanderie, au sous-sol, à faire une brassée de couvre-lit ?)

Elles étaient au dépanneur. C'est ce que je croyais. Elles auraient juste pu me le dire. Après cinq minutes, une voiture tourne dans l'entrée de l'hôtel. Pas elles. C'est long ! La voiture noire s'immobilise sous le porche de l'entrée. Je me déplace quelque peu pour libérer le passage aux arrivants. Coup de théâtre ! Bobby sort de la voiture du côté du conducteur.

— Bonne fête, ma puce !

Hein ? J'ai l'impression d'avoir une puissante hallucination visuelle. Peut-être que je rêve encore et que Youppi sortira du côté du passager ? Je reste bouche bée, je ne dis rien. Il avance.

— Allô ?

— Allô, balbutié-je, en le voyant venir près de moi pour m'embrasser.

Je comprends la mise en scène : les enveloppes, Mali la naïve qui va les chercher, les filles qui se sauvent, le prince qui arrive...

— C'est à ce moment-là que tu es contente et que tu souris à ton *chum* qui a fait cinq heures de route pour arriver ici ce midi !

— Excuse-moi bébé ! Je suis sonnée. Tu m'as vraiment eue ! Vous m'avez eue, que je déclare en le serrant fort dans mes bras.

Je ne suis vraiment pas douée pour adopter une attitude adéquate quand on me fait une surprise. Je parais toujours plate, de granit, comme si je n'étais pas contente. Pourtant, en ce moment présent, j'ai des papillons plein le ventre ; ça bourdonne et ça virevolte. Ça fait longtemps que je n'ai pas ressenti ça.

— C'est à qui l'auto ?

— Location, répond Bobby en s'éloignant pour sortir sa valise du coffre.

Bon, regardez-moi, encore en train de m'attarder à des détails insignifiants. La voiture ? On s'en fiche, Mali ! Ton *chum* se trouve ici, dans Charlevoix ! Crie, saute, fais une roue latérale, jongle avec des balles de neige, mais fais quelque chose. Sans réfléchir, je le rejoins et je le serre très fort par-derrière.

— T'es le plus fin !

Je l'embrasse dans le cou et sur l'occiput.

Il se retourne et me sourit, heureux que je réagisse enfin. Comme il s'est donné tout ce mal, il serait peut-être normal que la jubilaire (alias la « fêtée ») ait un minimum de réaction !

Le préposé aux bagages me déleste de ma valise.

— Non, je peux la transporter, dis-je par réflexe.

— Laisse-le faire, il l'amènera à la chambre, me rassure Bobby.

Il m'entraîne vers l'ascenseur. On monte au dernier étage. Évidemment, nous n'avons pas la même chambre que celle dans laquelle j'ai dormi avec Ge.

Lorsque nous arrivons près de la porte, il me fait cette mise en garde :

— Je ne vais pas te porter dans mes bras, à cause de nos valeurs antimariage. Mais tout de même, bienvenue dans votre suite nuptiale mademoiselle !

D'un geste théâtral, il ouvre la porte.

Dieu du ciel ! C'est magnifique ! L'impressionnante fenestration illumine l'espace vaste au décor contemporain. Un bain tourbillon chauffé trône sur l'immense balcon. Le gigantesque lit me donne tout à coup quelques idées farfelues, mais je résiste. Ce soir, je tenterai le diable jusqu'à ce qu'il craque… N'oubliez pas que je possède une arme de destruction massive dans ma valise. Moi qui attendais une occasion pour l'arborer, je crois que j'en ai toute une ! Mais la perruque dans tout ça ?

Comme dans les films

L'après-midi ensoleillée nous permet de marcher un bon moment dans la ville sans attraper froid. Nous furetons dans les petites boutiques, zieutons les vitrines, prenons des photos… Heu, je rectifie : Bobby se fait poser avec des passants ! Eh oui, vedettariat oblige. Ironiquement, nous ne prenons presque jamais de clichés ensemble. Premièrement, je traîne rarement d'appareil avec moi et, deuxièmement, mon *chum* en prend chaque fois qu'il sort quelque part. Donc il a développé un réflexe, celui de ne pas en prendre pour lui-même. Les gens semblent cependant toujours très respectueux et gentils avec lui. Dans le fond, il aime ça, je le sais. Artiste = besoin d'amour refoulé ; on connaît l'équation.

En prenant à notre tour un verre dans le petit bar de l'hôtel, Bobby me propose :

— Tu as le choix pour ce soir : soit on mange au resto ici, soit on commande de la chambre.

Hum… Je n'ai jamais mangé dans une chambre d'hôtel, avec les plats couverts d'une cloche en *stainless* qui arrivent sur un chariot poussé par un maître d'hôtel, comme dans les films. Et avec la splendide suite que nous avons pour la nuit, aussi bien en profiter.

— On pourrait manger tout nu dans…

Il me coupe la parole :

— Vendu ! Parfait, c'est réglé !

Je m'esclaffe en le voyant faire son macho. Sacrés mâles ! Nous pourrions leur proposer de faire du tricot tout nu et ils le feraient volontiers !

De retour dans la chambre, j'embrasse Bobby en lui annonçant :

— Je vais me préparer…

— Pas besoin, on mange ici ! me répond-il d'emblée.

Après ils se plaindront que leurs blondes ne soignent pas leur apparence !

— Je ne souperai pas en jogging, quand même !

— Pourquoi pas, si tu en as envie ! On relaxe, c'est dimanche.

Ah non ! Et quoi encore ? On n'ouvrira tout de même pas le téléviseur pour regarder *Planète animale* au canal D ! Je dois subtilement passer mon message.

— Pas de télé ce soir ! que je crache, expressive.

Une chance que je désirais être subtile…

— Bien non, je vais te faire l'amour dans le spa… heu… ce n'est pas ça que je voulais dire. On va «relaxer» dans le spa, plaisante-t-il dans un lapsus intentionnel.

J'entre dans l'immense salle de bain le sourire aux lèvres, bien heureuse que mon homme semble sur la même longueur d'onde que moi.

Après la douche, j'essaie mon déshabillé. Mais je me ravise, car je ne peux pas me montrer vêtue de la sorte maintenant. Trop tôt ! Pas assez soûle, disons ! Tentons plutôt de le dissimuler sous des vêtements… Échec et mat ! Ça me donne des rondeurs et c'est trop long. Bon, je n'aurai d'autre choix que de me changer plus tard (au moment où mon «indice boissonnal» me permettra d'assumer pleinement cette dentelle vaporeuse).

Lorsque je le rejoins, je suis jolie, soigneusement peignée, légèrement maquillée. Je porte un jeans et un tricot simple, mais j'ai mes souliers à talons hauts. Sans chaussures, c'est ordinaire pour chercher à être «sexé». Il me zieute sans commenter et retourne au menu de la télécommande. Il syntonise une chaîne de musique jazzée sur le satellite. Dans ce cas, la télé me va. «Toc ! Toc !» Sûrement le service aux chambres. Bobby se dirige vers la porte, en pieds de bas dans son cas. Les hommes n'ont pas les mêmes critères de *sex appeal* ! La femme derrière le chariot pousse presque un cri en l'apercevant :

— Mon Dieu ! Je ne m'attendais pas à VOUS voir !

Il prend le petit chariot, après lui avoir tendu un pourboire probablement généreux, et il revient vers moi avec un air hautement distingué.

— Champagne, madame ?

— C'est un bon, j'espère ? que je plaisante, en m'examinant les ongles comme le ferait une diva.

— Le moins cher de leur sélection, confesse Bobby, honnête.

— Bon, ça ira pour cette fois-ci, que je dis, quasi désintéressée.

— Tu fais des pieds et des mains pour elle et elle n'est pas contente ! blague-t-il à son tour, comme s'il se parlait à lui-même en me servant une flûte.

— C'est que tu sors avec une fille riche ! que je réponds, en m'inspectant les ongles à nouveau.

Il fronce les sourcils. Il ne peut pas saisir mon allusion. Je me lève pour fouiller dans mon sac à main. Je reviens avec le chèque de 5 000 dollars, signé par le casino.

— *Wow !* Bébé ! On va pouvoir payer la chambre avec ça. C'est environ ce qu'elle coûte !

— Tu niaises ? que je réplique, presque mal à l'aise.

Il me décoche une œillade coquine me signifiant qu'il bluffe en effet. Je lui raconte alors les machines à sous et tout le contexte entourant les mères qui se sont fait « cruiser » par les retraités qu'elles ont rencontrés.

— T'étais jalouse ?

— Non.

— Oui… oui…

— Ark ! Non, si t'avais vu les vieux « schnocks » !

Il prend le menu du restaurant et se colle sur moi, sur le divan, pour me permettre de voir moi aussi.

— Un trio de fondues, ça te tente ?

— Oui, ce sera parfait !

Poupée ?

Après les deux premiers services de ce repas multifondue, je taquine Bobby.

— La prochaine fois, elle te demandera une photo, je suis certaine.

— Bien non, répond-il en nous resservant du vin.

Or la serveuse qui effectue le service à notre chambre ce soir semble mouiller de plus en plus sa petite culotte en faisant une fixation sur mon charmant *chum*. Mais non, je ne suis pas jalouse… Quoique parfois, certaines filles sont si groupies qu'elles oublient que je suis là. Je me souviens une fois dans un bar sportif (que je ne nommerai pas), une fille quelque peu ivre m'avait subtilement poussée du coude pour installer sa généreuse poitrine sur le bar, entre Bobby et moi. Je n'avais rien dit, respectueuse de la vie artistique de mon bien-aimé ! En *gentleman*, il m'avait présentée à la fille, qui m'avait regardée avec une sorte de dédain.

Pour revenir à nos moutons, nous en sommes techniquement au dernier service de notre repas à la fondue, celui au chocolat.

Je n'aime pas beaucoup ce genre de substance (je ne suis pas une vraie fille pour ça), mais à petites doses, avec des fruits, ça passe mieux.

Nous en sommes aussi (techniquement) à notre deuxième bouteille de vin. Je suis en feu pour mon projet de dentelle noire. Ce soir, j'effile les baguettes ! Tout au long du souper, ma timidité a laissé place à une motivation qui me surprend moi-même. J'attends que la serveuse revienne avec le dessert pour courir aux toilettes. Il dégustera ce dernier service avec une nouvelle blonde.

« Toc ! Toc ! » Voilà la suite du repas. C'est le moment d'enfiler mon *baby doll*.

— Je te laisse avec ta *fan*, j'ai un truc à faire…

— Hein ?

Je me sauve sans rien dire de plus. La femme entre et nous débarrasse du chariot précédent. Je l'entends dire à Bobby :

— Je ne veux pas être impolie, mais est-ce que je peux avoir une photo avec vous ?

— Oui, je vais demander à ma copine de la prendre… Mali, peux-tu venir ici ?

Merde, je suis déjà à moitié nue.

— Non, désolée, je ne peux pas…

Bien quoi ! Je ne vais pas me rhabiller pour prendre une photo !

— Pas de problème, quand vous quitterez demain alors…

— Super, merci à toi.

Bobby referme la porte. Bon, il doit croire que je suis en train de… Ouache, on ne veut jamais que notre *chum* pense ça ! Il saisira en me voyant. Je remonte mes seins au maximum, j'examine mon postérieur dans la glace. Le tout ne me semble pas si mal. Je remets mes souliers à talons. *Let's rock* ! Sans même y penser, comme si c'était naturel, je sors. Bobby écarquille les yeux.

— Poupée !

Poupée ? C'est nouveau, ça ?

— Je comprends mieux maintenant…

— Elle aurait été un peu gênée.

Il me regarde avancer, l'air hypnotisé. Je m'assois devant lui à notre table de fortune, autour du chariot. Il saisit sa coupe et prend une généreuse gorgée de vin en sapant, toujours muet.

— C'est la fête à qui ? lance-t-il, l'air coquin.

— La tienne, que j'annonce, en lui tendant une banane enduite de chocolat avec ma baguette à fondue.

Oui, oui, je me la joue cochonne extrême ! Un peu plus et je la léchais langoureusement.

— Donc, de quoi on parlait ? que je demande.

— Je ne sais pas, je ne sais plus… La chaîne vient de débarquer, là…

Créer un effet de surprise chez le *Big Buck* : *check* !

Je tente d'entamer une conversation d'usage sur ses spectacles du week-end. Il répond d'une façon décousue. Déstabilisé, le beau chanteur ! J'adore !

Il n'y a pas beaucoup de fondue au chocolat et c'est parfait comme ça. Nous n'avons plus très faim, en réalité.

— Tu te souviens la première fois qu'on s'est rencontrés ? que je roucoule.

— Certain que je me rappelle !

Vous vous souvenez ? J'étais avec les filles lors d'un week-end-surprise au Nouveau-Brunswick. Il nous avait invitées au spectacle, on avait pris une bière avec son équipe ; le bec dans le front, l'invitation à passer dans sa chambre, ma nuit avec lui, moi dormant dans l'autre lit, sans qu'il ne se passe rien...

— Quand je t'avais vue, toute gênée avec ta brosse à dents...

— J'étais pas « toute gênée » ! que je m'oppose.

— Oui madame.

Moi qui pensais avoir eu l'air très confiante dans ma démarche. Nous discutons de cela pendant un moment, en faisant part de nos impressions par rapport à l'autre à cette époque. J'adore reparler de ces événements avec lui, discuter de nos débuts... Probablement que c'est féminin, ça aussi. Il analyse sa perception, d'hier à aujourd'hui.

— En te voyant toute timide, je ne pouvais pas m'imaginer qu'un jour je te verrais dans cette tenue !

— Je n'étais pas si timide...

— Tu devrais me mimer de nouveau le contexte pour raviver ma mémoire...

Monsieur veut une mise en situation ? Parfait ! Je me souviens à la lettre de ce que j'ai dit. Je me lève et me dirige vers la salle de bain. Je prends ma brosse à dents (accessoire de scène) après avoir extrêmement remonté mon décolleté. Il me regarde m'en aller vers la porte, amusé. Bon, j'espère tout de même que personne ne passera dans le corridor. Il ne doit pas y avoir foule à l'étage des suites un dimanche soir. Il me suit et ferme la porte derrière moi. Je cogne rapidement afin de ne pas m'éterniser dans le couloir à moitié nue. Toc ! Toc ! Il ouvre.

— Salut ! Je cherche une place à coucher. Dans la chambre en haut, c'est dégueu, Coriande ronfle, Sacha pète, on a déballé un fromage Pied-de-Vent il y a deux jours et il empeste la chambre. Je vais prendre le lit à côté de toi et je te précise qu'il ne va rien se passer entre toi et moi, car on ne se connaît pas !

Je termine en brandissant ma brosse à dents, l'air rieur. Il commente :

— C'est vrai que t'avais dit quelque chose comme ça, mais pas avec cette attitude de cochonne-là…

— Et toi, t'étais resté planté là, gros nigaud, sans rien dire, en invitant n'importe qui à coucher dans ta chambre, que je le nargue, moqueuse.

— Maintenant, on va faire ce qui aurait dû se passer, annonce-t-il, enjoué, en me poussant de nouveau à l'extérieur de la chambre.

La porte se referme. Bon, quelle ânerie fera-t-il encore ?

Toc ! Toc !

— C'est qui ? demande-t-il.

— Mali, la fille de tantôt…

245

— Non, laisse faire, je suis fatigué. De toute façon, je sais que je ne vais pas te sauter, donc tu peux partir…

Ah le maudit !

— Oui, oui, je suis en déshabillé, tu peux me sauter ! que je plaisante.

Au même moment, j'entends un bruit dans le corridor. C'est la serveuse qui avance vers moi. Je viens juste de crier : « Oui, oui, tu peux me sauter ! » Que va-t-elle s'imaginer ? Sûrement pas que l'on reproduit le scénario de notre première rencontre pour rire. Je suis à moitié nue, souvenez-vous. Je frappe de nouveau en ne jouant plus.

— Bébé, ouvre la porte s.v.p. !

Ne sachant pas que la serveuse se trouve maintenant tout près de moi, il continue la plaisanterie.

— Qu'est-ce qui te dit que je vais te sauter pour vrai ?

La fille me fait de gros yeux, complètement offusquée pour moi.

— On déconne…, tenté-je de lui expliquer.

Pensant que je lui parle, Bobby renchérit de plus belle.

— On ne déconne pas. Si on a du sexe, tu couches ici. Sinon, dehors !

Tout se passe en une fraction de seconde. La fille, maintenant presque rouge écarlate de colère, cogne en rugissant :

— Service aux chambres !

Bobby ouvre la porte, surpris.

— Ah, je blaguais avec ma copine, tente-t-il de rectifier.

Je ne dis rien, amusée comme tout par la scène.

— La maison vous offre ça ! maugrée-t-elle, en lui tendant un peu brusquement un seau contenant une bouteille de vin de glace avant de tourner les talons.

— On blaguait sérieusement… Voyons…, reprend-il en criant après la femme qui s'éloigne précipitamment dans le corridor.

Je pouffe de rire en entrant dans la chambre.

— T'aurais pu m'aider !

— Bébé, regarde-moi l'allure. Je suis dehors, habillée en escorte avec ma brosse à dents, et tu me cries : « Si on ne baise pas, tu restes dehors. » Penses-tu sérieusement que je pouvais ramener ça ?

— Non, constate-t-il, découragé.

— Pouah ! Je pense qu'elle ne veut plus ta photo… et qu'elle va jeter aux poubelles ton nouveau disque aussi !

Il éclate de rire.

— On a vraiment eu l'air con !

— Excuse bébé, t'as eu l'air con ! Moi, je fais pitié, que je précise en m'approchant de lui pour l'embrasser.

— On en était où ?

— Je ne sais plus, dis-je en ondulant langoureusement des hanches.

— Ça fait environ trois jours que je suis déjà rendu là dans ma tête, poupée !

En l'embrassant de nouveau, je me rappelle soudainement quelque chose.

— Est-ce que tu veux vraiment que je mette une perruque ? que je m'informe, anxieuse de la potentielle réponse.

— En faisant l'amour ? Non pas vraiment, répond-il en me dévisageant curieusement.

Je le fixe aussi, mais en me disant : « C'est toi qui as demandé d'apporter ça… » Comme s'il comprenait ma réflexion intérieure, il explique :

— Mali, c'était pour brouiller les pistes, pour que tu croies au pire. T'as pas pensé que j'avais une déviance ou je ne sais quoi ?

— Pfft ! Bien non, voyons ! Viens ici, que j'exige, soulagée et surtout pressée de meubler le malaise avec du sexe…

Pour terminer en beauté

Après un après-midi à se prélasser amoureusement (et en alternance) dans le lit et dans le spa extérieur, nous descendons à la réception. Privilège de vedette : garder la chambre jusqu'à seize heures, sans payer de surplus.

— Si tu n'avais pas enseigné demain, on restait toute la semaine ! déclare Bobby.

— Hum…, que je rêvasse.

Je cesse mon vagabondage d'esprit en apercevant, derrière le comptoir, la fille de la réception chuchoter discrètement avec la femme qui m'a surprise, hier soir, dans le corridor. Celle-ci s'éloigne en direction du restaurant en dévisageant Bobby. Je me dis : « Je vais tenter discrètement de rectifier la situation avec elle. » Pendant que Bobby règle la facture, j'entre dans le restaurant.

— Excuse-moi.

Elle se tourne vers moi avec un regard empreint de pitié.

— Je voulais juste te dire qu'hier, c'était vraiment une farce qu'il faisait… On niaisait. Tu sais, on est ensemble depuis plus d'un an. Je ne suis pas une fille d'un soir, je ne suis pas une escorte non plus, je suis sa blonde.

Elle me dévisage, avec encore plus de pitié.

— Ce n'est pas ce qu'il a dit à *Tout le monde en parle*, il y a quelques semaines !

Shit ! Qu'est-ce que vous voulez que je réponde à cette évidence ?

— En tout cas, je voulais simplement te le préciser.

— C'est ça…, me lance la fille, en me signifiant clairement des yeux qu'elle ne me croit pas.

Je reviens dans le hall pour attendre Bobby. Il arrive au volant de la voiture. Au passage, je remercie la réceptionniste, qui m'envoie également une face de jugement dernier. Super ! Je suis une pute de luxe aux yeux de tous les Charlevoisieux… euh… à moins que ce soit Charlevoisais ou Charlevoisiens ? En tout cas… Bobby saisit ma valise pour la mettre dans le coffre.

— Tu as rectifié la situation avec elle ? Merci, présume-t-il, content.

— Il se peut, malgré tout, que tu voies un article dans *Allô Police* mentionnant que tu te tapes des escortes dans tout Charlevoix ! que je lui lance, un peu amère de la situation.

— Comment ça ?

— La fille n'a pas cru que j'étais ta blonde à cause de *Tout le monde en parle*.

— Bon, tu ramènes ça sur le tapis ! ronchonne-t-il, irrité.

— Non ! Je t'explique ce qu'elle m'a dit, c'est tout ! que je réplique du tac au tac.

Zut ! Je ne veux pas terminer ce week-end sur une mauvaise note ! En même temps, ce n'est pas ma faute s'il a déclaré être célibataire devant un million sept cent mille téléspectateurs. Je me rends compte que ça m'offusque que les gens croient que je suis une histoire d'un soir quand ils me voient avec lui.

Nous restons silencieux pendant un bon moment sur la route. Sans préambule, il m'annonce :

— Je retourne en France bientôt. Je te l'avais dit ?

— Non, combien de temps ?

— Trois semaines, un mois. Je ne sais plus.

— Ah bon ! que je m'exclame, un peu agacée.

Agacée de quoi ? Premièrement, qu'il me l'annonce comme ça dans un moment de légère tension. Deuxièmement, son petit ton. Comme s'il me faisait part de cette nouvelle pour m'irriter un peu. « Dans les dents Mali, je vais me balader en Europe. »

Grrr ! Décidément, une belle fin de vacances !

Les braguettes?

Section des filles :

N'oubliez pas d'effiler vos baguettes...

— C'est fait ! - Sacha

— Moi aussi, j'ai eu chaud... - Ge

— Check ! - Mali

Message à Cori : Euh ?? C'est long...

Zzzzzzz ! - Ge

Section des gars :

Super les boys ! Les filles parlent de faire la passe à nos braguettes ! !

- Hugo ☺

Après avoir confirmé mon effilage de baguettes sur le tableau de communication, je ris en voyant le jeu de mots que You Go a fait. Il n'en manque pas une, celui-là !

Les filles, cordées comme un rang d'oignons sur le canapé, écoutent passionnément une téléréalité un peu loufoque (que je ne nommerai pas). Même Coriande a été religieusement convertie au phénomène.

— Vous n'avez vraiment pas de vie, pour espionner celle de ceux qui en ont le moins dans le Québec ! que je commente en montant les escaliers deux à deux, même si je porte ma valise.

— Ne te défile pas, on veut des détails ! réclame Sacha.

— Attends, je range mes choses, que je lui crie d'en haut.

En revenant quelques instants plus tard, je regarde l'émission pendant au moins quinze secondes consécutives avant de décrocher.

— Et puis ? Ça *frenche* dans le spa ?

— Elles sont assez connes les concurrentes cette année ! Et les gars tellement pas cultivés, résume Ge, presque hors d'elle.

— Pourquoi tu l'écoutes, s'ils t'énervent tous ?

— Bah ! Probablement une valorisation personnelle en me complaisant dans l'échec des autres, analyse Ge.

— Non, plutôt une augmentation de l'estime de soi via l'humiliation publique des autres, précise Cori, un doigt en l'air.

— Bien non, c'est juste le *fun* de rire du monde tout court ! justifie Sacha, terre-à-terre. C'est comme si on se disait : « Je peux rire d'eux sans être méchante, ils ont voulu participer à ça. C'est de leur faute ! »

— Au moins, vous êtes au courant des raisons sous-jacentes justifiant votre comportement déviant. Je vais vous mettre chacune un collant dans votre cahier de thérapie, que je les encourage.

— Et puis ? Tu t'es fait enfourner avec ton déshabillé hier ? balance Sacha, vulgaire.

— Ark ! « Enfourner » ? que je m'offusque en ayant une image peu valorisante en tête.

— Moi, j'aime mieux « fourrer solide » ! ajoute Ge, sûre d'elle.

— Coudonc ! Vous êtes don' bien dépravées dans votre vocabulaire sexuel. C'est un dommage collatéral de votre émission de pétasses ? que je présume en désignant le téléviseur du menton.

— Il te l'a enlevé ou il l'a gardé, s'intéresse Coriande, encore à la recherche de réponses.

— Dur à dire… Je l'ai mis avant le dessert. Donc je l'ai porté pendant presque trente minutes. Mais au moment des rapprochements, il m'a tout retiré, que je précise.

— T'es bien cochonne ! se surprend Sacha.

— « Chaudaille » sur le vin rouge surtout, que j'explique sans donner plus de détails.

— Est-ce que je me trompe où je te sens amère de quelque chose, déduit Cori, en voyant mon air un peu sec et mon manque d'enthousiasme par rapport à mes explications.

Tout d'abord, je leur raconte la scène lorsque la serveuse m'a surprise dans le corridor, en petite tenue, tout en leur précisant par la suite la conclusion de l'histoire, le lendemain midi.

— Eille, reconstituer votre rencontre ! Vous êtes tellement drôles vous deux ! s'exclame Ge.

— On s'en fout de cette fille-là, me rassure Cori, comme si elle pensait que mon attitude de mécontentement était exclusivement due à cette aventure.

— C'est pas juste ça. Il part en Europe pour un mois…

— Ah… OK ! admet Sacha en secouant la tête de haut en bas.

Geneviève remue la tête également, saisissant la raison de ma morosité, sans toutefois émettre de commentaires.

— Je n'ai aucune raison de réagir ainsi. Il développe sa carrière là-bas. Je le sais depuis le début. Je ne comprends pas du tout ma réaction. Et je me trouve conne !

— Qu'est-ce qui t'angoisse ?

— On dirait que, depuis son épisode de je-suis-le-célibataire-le-plus-en-vogue-du-Québec, je doute de lui. Je n'ai jamais été jalouse avec mes anciens *chums*, mais avec lui…

Les filles ne répondent pas. Silence collectif. Je prends conscience à l'instant même des incohérences émotives dans mon discours et j'en ai soudainement honte.

— *Anyway* ! Je vais me parler et régler ça comme une grande fille ! Le reste du week-end a tellement été parfait, que je précise pour dédramatiser la situation et pour mettre l'accent sur ce qui a été positif.

La patiente est clairement anxieuse par rapport au départ imminent de son conjoint pour l'étranger. Elle navigue entre deux eaux en entretenant un sentiment de jalousie et de crainte face à la fidélité dudit conjoint. En revanche, Madame Allison semble

développer une réaction d'autorégulation efficace en se convain-
quant de l'irrationalité de son insécurité. Le renforcement de cette
croyance pourrait la soulager de sa mélancolie. À cet effet,
Madame devrait tout simplement partager le tout en ouvrant son
cœur à l'homme concerné.

Panique à bord du Titanic !

Je sors mon chèque de cinq mille dollars de mon sac à main. Avec tout ce remous, je n'y pensais même plus. Je vais vite le ranger dans mon coffre-fort. Bon, coffre-fort, on peut dire que c'est un grand mot ! J'ai des économies en liquide (vieux-jeu, la psy) que je garde dans une boîte rouge de fantaisie que j'avais reçue en cadeau enfant. Autrefois, elle servait à conserver en sécurité ma précieuse collection de gommes à effacer. Collection qui s'avérait un trésor national dans mon cœur. Lorsque mes petites copines venaient chez moi, des échanges clandestins avaient parfois lieu dans ma garde-robe. « Je t'échange celle de Fraisinette contre ma schtroumpfette ? Ben non ! Fraisinette vaut bien plus chère… C'est une gomme rare, à peine utilisée en plus… » J'étais une négociatrice coriace à l'époque. Dans une démarche presque cérémoniale, je l'ai léguée à une jeune cousine en pensant lui faire tellement plaisir, il y a de ça cinq ans. Elle avait farfouillé nonchalamment dans le sac, pour retourner jouer avec son Nintendo DS. Quoi ? Lever le nez de la sorte sur ma collection de gommes à effacer ! Des jeunes filles se seraient arraché les tresses pour ça de mon temps ! Bon ! Matante qui radote encore…

Je m'agenouille devant ma garde-robe pour prendre la boîte de carton rouge bien rangée sur le dernier étage d'un porte-chaussures en bois. Je l'ouvre. Elle contient entre autres des photos de mes parents jeunes. Certaines de ma mère, dans la vingtaine, posant fièrement à côté d'une MG décapotable (une auto minuscule, selon elle, vraiment « in » à l'époque) et des clichés de mon père habillé super mode en pantalon serré bleu poudre (je ne sais pas ce qu'ils avaient tous à se comprimer le paquet autant à l'époque !). J'adore ces souvenirs. On y retrouve aussi un livre de voyages racontant mes angoisses vingtenaires, lors de différentes escapades dans le monde (il y a déjà longtemps que j'écris mes déboires).

Au fond, une enveloppe. Je la prends pour y glisser le chèque. Je le déposerai à la banque plus tard. Hein ? QUOI ? Elle est vide. Je ne comprends rien, il devrait y avoir à peu près six cents dollars. Somme provenant de cadeaux de Noël et de fêtes…. Impossible ! Ce doit être quelque part. Je fouille le fond de la garde-robe. J'enlève le porte-chaussures pour accéder à l'arrière. Rien ! Voyons donc ? C'est un mauvais tour ! Pourtant, tout semble intact : les photos par-dessus l'enveloppe, mon livre sur le dessus… Je m'assois pour réfléchir. Est-ce que j'ai dépensé cet argent et que je ne m'en souviendrais plus ? Non ! Changé de place, peut-être ? Non plus. Une fatalité me frappe de plein fouet : quelqu'un l'a pris.

Je dégringole l'escalier à toute vitesse.

— Je me suis fait voler dans ma chambre, que j'annonce, affolée de ma découverte.

— Hein ? Volé quoi ?

— De l'argent que je cachais dans ma garde-robe.

— T'es certaine ? doute Cori.

— Oui, j'avais six cents piastres, donc je te jure que je suis certaine…

Prise de panique, Sacha se lève d'un bond à son tour. Elle court à sa chambre. Elle nous crie de la pièce :

— Criss, moi aussi !

Elle revient avec une enveloppe vide, un peu du même genre que la mienne.

— J'avais trois cents piastres que j'ai reçues à Noël, rangées dans ma table de chevet, rage-t-elle en brandissant dans les airs l'enveloppe dégarnie.

Prise d'une illumination soudaine, je demande aux filles :

— Qui était avec la femme de ménage aujourd'hui ?

— Moi, dit Ge, la tête basse.

— Et puis ? Rien d'anormal ?

— Euh…, hésite-t-elle en regardant le plancher. Je lui ai ouvert la porte et je suis allée faire l'épicerie…

— Ge ! On avait convenu que quelqu'un devait rester ici avec elle en tout temps ! que je beugle en colère.

— Bien quoi ! Tant qu'à prendre une demi-journée de congé, je voulais rentabiliser mon temps, se repent-elle, honteuse.

— Non, ça ne peut pas être elle ! s'exclame Sacha, certaine de son coup.

— C'est elle, c'est sûr. On fait quoi ? s'impatiente Coriande.

Ge, songeuse, nous annonce :

— Vous savez ce qu'elle m'a dit quand je suis revenue ? Qu'elle sentait une énergie de malhonnêteté dans le *condo*…

— Bien oui ! Elle se lave de tout soupçon avant même qu'on se rende compte de quoi que ce soit, analyse Coriande.

— J'appellerai à l'agence demain après mon cours. Ils doivent avoir des assurances pour ça, jamais je croirai, que je propose.

— Je suis désolée, s'excuse Ge.

L'univers et moi en symbiose

— Désolé madame. Pour le moment, c'est tout ce que nous pouvons faire. Une situation de ce genre ne s'est jamais produite ici.

— D'accord, rappelez-nous le plus vite possible après votre réunion, que j'exige, impuissante.

— Est-ce que vous voulez bénéficier des services d'un autre employé de notre compagnie, le temps que nous réglions ce litige ?

— Non, nous allons simplement interrompe le service madame, que je rectifie, catégorique.

— Êtes-vous certaine ?

Après m'avoir vanté les mérites de Claudette, incroyablement talentueuse sur le plumeau, et de Sylvie, la compétence incarnée en matière de nettoyage de planchers, je décline ses offres alléchantes. Avec près de neuf cents dollars en déficit, c'est un peu cher payé pour se faire dépoussiérer la vie.

Je quitte le *condo* plus tôt qu'à l'accoutumée pour me rendre à mon cours, car je dois rencontrer ma patronne et faire des photocopies.

Lorsque je pénètre dans son bureau, elle parle au téléphone tout en tapant quelque chose à l'ordinateur. Elle parvient tout de même à effectuer un signe incompréhensible en dressant son coude en l'air en direction de son adjointe administrative. À mon grand étonnement, celle-ci semble comprendre parfaitement de quoi il s'agit et se dirige vers le fax. Belle synergie entre deux femmes capables de faire mille choses en même temps (vous savez les filles, la capacité « cognitivo-motrice-multiple » que possèdent les êtres humains, dont la 23e paire de chromosomes se lit : XX). Beau à voir !

— Bon ! Allô ! s'exclame ma flamboyante patronne, qui arbore toujours un rouge à lèvres éclatant assorti judicieusement à son vernis à ongles de la même couleur.

— Il te manque littéralement un bras, que je la taquine.

— Oui ! J'aimerais beaucoup ! Bon, je voulais que tu passes me voir pour que tu me fasses le topo de tes stagiaires et que l'on planifie la prochaine session de cours.

— Tout se passe très bien avec mes étudiants, je dois faire les dernières visites de stage la semaine prochaine et la suivante. Ensuite, correction de travaux titanesque pour moi et remise des diplômes pour eux.

Mon cours va bien aussi. Il reste deux semaines d'examens pratiques. Le job parfait, quoi !

— Super ! Mais on a un petit problème à l'horizon. À cause de la grève des fonctionnaires civils de la Sécurité publique du Canada, les enquêtes sécuritaires de la nouvelle cohorte d'étudiants n'ont pas été réalisées. Il ne manque que ça pour officialiser leur inscription dans le programme. On va donc retarder le début de leur formation, le temps que nous ayons ces documents, m'annonce-t-elle dans un débit rapide.

— OK, pas de problème. De combien de temps on parle ?

— Disons minimum trois semaines. Donc avec la semaine entre les deux sessions qui était déjà prévue, ça va faire un mois sans travail pour les professeurs à temps plein. Mais vous allez bénéficier de l'assurance-emploi sans problème.

— C'est correct. Je vais continuer mes recueils de notes. J'en ai terminé quelques-uns, que je me vante à ma patronne.

— Génial ! Tu fais des recueils ! Tu vas adorer structurer tes cours avec ça.

Nous parlons de ce sujet pendant quelques instants, avant que la secrétaire entre dans son bureau. Au même moment, son téléphone se met à sonner. Je me lève en lui faisant un signe de la main voulant dire : « On se reparle… » Elle m'envoie un clin d'œil approbateur en décrochant le combiné.

Les postes de gestionnaire à l'administration… Pas pour moi !

J'effectue mes photocopies le sourire aux lèvres. Réalisez-vous ce qu'elle vient de m'annoncer ? Je serai officiellement en congé forcé pour près d'un mois. À quoi vous pensez que je pense que c'est évident que nous y pensons tous ? Indice en deux mots : Bobby et France ! Voilà un cadeau du ciel, une bénédiction des dieux, un miracle divin, la miséricorde astrale qui descend sur moi… Mes amis, entendez les flûtes des archanges célestes et marchez dans la lumière… Bon, une divagation à peine exagérée pour vous illustrer le fait que je peux aller en Europe avec lui et me payer le voyage en plus !

Faites l'équation : 5 000 dollars gagnés au casino + congé imprévu d'un mois = destin cosmique ! Rien de moins ! La femme de ménage cleptomane[10] aurait sans doute pu m'en dire plus là-dessus. Malheureusement, si on la revoit, ça risque d'être aux petites créances. Pas certaine qu'elle va apporter sa boule de cristal devant la juge.

Je fixe un instant le photocopieur bruyant qui vomit en continu mes feuilles d'évaluation d'examen pratique. C'est bien beau les circonstances surprenantes tournant toutes en ma faveur, mais une question primordiale reste : est-ce que je dois attendre qu'il m'invite ? Est-ce que je m'impose ? Ou est-ce que je me présente à l'aéroport, un chou brillant collé sur le front en lui disant « SURPRISE ! » Pendant une fraction de seconde, j'imagine un sourire déçu de sa part... Option de la « surprise » refusée. J'ai besoin d'un *meeting* exprès avec la consœurie pour m'aider à orchestrer la suite.

Rencontre d'urgence improvisée

— Je ne suis pas à l'aise pour discuter, car je sens que Sacha préférerait aller visionner le nouveau *Twilight* au cinéma plutôt que d'être ici avec nous, se moque gratuitement Ge.

— Ferme-la ! C'est toi qui écoutes ça tout le temps ! beugle Sacha.

_____

[10] Tendance pathologique et irrésistible à commettre des vols. Cependant, j'utilise ici le terme un peu à tort, car le cleptomane vole souvent n'importe quoi, y compris des objets n'ayant aucune valeur ou aucune utilité pour lui. Ici, je crois que les neuf cents dollars seront utiles à la voleuse... Grrr...

Elle se lève pour s'emparer d'un linge à vaisselle, qu'elle fait tournoyer sur lui-même en défiant Ge d'un regard provocateur.

— Voyons ! Vous êtes énervantes vous deux, que je gesticule, tout de même amusée par leur scène.

Ge s'enfuit dans le salon avec Sacha à ses trousses.

Coriande, l'air abattu, reste de glace sur son banc.

— Je suis menstruée extrême : jour un, avec un résiduel de syndrome prémenstruel… Le divan m'énerve, la table m'énerve aussi, donc imagine comment elles me stressent CES DEUX FOLLES-LÀ ! m'explique Cori, en accentuant les derniers mots pour s'assurer que les consœurs entendent bien.

— Ça se déroule super bien notre *meeting*, hein ? J'apprécie vraiment votre soutien et votre aide dans ma situation de détresse, les filles.

Je toise en alternance Cori, qui a les bras croisés, et les deux excitées, qui se poursuivent dans le *condo* comme des gamines.

Elles retrouvent progressivement un âge mental adéquat et reviennent s'asseoir à l'îlot. Il neige à plein ciel dehors. Sacha et Ge sont de vrais baromètres météorologiques. Quand elles se battent avec des coussins ou qu'elles se crient des insultes scolaires, on sait à tout coup que des précipitations arriveront dans les douze à vingt-quatre heures qui suivent. C'est vraiment plus fiable que les prévisions météo à la télévision, je vous jure !

— L'hiver, la neige… Ça fait suer, hein ? râle Coriande.

— Euh, excuse la « menstru », c'est ta saison préférée, l'hiver ! Tu fais de la planche et t'adore ça, lui rappelle Ge, un sourire en coin.

— Bien aujourd'hui, ça ne me tente pas de l'aimer, conclut-elle sans équivoque en décroisant les bras.

— N'aime pas ça alors ! Bon, je dois vous parler de quelque chose, que j'interviens.

— Attends ! Avant, on doit aborder le dossier : la femme-de-ménage-cleptomane. Soit qu'on engage des gars baraqués pour lui rendre visite, soit qu'on lui envoie un chat mort par la poste, propose Sacha, en se frottant mesquinement les mains ensemble.

— Regarde mon autre psychopathe maniaque ! Moi, je pensais plus à mettre des confettis dans la ventilation de son char, propose Ge en riant.

— Des confettis ? Franchement ! Organise-lui un *party*, tant qu'à y être ! Envoie-lui un bouquet de ballons avec un télégramme chanté par un clown. Quessé ça, cette vengeance de marde-là ? Faut que ça fasse mal ! s'époumone Sacha, un poing dans les airs.

— Laissez faire vos plans de nègres. J'ai parlé avec l'agence, ils vont étudier le dossier et nous revenir là-dessus, que je rectifie.

— Bien oui, en 2059 ! spécule Ge.

— De toute façon, à vous entendre délirer, je vais prendre en charge le dossier. Bon, venons-en au sujet chaud…

Ge me coupe à son tour la parole.

— J'allais oublier : jeudi qui s'en vient, est-ce qu'il va y avoir quelqu'un ici ? J'attends un colis pour le travail et j'ai fait la gaffe de mettre l'adresse du *condo* au lieu du bureau.

Décidément, je n'y arriverai pas ce soir !

— Pas moi, j'ai pris congé vendredi. Je rejoins Chad jeudi.

— Moi non plus, je fais un double à l'hôpital, explique Sacha.

— Je travaille ici, pas de problème, que je confirme.

— Super ! Je sais que tu restes souvent ici la semaine, mais je me disais que tu allais peut-être mettre un déshabillé en pleine journée pour te rendre chez Bobby, comme tu fais tout le temps ! exagère Ge, en faisant référence à la fois où j'avais enfilé ma nuisette avant le dessert lors d'une soirée avec Bobby.

— Mali est tout le temps en déshabillé ! ajoute gratuitement Sacha.

Quand je vous disais qu'il y avait une ambiance à se débiter des âneries ce soir ! Ironique, je gesticule en répétant :

— C'est quoi votre rapport ? Bien oui ! Moi, je suis TOUT LE TEMPS à moitié à poil dorénavant ! Le soir, le jour, pas de problème !

— T'es bonne, marmonne Coriande.

— Toi, tu es en retard concernant l'effilage des baguettes en passant ! lui reproche Sacha.

— Ark ! Les déshabillés, ça m'énerve, et les baguettes encore plus ! ronchonne de nouveau Cori, bien campée dans son rôle de grogne-ours.

— Je veux aller en France avec Bobby, que je déclare en souriant.

— Il t'a encore invitée ! *My god* ! T'es trop chanceuse ! jalouse à tort Sacha.

— Coudonc, c'est-tu la dentelle noire qui a provoqué ça ? Il te l'a annoncé quand ? s'informe Ge.

— Je veux un *chum* qui chante à la place de jouer au poker ! Si mon *chum* était ici, il m'énerverait, prédit Coriande, l'air déçu d'elle-même.

— Eille, quand t'es rendue à être agacée par du monde à distance, t'es vraiment dans tes SPM solide ! analyse Sacha, avant de se retourner de nouveau vers moi. Donc, vous partez quand ?

— Laissez-moi parler deux minutes, vous allez comprendre…

J'efface le tableau de communication pour y inscrire : « Stratégies ».

— J'efface tout, mais Coriande, n'oublie pas que tu dois nous dire quand tes baguettes seront effilées, que je précise en la pointant avec la craie, l'air sévère.

— Bien oui ! Bien oui ! répond-elle sur un ton d'adolescent prépubère insolent.

— Bobby ne m'a pas invitée du tout. Je veux m'inviter moi-même ! que j'annonce enjouée, mais avec une mimique faciale laissant transparaître une confiance en moi limitée.

— Hein ?

Je leur explique l'équation fantasmagorique : mon congé-surprise + l'argent gagné au casino = vacances romantiques de rêve à Paris.

— Trop de coïncidences ! C'est fou ! Le destin, relève Sacha, ésotérique.

— C'est un peu ce que je me dis, que j'avoue.

— Casse-toi pas la tête. Tu lui dis simplement : « Bébé, c'est génial, je peux aller avec toi ! » en lui racontant exactement ce que tu viens de nous dire, lance Sacha comme si c'était simple.

— Bon, la stratégie : la fonceuse assumée !

Je fixe Sacha, la craie dans les mains, pour qu'elle corrobore le titre que je dois inscrire au tableau.

— Hum… Disons, pour être plus subtile : la stratégie de la « lionne fonceuse » !

— Parfait ! que je déclare en inscrivant sa proposition.

— Non, pas d'accord. S'il refuse, tu vas être détruite pour le reste de ta vie. La demande doit venir de lui. C'est son voyage, son travail, réfléchit Coriande.

Sa réflexion est probablement en lien avec ses apprentissages dans sa relation avec mon frère et sa vie d'indépendant chronique.

— Je vais dans ce sens-là moi aussi, approuve Ge.

— Moi, je ferais l'innocente. Du genre, tu lui annonces ton congé-surprise sans laisser paraître que tu as même pensé aller en Europe avec lui. S'il t'invite, bingo ! Sinon, tant pis, ajoute Cori.

— La stratégie de l'innocente, que je répète, la craie dans les mains.

— « La biche subtile » plutôt, propose Cori en battant des cils, comme si elle imitait un animal faisant des beaux yeux en attendant patiemment sa friandise.

— Non, pas assez direct. Je pense que tu dois plutôt lui dire : « J'aimerais tellement aller en Europe avec toi. » S'il dit qu'il aimerait ça lui aussi, tu lui confirmes que tu peux l'accompagner juste à ce moment-là ! suggère Ge.

— C'est comme un guet-apens ! On ne fait pas ça en couple, s'oppose Sacha.

— Hugo et toi, vous êtes super dépendants. Bobby n'est pas comme ça du tout, rectifie Ge. La stratégie du « capucin malin » ! termine-t-elle, fière de sa proposition.

Je note la troisième métaphore animalière sur le tableau.

— Le capucin crosseur, oui ! ajoute Sacha, en désaccord avec la stratégie de Ge.

— Bien non ! À partir du moment où elle va sentir que Bobby aimerait qu'elle l'accompagne, elle peut suggérer : « Peut-être que c'est possible *BB*, mais je ne veux pas m'imposer… » juste pour valider qu'il en a envie, explicite Ge.

— Je ne serais pas capable de me la jouer comme ça. J'aime mieux la « biche subtile ». Tu lui fais part de ta disponibilité. S'il ne t'invite pas d'emblée, c'est qu'il ne veut pas, affirme Cori.

— Non, la « lionne fonceuse » ! Chérie, je vais avec toi ! C'est ton *chum*, il va être content, voyons ! me rassure Sacha.

— Non, Bobby a un grand besoin de liberté. Si tu t'imposes, il va peut-être se sentir envahi, me met en garde Ge. Tu dois lui confesser que tu aimerais y aller, sans lui faire savoir que tu es disponible : le « capucin malin » !

Je dévisage les consœurs, encore plus embrouillée que je ne l'étais avant de leur exposer la problématique.

— Beau choix : le félin, le primate ou le cervidé ! que je commente, en reposant la craie pour m'asseoir lourdement sur un tabouret.

Je soupire. Trois filles, trois façons de penser et une belle tarte ambivalente au milieu de tout ça. La belle affaire !

— Vous savez quoi ? Je vais choisir le « mollusque craintif » et je ne ferai rien en me disant que, comme dans le livre *Le secret*, si j'y pense fort ça va arriver, que je clame ironiquement, en sachant très bien que les filles connaissent mon opinion négative en ce qui a trait à la pensée magique.

Pour faire rire les consœurs, je me lève afin d'ajouter « mollusque craintif » en guise de quatrième stratégie.

— Connerie ! s'esclaffe Ge.

— Si tu envoies ta demande dans l'univers, ça fonctionnera, tente de me convaincre Sacha.

— Euh non ! Pas si elle accompagne sa demande d'une attitude d'invertébrée stoïque ! avance Coriande pour la contredire.

— Si elle se visualise bien fort à Paris avec lui et qu'elle y croit vraiment, ça arrivera, renchérit Sacha.

— Voyons donc ! Depuis tantôt tu dis qu'elle doit lui demander directement, et là, tu lui conseilles de se figurer la tour Eiffel dans sa tête. T'es incohérente, Sacha ! Tu peux bien « tripper » sur le monde fantastique de *Twilight* ! la pique encore Ge.

— Grosse conne ! Je vais te battre !

Les deux partent en trombe dans le salon, en se donnant des chiquenaudes sur les bras.

— *Twilight*, ça m'énerve ! Ces deux-là m'énervent ! crache de nouveau Coriande en se levant pour aller dans sa chambre.

Je soupire bruyamment tout en fixant le frigo. J'adopte avec brio un air sans personnalité s'apparentant à celui d'un escargot sans coquille.

« Est-ce que les consœurs m'ont aidée ? » que je me demande en fronçant les sourcils.

L'apocalypse évitée !

En faisant les cent pas dans le *condo*, je tente de visualiser comment se passera la soirée avec mon homme. On ne s'est pas vus de la semaine. Comme notre week-end d'amoureux s'est terminé dans une sorte d'amertume en raison de l'annonce de son départ et de la mise en scène de notre rencontre vue par la femme du service aux chambres, nos comportements de fuite et de déni ont laissé s'écouler les jours sans que l'on se donne beaucoup de nouvelles. Ma prédiction pour la soirée : on va balayer notre poussière conjugale sous la moquette en se disant : « Ce que l'on ne voit pas n'existe pas. » Pour l'instant, ça va encore. Mais à force d'accumuler trop de détritus sous le tapis, il finira dangereusement par gondoler. Suis-je encore trop anxieuse ?

Toc ! Toc !

J'ouvre, tout sourire. Trop tout sourire, disons-le ! Ce n'est pas vraiment le visiteur que j'attendais. Un petit bedonnant chauve au visage rond, visiblement très heureux, déclare, en me faisant un clin d'œil :

— Joualvert ! On dirait que vous m'attendiez pour un petit rendez-vous doux !

J'esquisse une fausse moue amusée et j'attrape le bordereau de livraison qu'il me tend pour le signer, puis il me remet le colis de Ge. J'observe l'homme qui m'inspire toutes sortes d'images de personnages de dessins animés. Bobby apparaît dans le bas de l'escalier.

— Et ça sent bon en plus, plaisante de nouveau l'homme, qui s'avance d'un pas pour humer impoliment dans la maison.

Lorsque Bobby atteint le palier, le livreur le regarde distraitement en détachant la copie du destinataire pour me la donner.

— Je disais à votre femme que ça sentait bon en batêche ici dedans !

En observant mieux Bobby, il prend à peine le temps de respirer pour s'écrier :

— Ah ben joualvert ! C'est toé ?

— Je pense bien que c'est moi, oui ! s'exclame Bobby en palpant son manteau pour s'assurer qu'il s'agit bien de son corps.

Sa réplique classique lorsque les gens le reconnaissent.

— Ah ben batêche !

— Hum…, répond Bobby, qui semble se demander s'il doit ajouter quoi que ce soit à cette déclaration philosophique.

Silence. Malaise.

Je souris en examinant l'homme si heureux d'être heureux, mais surtout en voyant Bobby si bouche bée d'être bouche bée.

— Eille ! Quand je va conter ça à Ginette ! Joualvert !

Bobby hoche la tête. Nouveau silence. Nouveau malaise. Le livreur « re-batêche » encore une fois. Bobby lève les sourcils pour me supplier de faire diversion. En effet, je vais devoir intervenir, sinon on va « batêcher » dans le portique toute la soirée.

— Merci ! que je lance en prenant le papier de ses mains tout en lui souriant.

Sans faire mine d'oublier ma présence, il empoigne l'épaule de Bobby en déclarant :

— Je suis content en joualvert de t'avoir rencontré !

— Moi aussi ! répond mon *chum*, en lui serrant la main chaleureusement. Au revoir !

— *Bye*, lance le livreur en restant sur le pas de la porte, comme s'il espérait que l'on y reste finalement.

En refermant derrière Bobby, j'ai l'impression de tourner une scène de film burlesque où la personne restée à l'extérieur reçoit la porte sur le nez lorsque celle-ci se referme.

Pas de gémissements. Pas de bruits bizarres. L'homme a dû retirer son visage à la dernière seconde.

— C'est le *fun*, il y avait beaucoup de contenu dans la discussion avec ton *fan* ! que j'ironise.

— Je ne sais jamais trop quoi répondre à un « batêche » ! plaisante-t-il à son tour en enlevant son manteau.

— À un « joualvert » non plus, hein ! que je lui fais remarquer.

Je m'approche pour l'embrasser. Je lui susurre à l'oreille :

— Moi, je suis ta plus grande admiratrice !

— D'habitude, mes plus grandes *fans* enlèvent leur soutien-gorge pendant mes spectacles ou me lancent leur petite culotte sur la scène…

— Je pense que tu t'en fais à croire un peu, Gaétan Bon Jovi !

— Non, je te jure, ça arrive tout le temps !

— Bien oui, c'est ça !

Ce soir, je lui ai concocté une bonne pizza maison. Je sais, je sais, je lui cuisine souvent ce plat, mais nous adorons tous les deux la pizza. Honnêtement, je pourrais en manger tous les jours. De toutes les sortes : aux croûtes minces, ou épaisses, ou au pain pita, aux légumes, aux saucissons, avec différentes sauces. Je suis rendue une chef créatrice italienne renommée !

Après s'être empiffrés de la pizza de format *grande famiglia italiana*, nous nous affalons sur le divan pour terminer notre verre de vin.

Je me dis : « Merde ! Nous nous dirigeons dangereusement vers la chose fatale qui tue l'amour… » Je l'observe balayer le canapé des yeux. À droit, à gauche. Zut ! Il cherche la télécommande. Je dois éviter l'apocalypse… Je m'élance un peu brusquement sur lui pour l'embrasser.

— Ça va ? me demande-t-il, l'air éberlué, dès que je lui redonne le droit de respirer.

— Oui ! Oui !

Il explore de nouveau les alentours, même si je suis à califourchon sur lui. L'attraction du téléviseur semble plus forte que tout ! Le démon plasma tente de le corrompre… Comme un

vampire HD qui essaye de mordre le cou de notre vie de couple…
Tu ne nous auras pas ! Toujours assise sur lui, je lui saisis les
mains pour les placer directement sur mes seins, sans aucun
préambule. Les sourcils en zigzag, il me dévisage en tâtonnant
vigoureusement ce que je lui ai mis dans les paumes. Bon, mon
geste fut mal calculé ; j'ai l'air d'une étudiante du couvent qui
tente maladroitement de dévergonder un gars timide venu
rendre visite à sa sœur un dimanche.

Naturellement, il commence à prendre goût à son activité au
moment où je m'exclame sans trop réfléchir :

— On joue aux cartes !

— Non, j'aime mieux ce jeu-là, moi ! me lance-t-il, pervers, en
tentant de poursuivre sa séance de massage mammaire sous
mon chandail.

Quel phénomène ! Les hommes et les seins ! Fascinant, non ?
Il est là, hypnotisé, presque avec un filet de bave au coin de la
bouche… Il ne parle plus, il ne réfléchit plus et je pense qu'il ne
respire plus non plus. Zut ! En effet, il ne respire plus ! Non, je
plaisante. Mais je trouve captivant de voir le lien affectif maternel rebondir en présence de seins, de photos de seins, de
n'importe quoi qui concerne les seins ! Constatant que je prends
presque des notes sur son comportement dans mon livre de
santé mentale tellement je l'observe avec attention, il revient à
la réalité.

— Quoi ? J'ai l'air épais ?

— Pfft ! Bien non, que je le nargue en me levant.

— C'est ta faute aussi avec ton besoin de te faire pogner les
totons soudainement ! Viens ! Je vais te battre aux cartes ! Mais

attends juste une minute, je cherche mon téléphone dans le divan depuis tantôt...

Il enfouit sa main dans le pli du divan et en ressort son appareil.

— Me semblait que j'étais certain de l'avoir près de moi.

Il cherchait son téléphone... OK ! J'ai un peu surréagi par rapport à la situation. Est-ce que j'ai bien utilisé le mot « apocalypse » tout à l'heure ? Naaaaa, probablement pas...

Ô Canada

— C'est quoi vos conneries sur le tableau concernant les animaux ? s'intéresse Bobby en s'installant à table pour disputer notre partie de cartes.

— Euh...

Bon, belle galère ! Comment voulez-vous que j'invente quelque chose de crédible face à ce qui est écrit devant lui ? Pense vite, Mali, pense vite...

— On s'amusait à écrire en quel animal on voudrait être réincarnées..., que j'invente à brûle-pourpoint.

— Toi, c'est quoi ? Pas le mollusque craintif, toujours ! blague-t-il, en lisant les choix énumérés.

Dans le mille, Bobby ! L'invertébré, c'est ta blonde qui n'ose pas te demander d'aller en Europe avec toi ! Il me connaît bien, quand même...

— Pfft ! Non ! Moi, c'est euh... Le capucin malin...

— Le mollusque, c'est qui? Ce n'est pas trop ambitieux comme réincarnation je trouve.

— Peu importe! Ce sont des affaires de filles... Bon, on joue?

— OK! Sors-moi une feuille de papier avec un crayon, *Babe*...

Je le dévisage, suspicieuse, et je me rends à ma chambre pour aller y chercher une feuille blanche dans mon imprimante. J'attrape un crayon au passage.

— Découpe la feuille en plusieurs petits papiers...

— On joue à quoi, là? que je questionne en m'exécutant docilement.

— Vérité ou conséquences! Mais sans la partie vérité et avec des cartes.

— Une conséquence pour celui qui perd alors?

— *Yes!*

Je réfléchis à une idée drôle... Un éclair de génie me frappe. Appelons-la : « douce vengeance ». J'inscris mon idée saugrenue sur le papier avant de lui prêter le crayon. Il me regarde pendant un moment, les yeux penseurs. Il semble frappé lui aussi d'un éclair de génie. Il écrit sa conséquence sur le papier en souriant de satisfaction. Bon, il a l'air beaucoup trop fier de son coup! Il entreprend la distribution des cartes. Nous jouons toujours à un genre de version du Skip-Bo, mais avec des cartes ordinaires. La partie débute en force pour lui, mais je reprends le dessus en trois mains. Impatient et mauvais perdant, il tente de me déconcentrer :

— Joue! Zzzzz... C'est long! Coudonc! On va sécher sur notre chaise avant que tu joues... Fffff...

— Gaétan ! Arrête, là ! que je réplique sans me soucier de ses commentaires.

Quatre jeux plus tard, je termine mon paquet. Et je gagne !

— Tricheuse ! crie-t-il à tort, en se ruant pour s'emparer de mon bout de papier.

Je fais de même en direction du sien, trop curieuse. D'un geste vif, il place sa main sur son papier en disant :

— Non, tu ne lis pas le mien ! Je vais le remettre en jeu…

— OK !

Je l'observe prendre connaissance du mien…

— Hein ? Quessé ça ?

— Ben quoi !

— C'est ben niaiseux !

— C'est drôle !

— Pas drôle pantoute ! Y fait frette dehors !

— Moumoune ! En passant, je me souviens très bien d'une gageure après une partie du Canadien. Je m'étais retrouvée en bobettes et en bottes de caoutchouc devant toi à danser un continental sur la *Danse des canards* !

Sans rien dire, il éclate de rire en se remémorant le spectacle burlesque me mettant en vedette.

— Sti que c'était drôle ! commente-t-il finalement, en oubliant presque sa conséquence actuelle.

— Vas-y ! Enlève tes pantalons. « Sti » que ça va être drôle aujourd'hui aussi ! dis-je, en accentuant exagérément le blasphème.

— *Ayoye, Babe* ! se plaint-il en s'exécutant, l'air découragé.

Dans l'entrée, je ris déjà en le voyant enfiler ses bottes d'hiver en boxer.

Je vous lis le papier : « En bobettes, faire dix fois le tour d'une voiture stationnée dans la rue en chantant *Ô Canada.* »

— C'est vraiment con !

— Ben non ! Ben non ! Personne ne va te voir ! que je le rassure.

— J'espère bien, râle-t-il en descendant les escaliers.

Je suis déjà tordue de rire et la course n'a pas encore débuté. Je vais faire pipi dans mes petites culottes, c'est certain !

Lorsque nous arrivons dehors, sans attendre mon signal de départ, il fixe le premier véhicule en face et commence à courir autour en fredonnant sans enthousiasme : « Ô Canada ! Terre de nos aïeux… »

À ce moment-là, je bascule dans un état second : je me tiens à la rampe d'escalier de l'appartement du voisin presque en convulsions tellement je ris.

« … De fleurons glorieux… »

— Il reste juste huit tours…, que je parviens à balbutier entre deux fous rires.

« … Car ton bras sait porter l'épée… »

Deux filles se promènent en toute quiétude sur le trottoir. En voyant la scène, l'une d'elles commente :

— Ben voyons ?

« … des plus brillants exploits… »

Évidemment, elles ralentissent le pas. J'entends leurs chuchotements.

— « Bien oui, mais on dirait que c'est… »

Pouah ! Elles l'ont reconnu en plus !

— Oui, c'est bien lui ! Il a perdu une belle gageure ! que je déclare à haute voix dans leur direction.

Les filles, tordues de rire à leur tour, savourent avec moi la fin du spectacle. Pour les deux derniers tours, Bobby étire les « Ôoooooo Canada », déconcentré par le public, l'air incertain des dernières paroles.

— Ouin… *sexy*, le complimente une des filles en le voyant ainsi peu vêtu.

Il termine en leur disant :

— Excusez-moi mesdames, mais je vais rentrer : j'ai comme un petit frisson…

Il tourne les talons en souriant pour se diriger vers le *condo*.

Je salue les filles et le suis.

— Tout Charlevoix pense que je me paie des escortes réguliè-rement, et là, deux inconnues qui vont croire que je suis un désaxé mental. Merci beaucoup Mali de ruiner ma carrière !

— Elles ont juste tourné un minividéo pour mettre sur YouTube…

— Pas vrai ? panique-t-il, en se frottant vigoureusement les triceps.

Je m'approche pour l'embrasser et le réchauffer. Je lui enlace les épaules avec mon manteau, emmitouflée avec lui.

— Viens, je vais aller te frotter le dos dans la douche, que je lui lance, la tête remplie de projets peu catholiques.

— Vipère, t'essayes de m'amadouer avec le sexe. Ça ne marchera pas…

— Bien non… Je ne suis pas comme ça, que je sussure.

Je l'embrasse et lui empoigne en même temps l'entrejambe à travers ses boxers encore froids.

— Ouin… Je pense que ça va marcher finalement ! Petit capucin malin, tu disais ? se rappelle-t-il en m'embrassant plus passionnément.

Sexe chez Jy Hong…

Nous flânons au centre-ville après avoir déjeuné dans une petite crêperie française. Pour ne pas déranger Sacha, qui allait probablement dormir une partie de l'avant-midi après son double quart de travail, nous tardons avant de rentrer au *condo*.

De retour en début d'après-midi, je constate que Sacha est debout. Et c'est le cas de le dire : elle tient la position de l'arbre, avec un fond de bruits d'oiseaux comme trame sonore. Ge est également au *condo*, penchée sur un livre près de l'îlot. Bobby vient juste chercher ses affaires. Il retourne chez lui avant son spectacle de ce soir. J'irai le rejoindre plus tard.

— Salut les filles ! C'est laquelle de vous deux « le mollusque » ? questionne d'emblée Bobby en gloussant.

— C'est Mali ! répond Ge sans hésitation.

— Non ! que je réplique, prise de court.

Bobby fronce les sourcils. Sacha, qui éteint sa « musique de volaille », rit en me dévisageant curieusement.

— Et puis, c'était comment votre baise chez Jy Hong ?

— HEIN ? que je m'insurge, totalement perdue.

Geneviève s'esclaffe, à la fois surprise de l'intervention de Sacha, tout en ayant l'air de très bien la comprendre. Bobby baisse les yeux, en hochant la tête de gauche à droite. Il rit aussi, et semble au courant de ce dont elle parle.

— Vous fumez tous du crack ou quoi ? Je ne comprends rien.

— C'est le *fun* vos activités de jeu de cartes sexuelles en couple, ajoute Ge, fière d'en rajouter.

Sacha me fait un signe de tête pour me signifier de regarder l'ardoise au mur. Le tableau semble intact. Je n'y vois que les informations écrites il y a déjà quelques jours. Je m'approche de plus près. Une feuille blanche est collée au mur.

Je la lis : « Une baise torride dans les toilettes chez Jy Hong. »

On dirait l'écriture de Bobby ! C'est quoi, ça ?

Sacha me tend un petit bout de papier en expliquant :

— Tsé, que vous fassiez des cochonneries ici, on n'a pas de problème avec ça. Mais si vous laissez des preuves traîner partout, c'est sûr qu'on va se payer votre gueule !

Je prends connaissance du petit mot qu'elle me tend :

« Une baise torride dans les toilettes chez Jy Hong. »

OK ! C'est la conséquence qu'il a écrite hier. Les connasses ici présentes l'ont scannée pour l'agrandir avant de l'afficher. C'est n'importe quoi !

Bobby me dévisage, l'air gêné que je découvre son fantasme devant tout le monde.

— Aaaaah…, que je commente simplement en le dévisageant à mon tour, comme si je découvrais quelque chose de scandaleux.

— Bon bien, moi je dois y aller ! annonce-t-il, conscient que la situation cocasse ne laisse pas de place à la contradiction ni au déni.

— Attends ! Tant qu'à exposer votre vie sexuelle au grand jour, on veut savoir comment vous avez fait pour baiser dans une si petite toilette ! s'informe Sacha, avide de détails croustillants.

— Mali va vous l'expliquer ! lance mon *chum* en allant chercher ses affaires dans ma chambre.

— En fait, hier, Bobby s'est plutôt contenté de courir en bobettes autour d'une auto en chantant *Ô Canada*, dis-je sans leur expliquer le contexte.

— Bon, je vous déclare officiellement « dépravés sexuels » avec vos fantasmes tordus, conclut Ge, stupéfaite.

Bobby, qui redescend, nous jette un regard provocateur.

— Bobby ! L'*Ô Canada*, ça n'excite pas les femmes du tout ! lui reproche Ge, scandalisée.

— Mali, oui ! C'est elle qui a choisi la chanson ! Bonne journée les filles. À plus tard, *Babe* !

Il quitte le *condo* en me décochant une œillade coquine sans rien ajouter de plus. Les deux filles m'ordonnent, insistantes :

— Explications s.v.p. !

C'est qui Nath ?

— Je leur ai raconté la vérité ! Je n'ai pas eu le choix, que j'explique à Bobby tout en attachant ma ceinture de sécurité.

— Est bonne, s'amuse-t-il en se remémorant la scène de l'après-midi.

— Mais toi, euh…

J'incline ma tête sur le côté, les yeux ronds, sans rien dire de plus.

— Quoi ? riposte-t-il, très conscient que je fais allusion à son fantasme.

— Le petit papier…

J'accentue à outrance mes gros yeux, en hochant la tête vers la gauche, comme si je jugeais sa proposition.

— Y a un petit vent dehors, hein ? Ce n'est pas chaud, déclare-t-il pour changer non subtilement de sujet.

— Et chez Jy Hong en plus ? que je répète en conservant mon air de vierge offensée, dépassée par les événements.

— Il va peut-être neiger finalement, ajoute-t-il.

Il se penche vers l'avant afin de mieux voir le ciel à travers le pare-brise.

— C'est beau Colette ! On a compris les détails de la météo à venir, là ! Donc, monsieur veut se taper sa blonde dans les toilettes d'un resto…

— Mets-en ! approuve-t-il, subitement devenu totalement à l'aise vis-à-vis de son fantasme.

— Coudonc !

— J'ai chanté comme un cave en bobettes en plein centre-ville de Montréal… Tu vas tellement organiser une partie de fesses dans les toilettes du Chinois !

— Ah bon ! Je « l'organise » en plus ! que je rétorque en riant.

Nous divaguons tout le long du trajet nous menant à Saint-Jean-sur-Richelieu. Il donne un spectacle au Théâtre des Deux Rives ce soir. Nous arrivons presque pile à l'heure à la salle de répétition. Matt Damon se trouve déjà dans les loges.

— Hey *big boy* ! lance celui-ci en faisant une accolade amicale à Bobby.

— Salut ! Je pensais que t'avais un empêchement ce soir, se remémore mon *chum* en l'observant.

— Finalement, je me suis arrangé.

Il explique à Bobby certains détails concernant les spectacles à venir et les salles qui ont été récemment ajoutées à l'horaire de la tournée.

Comme je suis un peu hors sujet, je me dirige vers la première loge à droite pour y déposer mon manteau et mon sac à main. J'écoute à peine ce qu'ils disent jusqu'au moment où j'entends : « On part pour la France dans huit jours. T'as reçu l'horaire de vol du bureau par courriel ? » s'informe Mathieu. Je m'approche de la porte pour écouter discrètement. Bobby demande, en baissant quelque peu la voix : « Nath vient finalement ? »

Nath ? Hein ? C'est qui, elle ? La discussion se poursuit.

« Oui, elle m'a confirmé sa présence par courriel avant-hier. C'est super ça ! » s'enthousiasme Mathieu.

C'est super ? De quoi parle-t-on ici ? Comme j'entends des pas venir vers moi, je m'éloigne de la porte en essayant de ne pas faire de bruit avec mes talons. D'un geste rapide, je m'empare de mon cellulaire pour montrer que je suis bien occupée. Bobby me sourit en fouillant dans un sac trônant sur la table. Puisque j'ai mon téléphone en main, autant en profiter pour texter Ge.

(Allô Ge ! Te rappelles-tu comment s'appelait la fille blonde que Bobby t'avait présentée il y a deux ans ? La fille posée dans la revue…)

Bon, je vous explique mon pressentiment paranoïaque : j'ai peur que la fille dont Matt a dit « c'était super » soit cette aguicheuse de blonde. Quoi ? Vous trouvez que je ressasse ? Eh oui, je bous de rage en m'imaginant le potentiel scénario d'adultère près de la tour Eiffel. Je ne suis pas jalouse, je suis consciente. Je ne suis pas folle, je vois clair. Non, c'est faux. Je suis complètement jalouse et assurément folle !

Avouez tout de même que c'est louche, les chuchotements des deux gars, les tapes dans le dos concernant la présence de cette fille…

Le texto de Ge entre :

(Hish… bonne question. Pourquoi ?)

Je lui dis :

(Est-ce que c'était Nathalie par hasard ?)

Elle me répond :

(Non. Mais ça se terminait en «i»… genre Stéphanie ou Mélanie…)

Bon, je veux tout de même qu'elle me valide encore une fois l'information.

(Pas Nathalie, t'es sûre et certaine ?)

(Oui, certaine.)

Je pose mon cellulaire en regardant Bobby se changer. Qu'est-ce que je fais ? Est-ce que je lui demande ? Vous saisissez bien que, depuis que je le connais, jamais je n'ai validé mes inquiétudes par rapport aux filles qu'il avait dans sa vie. Je n'ai jamais su qui a été cette blonde qui l'avait accompagnée à la première de son spectacle.

— Ça va ? me demande-t-il, me voyant préoccupée.

— Oui…

— Mes cheveux sont corrects ?

Je m'approche pour lui ébouriffer un peu le dessus de la tête, peu concentrée à ma tâche.

Un technicien entre dans la loge, après avoir cogné deux petits coups au mur.

— Le gérant de la salle veut te voir pour un test de son.

— *Yes* ! acquiesce Bobby en sortant de la pièce.

Je réfléchis. J'ai deux choix : questionner mon *chum* ou interroger quelqu'un d'autre…

Je sors de la loge pour me rendre dans la pièce centrale où se trouvent un téléviseur, un divan modulaire, un frigo, une machine à café… et un gérant d'artistes. Assis sur le canapé, Mathieu fixe stoïquement l'écran. Vous devinez ma stratégie. Voilà la personne à interroger. Ma complice : la machine à café. Affairée devant celle-ci, je lui en offre un.

— Oui, pourquoi pas ! accepte-t-il.

Je n'ai pas beaucoup de temps. Allons-y directement.

— Es-tu content de retourner en Europe ?

— Tu dis ! C'est quand même *cool* ! C'est le premier artiste de la boîte à faire une immersion en France. Excitant !

— Des gens du bureau vont avec vous ?

— Non, l'attaché de presse avec qui on fait affaire d'habitude ne pouvait pas quitter le Québec aussi longtemps, donc Bobby a insisté pour que ce soit son amie Nath. Je ne la connais pas…

— Ah bien oui, Nath ! dis-je en mentant, comme si je prenais un café avec elle aux deux semaines.

Interrogatoire terminé. Coupable identifié.

Eh bien ! Je m'aperçois que je n'ai jamais posé de questions non plus sur son « amie » attachée de presse de Québec avec qui il discutait au téléphone chez lui, caché dans le sous-sol. Vous vous souvenez ? Je sais, c'était avant que l'on soit ensemble officiellement, mais quand même. Je réfléchis, complètement absente.

Bobby revient. Perdant mon contrôle émotif, je le fusille du regard. Sans se rendre compte de rien, il me fait un clin d'œil en s'asseyant sur le divan, près de Mathieu. Mon liquide céphalo-rachidien bouillonne pendant que toutes sortes de pensées nébuleuses se bousculent dans ma tête. On s'entend que je vais oublier la lionne, la biche ou le capucin… J'opterai pour la truite cocue… Ou encore pour la larve trompée. Grrr ! Je me torture l'esprit pendant vingt minutes, en faisant semblant de regarder la partie de hockey à la télé.

— C'est l'heure, j'y vais. Tu restes ici ? me demande Bobby en scrutant sa montre.

— Non, sur la scène, que je lui réponds machinalement, trop prise par mes réflexions paranoïaques.

— Tu vas chanter avec moi, *Babe* ! plaisante-t-il.

L'attachée de presse de Québec… J'ai peine à y croire.

— Allô ! T'es où, toi ? s'amuse-t-il en me voyant complètement dans la lune.

Je lève une main en l'air en voulant dire : « Rien, rien… »

Je le suis finalement dans les couloirs de l'arrière-scène. Il m'embrasse sur le front pendant que le présentateur annonce son arrivée. Il empoigne sa guitare et m'envoie un clin d'œil avant d'entrer sur scène, sous les applaudissements chaleureux des spectateurs excités.

Je l'observe parler au public du côté de la scène. J'écoute à peine ce qu'il dit. Je suis triste… Il ne me ferait pas ça, hein ? Il ne me tromperait pas, hein ? Je soupire.

Nous passons une drôle de fin de soirée, mon état léthargique-dépressif-jaloux ayant peut-être quelque chose à voir là-dedans…

Sans grande surprise, je ne lui demande rien et je ne valide rien auprès de lui. Je retourne chez moi au petit matin, mes effets personnels dans une main et mon scénario tragique d'infi-délité dans l'autre.

En entrant dans le *condo*, je me rue sur mon ordinateur. Je tape : « Nathalie attachée de presse Québec ». On ne sait jamais ! La première page qui apparaît est un article où l'on parle d'une certaine Nathalie Gingras… Je cherche une photo… Rien. Je clique sur « Image » en lançant la même recherche. Quelques photos s'affichent. Bingo ! Nathalie Gingras, l'attachée de presse, pose avec un autre chanteur québécois. *Shit* ! Elle est donc bien belle ! Blonde, vraiment mince… Re-grrrr… C'est sûr que c'est elle. Je scrute le cliché pendant trois bonnes minutes. Je la hais.

Un Indien m'indique la voie

Madame Allison se torture en tentant d'enquêter sur l'identité de la fille accompagnant son conjoint dans un voyage professionnel. Je dois avouer pour une fois que ses spéculations semblent justes et inquiétantes. Cependant, je conseille à la patiente de tenter d'aborder ses inquiétudes et insécurités avec l'homme concerné.

Dans une relation de couple établie, ce genre de situation ambiguë doit être nommée afin d'éviter que la confiance mutuelle ne se désagrège.

Le BIG BUCK est bien mieux de ne pas être un infidèle fini…

On sent que même ma psy lui en veut ! J'aborde ça de quelle manière pour ne pas avoir l'air d'une jalouse féroce ? J'ai une idée ! Je le texte.

(Quelle heure ton vol pour la France ? J'aimerais bien te reconduire à l'aéroport…)

Je ronge mon pouce gauche en attendant la réponse. Voyons ! Il ne répond pas. Et s'il ne réécrivait pas de la journée ? Mon ongle casse sous la pression de ma canine grignoteuse. Zut ! Je coupe la portion qui reste avec mes dents pour égaliser le désastre. Au moment où je me lève pour prendre mon coupe-ongle, la sonnerie de mon cellulaire me fait sursauter. Je l'agrippe. C'est lui.

(Pas besoin bb, je m'organise avec Matt…)

Bien non ! Il ne faudrait surtout pas que je voie ta maîtresse avant de partir, hein ? Ah, mais c'est vrai ! Tu es le célibataire le plus en vogue du Québec !

(J'aurais aimé ça te dire bye…)

Il réécrit :

(On se verra la veille. Bon, à +, j'ai une entrevue… xxx)

Les idées se bousculent dans ma tête. Où est ma psy, là ? Jamais disponible quand on en a besoin. Que me dirait-elle ? Que j'aurais dû écrire : « Gingras la pétasse va avec vous, hein ? » Euh… Non… Ma psy ne parle pas comme ça d'habitude. Qu'est-ce que je suis censée faire ? Bon, je vais y aller avec l'option-Mali ! Je laisse tomber. Je refoule mes angoisses. J'incarne la copine parfaite et je ne dis rien.

Comment elles font, les filles en couple, pour surveiller leur *chum* sans se sentir envahissantes et contrôlantes ? Je suis vraiment nulle. Mon *chum* s'en va en amoureux avec Claudia Schiffer à Paris et je me sens incapable de lui communiquer mes insécurités. La vérité : j'ai peur de lui ! Il m'a mise dans une petite boîte en carton depuis que je le connais : « … Je ne veux pas être en couple ; le contrôle, je trouve ça étouffant ; la jalousie, ça n'a pas sa place ; j'ai besoin de ma liberté… » Bien moi, j'en subis les contrecoups à long terme, et ça crée une panique chez moi. La peur entre autres de lui déplaire. La boîte s'est peut-être élargie avec le temps, mais la peur de la défoncer en donnant un coup de coude de trop me tenaille constamment. J'ai toujours la crainte que, le jour où ça ne fera plus son affaire, monsieur s'en aille sans remords. Je dépasse mes propres limites pour lui. Je fais taire mes anxiétés pour lui. Je ravale mes angoisses pour lui.

En reposant mon portable sur mon lit, j'ai le cœur serré. Envie de pleurer ? Non. Plutôt un état de remise en question généralisé. Est-ce que je reste moi-même dans cette relation ? Est-ce que je place ses besoins en priorité par rapport aux miens ?

En descendant à la cuisine, je ne me rends même pas compte que Ge s'y trouve. Trop tourmentée, je m'habille et je sors sans la saluer. Marcher, je dois marcher. Jusqu'à demain… Jusqu'à son départ…

Le temps est doux. Le mois d'avril qui arrive à grands pas se fait sentir dans toute la ville. Je sillonne les rues sales, à la recherche de réponses à mes questions conjugales du jour. Et moi dans tout ça ?

Comme je suis perdue dans mes réflexions, je manque visiblement d'attention concernant l'univers qui m'entoure. Bang! Je suis heurtée par un homme qui sort subitement de son logis dont la porte donne directement sur la rue. Je sursaute et je me tourne vers lui, surprise. C'est un Indien, probablement un sikh[11]. Désolé de m'avoir frappée, l'homme joint ses mains à la hauteur de sa poitrine et me dit, la tête légèrement inclinée en guise d'excuse et de salutation :

— *Namasté* !

— *Namasté*, que je réponds par réflexe.

Il repart en direction opposée de la mienne. Je le regarde s'éloigner. Après quelques secondes, je continue ma route. Toujours perdue dans mes pensées, je me retourne de nouveau. Bon, j'ai un peu l'air de la fille dans un film qui vient de rencontrer son âme-sœur-homme-de-sa-vie et qui ne gère pas le frisson qui l'a traversée en se heurtant contre lui, mais ce n'est pas ça du tout. Cependant, cet homme a réellement allumé une lumière en moi. À ce moment précis, tout semble clair dans ma tête : dans quelques jours, je pars en Inde.

Du calme Sacha!

À mon retour, Ge me rejoint dans l'entrée, hystérique :

---

[11] Le sikhisme est une religion moniste fondée dans le nord de l'Inde. On peut identifier les pratiquants de cette religion entre autres par leur habitude de toujours porter un turban pour couvrir leurs longs cheveux qu'ils ne coupent jamais.

— Criss ! Je me suis fait voler des chèques par la femme de ménage… Cinq cents dollars ont été débités de mon compte et le code de la banque me dit que c'est bel et bien un chèque…

— *Shit* ! Pas vrai. On n'avait pas pensé aux chèques.

Je gravis rapidement l'escalier pour vérifier que les miens se trouvent toujours dans ma table de travail. Ouf ! Heureusement, ils y sont.

— Faut appeler la police. Tant pis pour l'agence qui voulait régler le litige eux-mêmes. C'est de la fraude, ça.

— J'appelle les filles pour savoir où elles rangent les leurs…

Après une chasse au trésor pour retrouver leurs chéquiers, nous en arrivons à la conclusion que seule Ge a eu droit à ce traitement de faveur.

Une heure plus tard, deux policiers se présentent à l'appartement. Sacha, enragée par la situation, revient subitement de chez Hugo. Nous relatons les faits aux deux policiers, en ajoutant même les détails concernant les prémonitions de la femme de ménage sur nos vies respectives. Un des deux agents, un jeune, début vingtaine, arbore fièrement une attitude hautaine, du genre : « Je suis important et rendez-vous en compte. ».

— Mesdames, on est à Montréal. On ne laisse pas entrer des gens chez soi comme ça ! Vous devez venir des régions, hein ? présume-t-il, légèrement condescendant.

« Les gens des régions » ? Je déteste ça ! Maudit qu'on a l'air d'une belle *gang* d'attardés en chemise à carreaux quand les gens utilisent cette expression-là !

— T'as pas rapport avec tes « régions » toi ! réplique sèchement Sacha.

— Restez polie, madame ! intervient le policier.

Faisant semblant de ne pas s'intéresser à lui, Sacha réfléchit à voix haute en me regardant :

— Eille ! Je lui ai confié plein de choses super personnelles ! Je peux pas croire…

— On ne déclare pas d'informations personnelles sur sa vie à des gens inconnus non plus, renchérit de nouveau le jeune policier, moralisateur.

— OK là, les conseils parentaux sur le fonctionnement de la vie, ça va faire ! rage Sacha, impulsive, en fusillant le policier du regard.

— OK, OK, revenons au vif du sujet, que je lance pour calmer les ardeurs de Sacha en vrillant mes grands yeux dans les siens.

— C'est lui qui a l'air de nous trouver les plus idiotes de la terre. On vous appelle pour nous aider, pas pour nous juger ! lui reproche encore Sacha.

— Madame a raison. Restons dans le sujet. Nous allons avoir besoin des numéros de chèques, des coordonnées de la banque, de l'agence de location de personnel, détaille l'autre policier, plus respectueux de la situation.

Ce dernier inscrit les informations dans un rapport. Après avoir relaté les faits importants pendant vingt longues minutes, Sacha, les bras croisés, jette de temps à autre des regards méprisants au jeune policier.

— Donc nous allons transmettre ce rapport à un enquêteur en crime économique et c'est lui qui suivra le dossier.

— Bonne affaire ! me chuchote Sacha, en exécutant un large sourire forcé au policier.

Si vous n'aviez jamais vu Sacha s'opposer à l'autorité, vous êtes servis maintenant ! Cœur rebelle un jour, cœur rebelle toujours…

Le jeune policier lui renvoie son sourire forcé et les deux agents quittent le *condo*. En refermant la porte, Sacha explose.

— Moi les petits-connards-de-policiers-à-l'air-supérieur-qui-ont-encore-la-couche-aux-fesses, je ne suis pas capable !

— T'es cinglée ou quoi ? que je lui envoie, traumatisée.

— Je m'en fous ! Ça sent encore le pipi et ça se croit le maître de l'univers parce que ça porte un uniforme pis un *gun* ! Calme-toi le jeune, tu donnes des *tickets* toi dans la vie !

Je regarde Ge, qui sourit en voyant Sacha totalement hors d'elle.

— Non mais, ce n'est pas un jeune con qui va venir icitte me faire sentir comme une tarte, je vous le jure ! grogne de nouveau Sacha.

— L'opposition à l'autorité est habituellement une phase du développement de l'enfant qui se produit à partir de dix-huit mois jusqu'à maximum trois ans. Ensuite, on voit ladite phase réapparaître autour de la préadolescence jusqu'à maximum dix-sept ans pour un ado normal, que j'explique pour la taquiner.

— Bien, je ne suis pas normale ! J'ai stagné à dix-huit mois ! lance-t-elle en secouant encore la tête de gauche à droite.

Décidément, notre belle rockeuse a la mèche courte aujourd'hui.

— Pis cette folle-là avec son vol de chèques ! On va se venger, je connais plein de monde.

— Ça serait le *fun* que tu ne te ramasses pas à Tanguay[12] pour l'été, mon amie ! que je rectifie pour calmer ses ardeurs impulsives.

— La police ne fera rien pour nous aider ! C'est rendu une *gang* de « pousseux » de crayons astheure !

— On verra. Calme-toi un peu, t'as de l'écume sur le bord de la bouche ! la taquine Ge.

L'agressivité excessive de Sacha me fait passer mon tour concernant mes histoires de potentiel adultère parisien... Des plans pour qu'une certaine attachée de presse de Québec pourrait définitivement manquer à l'appel demain matin...

Bague de mariage

Après plusieurs jours de visites de fin de stage en prison et de séances d'évitement de la part de mon *chum*, je planifie le peu d'effets personnels qui composeront mon sac de voyage. Je pars une journée avant Bobby, donc dans trois jours. J'atterrirai en Thaïlande et de là, je prendrai un vol pour l'Inde. J'ai envie de me perdre un peu dans Bangkok.

Je culpabilise en songeant que Bobby ne sait même pas encore que je pars en Asie. Les réactions de mon entourage en ce qui a trait à mon voyage ont été variées.

---

[12] Centre de détention pour femmes situé à Montréal. Sacha en séjour là-bas ? Ouf... Non...

Tout d'abord, Sacha :

— Du yoga en Inde ! Chanceuse !

Ensuite, Coriande :

— Super ! Je peux te prendre du lait pour faire mon omelette !

Puis, Ge :

— Qu'est-ce que tu fuis exactement ?

Mon comique de père :

— Super ! Ils vivent dans des maisons grandes comme mes cabanons là-bas ! Prends des photos que je voie de nouveaux modèles à construire !

Sans oublier You Go :

— Tu t'es chicanée avec ton *chum* ?

Voyons ! Arrêtez donc de penser que je me sauve !

Et le clou, ma mère :

— Ah mon Dieu ! Encore dans ce pays de fous-là ! Pourquoi tu t'entêtes à visiter des endroits de ce genre ? Il me semble qu'à ton âge l'Europe serait bien plus appropriée, non ?

Non, merci pour la France, maman. Territoire contingenté par la Gingras ! Au fait, j'ai trouvé son profil sur Facebook… Eh oui, je suis rendue une vraie cybermaniaque. En tant que « pas son ami », on n'accède qu'à peu d'information sur sa page : quelques photos *jet set* avec des artistes connus ; elle porte toujours de super belles robes… On peut aussi savoir qu'elle aime *Occupation double* (pouah !), *Deux filles le matin*… Il n'y a pas de détail sur son état matrimonial. À moins qu'elle ne soit comme mon *chum* : en couple en privé et célibataire publiquement. Misère ! Je ne sais toujours pas comment m'y prendre avec lui pour la suite des événements. Je ne peux pas faire comme si de rien n'était. Quoique, en me connaissant…

Avant de me rendre chez lui pour dîner, je passe par un magasin à rabais pour me procurer une bague de mariée. Je vous vois toutes arrêter de respirer ! Calmez-vous, c'est utilitaire pour mon voyage !

➥ **Truc de routarde professionnelle # 1 : soyez mariée en Inde !**

Je vous explique : l'Inde reste un pays très traditionnel au chapitre de l'engagement et du déroulement de la vie de couple. Comme j'y suis déjà allée, je me souviens très bien que lorsque je rencontrais des gens du coin, la première (maximum la deuxième) question qu'ils me posaient était : « Êtes-vous mariée ? » Au départ, j'avais fait la gaffe d'expliquer que je voyageais seule. Ça ne passait pas. Ils ne comprenaient pas que cela pouvait être possible à mon âge. Tout au long de mon voyage, les femmes indiennes venaient souvent me mettre un point rouge (en espèce de maquillage sec) au milieu du front, en m'expliquant que cela signifiait publiquement l'engagement dans le mariage (je devrais en mettre un dans le front de mon *chum* !). La première qui m'en avait apposé un sans gêne avait eu droit à une expression faciale sans équivoque de ma part ! « Euh… Pourquoi vous me touchez dans le visage comme ça ? » J'avais vite compris que : femme non mariée en âge de l'être = prostituée, traînée ou ce que vous voulez !

➡ **Truc de routarde professionnelle # 2 : mentez allégrement en Inde !**

J'avais finalement composé une belle histoire de mon cru et je m'étais acheté une bague plaquée or à vingt-cinq sous (mon mari est grippe-sou !). Voici mon histoire : « Oui, je suis mariée. Mon mari fait de l'import-export et il est présentement à Delhi (ou une autre grande ville selon le lieu où je me trouvais). Il me rejoint demain (ou après-demain, jeudi ou n'importe quand). » Donc, de cette façon, les habitants (surtout les hommes) me respectaient. J'avais même une photo de mon frère dans mon livre de voyage. Je disais qu'il était mon heureux mari. Techniquement, c'est de l'inceste, je sais, mais cela s'avéra très utile !

Ainsi, j'ai cherché mon ancienne bague ce matin dans mon trousseau de voyage, mais je ne l'ai pas trouvée.

Dans un présentoir près de la caisse, je tombe sur trois boîtes ouvertes contenant des bagues. Ce n'est pas la grande classe, mais bon. J'en saisis une que j'insère dans l'annulaire de ma main gauche. Parfait ! Mali Allison, voulez-vous prendre pour époux personne ici présent ? Oui, je le veux ! Bon, une bonne affaire de faite !

« Qu'est-ce que je vais lui dire ? », me dis-je encore en me stationnant en face de chez Bobby. Je n'en ai aucune idée ! Spontanéité… Ça me réussit tout le temps de toute façon.

En entrant, j'opte pour une attitude de jovialité en cette belle journée de printemps ! N'importe quoi ! Je vois que la préparation de ses bagages semble en cours. Des choses traînent ici et là dans son salon. Je l'interroge doublement :

— Donc, tu es prêt ? Êtes-vous juste tous les trois du voyage ?

C'est sorti tout seul ! Est-ce que j'ai bien fait ? En analysant en trois secondes ma réplique, je pense que oui. J'ai l'air détaché, d'être simplement au courant…

— Oui. Comment ça que tu sais qu'on est trois au juste ? s'informe-t-il.

— T'en parlais avec Mathieu l'autre soir, que je réponds avec désinvolture.

— Ah oui ? dit-il, comme s'il ne s'en souvenait pas.

Eh oui ! Vous chuchotiez comme si c'était un complot ultrasecret d'envergure mondiale.

— Je suis bien content que Nath vienne !

Bon ! Les enfants, c'est pour bientôt ? Ça fait longtemps que vous êtes ensemble ? C'est n'importe quoi son petit air de gars qui s'assume totalement. Je suis jalouse…

— T'as vu ma bague de mariée ?

Il s'approche pour voir, curieux.

— Pourquoi t'as une bague de mariée ?

— En Inde, c'est plus facile d'établir des contacts quand tu dis être mariée… Un détail pour nous, mais pour eux ! que j'explique en gloussant, comme si je venais de lui dire de profiter des rouleaux de papier de toilette en solde à la pharmacie.

— En Inde ?

— Oui, je pars dans trois jours ! Ce n'est pas génial, ça ?

— Hein ?

Bon là, il ne comprend plus rien. Je pense que j'ai exagéré avec mon annonce tout-bonnement-portée-par-le-vent.

— Oui, je pars en voyage...

— Comment ça tu m'as pas dit ça avant ? demande-t-il, presque offusqué.

— Je viens juste de décider...

— T'es drôle toi, commente-t-il en me dévisageant.

Je farfouille ses bagages du regard en cherchant quelque chose à commenter. « T'apportes ta chemise bleue ? » Non mauvais, on s'en fiche. « As-tu pensé à apporter la prise murale pour ton cellulaire ? » Pas très bon non plus. Mais au point où on en est, je pourrais ajouter : « Eh oui, je ne te l'avais pas dit : Ben Affleck m'accompagne. Je suis bien contente que Ben vienne ! »

— Tu pars toute seule ? s'informe-t-il.

Pourquoi a-t-il le droit, lui, de me questionner d'emblée là-dessus et moi, je n'ose pas le faire depuis plus d'une semaine ?

— Oui...

Je lui raconte les détails du congé improvisé que j'ai obtenu du cégep. Encore une fois, il me dévisage d'une drôle de façon avant de retourner à ses valises. Il semble contrarié. Avec raison, je dois avouer...

Je suis déçue qu'il n'ait pas dit spontanément : « Tu aurais pu venir avec moi en France, donc ? »

Le reste de la journée, il ne reparle pas de mon voyage. Moi non plus. On est vraiment beaux à voir...

Visite-surprise

Le jour de mon départ, je suis seule au *condo*. Je regarde mes bagages et je me sens fébrile face à la suite. Je suis contente de partir à l'aventure, mais les derniers moments passés avec Bobby ont été monotones. Il avait deux spectacles en trois jours, donc je l'ai à peine vu. L'ambiance a été glauque jusqu'à la toute fin. Sacrés non-dits qui tuent l'amour. Un mois séparée de lui… Je vais m'ennuyer. Mais un vent de déception face à notre couple souffle sur moi. J'ai clairement peur de lui, c'est pathétique. Et lui ? Il est aussi bavard qu'un mime. Où allons-nous comme ça ? Et puis cette fille… Peut-être que je me fais des idées. Peut-être que c'est vraiment une amie. C'est pourquoi j'ai hésité à lui en parler directement. Mais ce qui me saute au visage par le biais de cette histoire d'attachée de presse, c'est mon incapacité à exprimer les vraies choses. Comme si je n'avais pas évalué l'ampleur des dommages avant cet événement. Un moment de réflexion s'impose.

Avant-hier, j'ai été voir Jy Hong et Suzy Kha au restaurant. Non pas pour forniquer dans leur toilette, mais bien pour leur annoncer mon départ pour l'Asie. Comme je le croyais, Suzy Kha veut que j'apporte un présent à sa famille. Vous savez ce que c'est ? Je vous donne un indice : nectar d'arbre printanier… Eh oui, du sirop d'érable. Ils voulaient se procurer le produit en question dans une boutique de souvenirs du centre-ville. Euh… Non. Désolée pour les producteurs qui les approvisionnent, mais leur prix est faramineux et leur sirop aussi épais et foncé que du sirop de poteau. Comme un de mes oncles maternels exploite une érablière familiale en Estrie, je leur ai gracieusement offert deux boîtes de conserve de « vrai » sirop que je livrerai en personne à la famille de Suzy Kha. À cette annonce, leurs yeux respectifs se sont agrandis à la limite du possible, pour ensuite se refermer presque complètement dans une expression de gratitude. « Qu'est-ce que tu vas faire en Asie, au juste ? Ah ! J'effectue une livraison de sirop d'érable ! » Est-ce que je dois déclarer ça à la douane ? Imaginez la scène avec le douanier :

— Madame, je dois ouvrir la canne afin de valider qu'elle contient bien du sirop d'érable et non une bombe.

— Pas de problème ! Voulez-vous une tranche de pain pour la tremper dedans ?

Je ris seule à table lorsque l'on sonne à la porte. Ce doit être Bobby. En ouvrant, je suis prise d'un malaise. Françoise se tient immobile devant moi. Je ne dis rien.

— Bonjour.

— Bonjour, que je réponds par réflexe de politesse.

— Je ne vous dérangerai pas longtemps. La seule chose que je veux dire est que je suis innocente. Je n'ai rien volé ici.

Je la regarde, silencieuse. Qu'est-ce que vous voulez que je dise de toute façon ?

— Je ne suis pas une voleuse. Dans la vie, je ne fais pas le mal, mais le bien.

— Je ne sais pas quoi vous dire, Françoise...

Elle m'empoigne le bras.

— Croyez-moi ! Regardez-moi dans les yeux. Je suis une femme honnête. Je ne ferais jamais ça aux gens.

Nous nous fixons intensément pendant de longues secondes. Son regard, désarmant, soutient le mien sans sourciller.

— À cause de ça, j'ai perdu mon emploi…

Je dégage mon bras de l'emprise de sa main.

— Écoutez, je ne sais pas quoi vous dire et je dois partir…

— Désolée de vous avoir dérangée. Vous saurez toute la vérité un jour. Bon voyage…

Elle tourne les talons et descend l'escalier sans jeter un regard par-dessus son épaule. Comment a-t-elle su que je partais ? Mon sac se trouve dans le salon. Un peu sous le choc, je retourne à la cuisine. Bien qu'elle ne fût pas ma préférée, même avant que ne pèsent sur elle les soupçons de fraude, j'ai senti beaucoup de sincérité dans ses yeux.

Ge me rejoint quelques minutes plus tard.

— Prête ?

— Oui. J'attends Bobby, dis-je en arpentant la cuisine.

Section des filles :

— *On va trop s'ennuyer de toi !*

— *À bientôt mes amies !*

Je vous aime ! xxx

Section des gars :

— *Bon voyage Mali chérie. – Hugo xx*

— Comment c'était hier avec lui ?

— Bizarre. On s'est collés toute la nuit, comme si on savait qu'on se quittait pour un bon moment. Rien ne sortait en mots encore une fois. Ce matin, on a rigolé avant que je revienne ici terminer mes bagages…

Geneviève sourit et me dévisage, ambivalente. Elle se demande si elle doit considérer ce dernier détail, compte tenu de la situation. « *Wow* ! Vous avez rigolé ce matin ! Tout est parfait alors ! »

Respirons le bonheur

Odeur connue. Bruit strident continu. Sourires tout autour. Je me tiens au beau milieu de la rue Khao San Road. Une immense artère dans le quartier touristique du centre-ville de Bangkok, interdite aux voitures en soirée. Les touristes peuvent ainsi se promener à leur guise à travers les boutiques de souvenirs, les restaurants et les clubs. C'est la nuit. Il est deux heures du matin, plus précisément. Je viens tout juste d'aller déposer mon sac à l'hôtel pour courir jusqu'ici. J'ai acheté une bière froide à un vendeur itinérant et je la bois en plein milieu de la rue, en regardant partout. Je respire à pleins poumons. Vous vous souvenez que voyager est mon essence, mon air ? J'ai l'impression de respirer plus profondément que d'habitude. Comme si je percevais chaque alvéole de mes poumons se remplir de bonheur.

Ici, il n'y a pas de règlement ou presque. Pas de loi sur le tabac, sur l'alcool ou sur le sexe. Ici, on fume, on boit, et être une prostituée, c'est un métier. Comme vous voyez, c'est un pays dévergondé, la Thaïlande. Toutes sortes de gens de toutes les nationalités se promènent dans la rue. Une grosse mascotte de jeu vidéo japonais s'avance pour me donner la main. Je souris en lui serrant la pince. Un homme monté sur des échasses passe près de moi. Pourquoi pas ! Trois *ladyboys*[13] s'approchent pour me dire en anglais que je suis grande. Je leur réponds par un sourire. Ils s'éloignent doucement, en battant de leurs grands faux cils, à la recherche de clients. Une jeune fille d'à peine six ou sept ans tire sur mon chandail. Je me penche vers elle. Elle parle très bien l'anglais. Selon les traits de son visage, je vois qu'elle n'est pas thaïe pure laine. Elle désire me vendre une fleur, une rose. Comme elle converse très bien dans la langue de Shakespeare, je la prends par la main et l'amène avec moi près d'un kiosque, où une jeune femme thaïe confectionne des pad thaï[14].

➡ **Truc de routarde professionnelle # 3 : mangez des milliers de pad thaï à Bangkok !**

J'en paie un à la petite et nous nous asseyons sur le rebord du trottoir pour le déguster. Comme ses parents doivent être en train

---

[13] Transexuels thaïlandais, la plupart du temps prostitués. Ils ont donc des seins, mais aussi un pénis. Comment sais-je ça ? Facile, ils s'assument totalement et ne se gênent habituellement pas pour nous montrer la boursouflure dans leur sous-vêtement, et ce, en pleine rue.

[14] Vous vous souvenez, le sauté de nouilles typique de la Thaïlande ? C'est la poutine d'ici que l'on mange aux petites heures du matin.

de vendre je ne sais quoi, je ne sais où, elle accepte cette pause bien méritée. Elle me confirme que sa maman vient du Pakistan. Je discute un peu avec elle. Je lui remets quelques bahts[15] avant qu'elle ne file pour aborder d'autres touristes. Petite chouette… Elle va probablement travailler jusqu'à trois ou quatre heures du matin. Malgré tout, elle souriait tout le temps, si heureuse.

Après avoir arpenté la rue deux fois, je retourne à ma chambre, imprégnée de tout ce qui m'entoure. Tout comme la petite fille aux fleurs, je souris bêtement en fixant le ventilateur du plafond, qui tourne à une vitesse irrégulière.

« Sawadee kha »

En me levant bien trop tôt, compte tenu du nombre d'heures de sommeil que mon corps nécessiterait (décalage d'onze heures), je me rends tout de suite sur Khao San Road afin d'acheter mon billet d'avion pour l'Inde. Je ne vais pas traîner trop longtemps ici, puisque j'y suis déjà venue.

— *Sawadee khaaa*[16] ! dis-je à la commis en entrant dans l'agence de voyages.

— *Sawadee khaaaaaa* ! me renvoie-t-elle en souriant.

Après qu'elle m'ait proposé quelques horaires et quelques compagnies aériennes, j'opte pour la moins chère, mais au nom le plus douteux : « Bangladesh Airlines ». Je devrai faire un arrêt

---

[15] Devise thaïlandaise.

[16] Salutation classique en thaï. Il faut insister sur le « khaaaaaa » en allongeant interminablement le « a ».

d'une nuit au Bangladesh. Légèrement louche, mais bon. Je ris dans ma barbe en payant le prix ridiculement bas du billet. Disons qu'un aller-retour Montréal-Québec en autocar doit coûter plus cher ! Ça aussi, c'est un peu louche…

Je décide ensuite d'accomplir ma mission. Je ne veux pas traîner le sirop d'érable trop longtemps dans mon sac. Sur un papier, Suzy kha a pris soin d'inscrire l'adresse en alphabet latin (le nôtre) et en écriture thaï (des signes frisés très bizarres). Je choisis un moyen de transport local que j'adore : le tuk-tuk. Sorte de moto-tricycle prolongée d'un carrosse sur deux roues avec capot pouvant contenir environ trois touristes (ou encore une douzaine de Thaïlandais). Ce transport collectif abordable s'avère en plus le meilleur moyen de s'encrasser les poumons en respirant les vapeurs des voitures dans les bouchons de circulation, très fréquents. Les chauffeurs sont habituellement tous plus dangereux les uns que les autres. Comme l'engin s'avère petit, il est courant de couper la circulation en roulant sur l'accotement, sur le trottoir ou entre deux voitures. Lorsqu'on fait part aux chauffeurs de notre angoisse de mourir hâtivement, ils répondent à tout coup : « *No problem* ! » De plus, la circulation routière se fait à gauche ici. Le conducteur s'assoit donc à droite du véhicule, contrairement à nous. C'est très étrange au début. You Go me demandait avant que je parte si l'eau des toilettes tournait dans l'autre sens ici ? Mais qui dans la vie sait d'emblée de quel côté tourne l'eau dans la cuvette ? Pas moi, en tout cas ! De toute façon, ici, on doit souvent se soulager dans des toilettes turques[17]. Le lieu d'aisances le plus inconfortable de la terre mais sans contredit le plus hygiénique. C'est quasi impossible d'y

---

[17] Les toilettes à la turque consistent en un trou dans le sol, rehaussé de marchepieds selon les modèles, dont l'utilisation se fait accroupi. Les plus luxueux possèdent un système de chasse d'eau. Pour les autres, on doit effectuer le travail manuellement avec un seau d'eau.

attraper des maladies. La position accroupie rebute souvent les Occidentaux, peu habitués à utiliser cette posture pour accomplir leurs besoins naturels. Bon, je parle pour moi. Mais lors de mon dernier voyage de six mois en Asie (je répète : de SIX mois), je réussissais, une fois sur deux, à faire pipi sur le bas de mes pantalons. Et je passe sous silence les gouttes qui vous éclaboussent... Même si le lieu paraît répugnant, il a au moins l'avantage de muscler les adducteurs et les muscles fessiers.

➡ **Truc de routarde professionnelle # 4 : ne vous accroupissez pas trop et positionnez les pieds plus larges que le modèle turc le propose !**

Lorsque le conducteur kamikaze me dépose en face d'une rue, il me pointe du doigt une ruelle adjacente en parlant thaï ; il a l'air tout sauf sûr de lui. Il redémarre en trombe après que je l'ai payé. Pourquoi les chauffeurs repartent-ils toujours comme s'ils venaient de te déposer dans une cage de lions qui vont être libérés trois secondes plus tard ? Je fais quelques pas en regardant l'adresse sur le papier. Comment vais-je la trouver ? Il ne semble pas y avoir de numéros de porte. Je relis mon papier ; un mot y est inscrit dans les deux formes de dialecte. Je parviens à lire : *Khun Deuan Xuan.* Bien oui ! Il s'agit d'un nom de personne ? Tremblay, ça ne leur tentait pas ? Je répète les mots plusieurs fois à haute voix. Impossible que quelqu'un se reconnaisse, même si je crie son nom. On dirait que j'imite les croassements d'une grenouille en plein accouplement. Deux enfants jouent dans la rue. Je m'approche d'eux. Qui ne tente rien n'a rien.

— *Sawadee khaaaa* ! *Khun Deuan Xuan* ?

Les deux enfants ricanent et s'éloignent en sautillant tout en me criant quelque chose d'incompréhensible. Probablement : « Attardée ! » ou encore : « C'est quoi cette grande chose blanche aux grands yeux qui émet des sons bizarres ? » Je les comprends.

Imaginez-vous, à sept ou huit ans, en train de jouer paisible-ment dans la cour arrière de votre maison avec votre ami et qu'un Chinois touriste, l'air perdu, vous demande : « Milini Tremmblaiiii » au lieu de « Mélanie Tremblay » ? Vous auriez probablement ri jusqu'au Noël suivant. Voilà ! Je vais cibler un adulte cette fois-ci. Ça tombe bien, puisqu'un vieillard avance à petits pas dans la ruelle.

— *Sawadee khaaa* ! *Khun Deuan Xuan* ?

Il fronce ses petits yeux bridés, comme pour me regarder de plus près, et éclate de rire à son tour. Tellement que je lui vois la luette danser au fond de la gorge. Au contraire des enfants, il ne fuit pas. Je lui souris. Il me parle en thaï, mais je ne saisis absolument rien de ce qu'il dit. Il glousse encore. Les Thaïlandais sont très taquins et très moqueurs. Lorsqu'il cesse de rire, je lui montre le papier.

— Eeeennnnnnnn ! dit-il, comme s'il comprenait tout maintenant.

Ce « en » est une sorte d'onomatopée typique des Asiatiques. Ils l'étirent jusqu'à plus soif. Il y a aussi le « onnnnnn », qui sert plutôt dans les moments de surprise. J'adore en introduire çà et là dans mes conversations pour me donner un air local. Je lui réponds d'instinct :

— Eennnnnnnn !

Il me fait un signe de la main et m'entraîne dans la petite cour d'un immeuble résidentiel à la salubrité douteuse. Il hurle quelque chose à une femme assise sur son balcon, qui crie à une autre femme à l'étage plus bas, qui beugle à son tour à l'intérieur d'un appartement. On dirait un peu les balcons dans *Les Belles-Sœurs* de Michel Tremblay, mais avec une Germaine Lauzon bridée.

Une femme sort au troisième étage.

— Eeennnn ?

Notez que le fameux « en » peut être utilisé sous forme interrogative aussi.

L'homme lui dit quelque chose. J'entends alors la femme crier un mot qui semble contenir le nom de Suzy Kha. On va y arriver ! Le papier devait contenir un indice pour mettre la puce à l'oreille de l'homme. La femme dévale l'escalier à toute vitesse. Elle s'arrête brusquement devant moi en me suppliant du regard. Je lui demande si elle parle anglais. Malheureusement, elle me répond que très peu. Elle crie donc quelque chose à la femme assise sur un balcon, qui hurle à une autre à l'étage plus bas, laquelle crie de nouveau à l'intérieur d'un appartement... Ici, ce n'est pas le téléphone arabe qui fonctionne bien, mais l'interphone thaï ! Un jeune homme dans la vingtaine se présente au pied de l'immeuble. Il parle très bien l'anglais. Je leur explique l'histoire du début, avant de leur remettre des photos que Suzy Kha a décidé d'ajouter à la dernière minute.

— Ooooonnnnn ! s'exclame la femme, en rapprochant très près de ses yeux la photographie sur laquelle la petite famille est posée devant le restaurant.

Je suis prise d'une vive émotion. Je réalise que cette femme, qui doit être la mère de Suzy, n'a probablement jamais vu son petit-fils, Sam Lee. Elle touche la photo du bout de son doigt en encerclant le petit visage de l'enfant. Elle me demande (par traducteur interposé) si le restaurant est prospère. Je réponds par l'affirmative, en ajoutant que c'est mon restaurant préféré. J'ajoute que sa fille semble heureuse. La vieille dame paraît contente. Je leur tends les deux boîtes de sirop d'érable en cadeau. Après avoir tenté d'expliquer pendant trois bonnes minutes la provenance du produit en question, j'abandonne finalement en voyant l'air confus du traducteur. Je crois que je l'ai perdu au moment où je lui mimais le mouvement de rotation du vilebrequin servant à faire des entailles dans l'arbre !

Je repars satisfaite du déroulement de ma mission. La mère de Suzy Kha m'a fait une accolade chaleureuse. Je lève un bras pour héler un chauffard ninja afin d'aller respirer à pleins poumons la poussière de la grande ville.

« Air Bordel » pour vous servir

L'avion est plus spacieux que je ne le pensais. Deux sièges, fois trois sur plus d'une trentaine de rangées. Avec « Bangladesh Airlines » comme nom, je m'attendais à un douze places louche qui vole à basse altitude. Une chose est certaine : ça sent mauvais. D'ailleurs, l'Asie empeste autant qu'elle sent bon. Un modèle amour-haine des arômes. Tantôt une odeur de plat mijoté au curry rouge parfumé vous chatouille les narines, tantôt une toilette à ciel ouvert où des enfants font leur numéro deux tous ensemble vous les irrite.

Disons que dans l'avion, ça sent plutôt le numéro deux, mélangé à de vieilles chaussettes au curry, avec un parfum de patchouli en toile de fond. Épouvantable ! Le pire, c'est que l'on s'habitue. En gagnant mon siège, je constate l'état lamentable dans lequel il est. Le cuir s'effrite et l'accoudoir droit manque à l'appel. J'espère que le moteur est en meilleur état que l'habitacle de l'appareil ! J'attends patiemment la venue de mon voisin ou de ma voisine pour « sentir » l'odeur qui m'accompagnera durant le vol.

Dieu du ciel ! Je vois un homme barbu, corpulent, regarder attentivement les numéros des sièges… Non pitié, pas lui ! *Lucky number* ! Il prend place près de moi et me pousse presque contre le hublot pour se mettre à son aise. Je semble être la seule touriste à bord. Les gens parlent fort et tous en même temps. Une agente de bord sermonne des passagers parce que l'un d'eux lui a fait renverser un verre d'eau dans l'allée par la faute d'un autre qui refusait de s'asseoir. Belle idée de servir à boire à un passager pendant que tout le monde s'installe ! Je suis là, dans mon siège, à explorer la jungle comme si je me trouvais dans un zoo.

➡ **Truc de routarde professionnelle # 5 : en Inde, ne vous surprenez de rien !**

Quand on connaît les us et coutumes d'un peuple parce qu'on y a déjà séjourné, on ne s'étonne pas devant certains comportements bizarres. On peut s'en amuser, mais pas s'en surprendre. Comme actuellement. Je glousse, tapie dans le fond de mon siège, en me doutant que le désordre qui sévit ici retardera probablement le vol de quinze, trente, voire de quarante-cinq minutes.

➡ **Truc de routarde professionnelle # 6 : en Asie, n'apportez pas de montre !**

Je pense fort à Bobby. Notre séparation à l'aéroport n'aurait vraiment pas été digne d'un scénario de film d'amour déchirant. Au moment de nous quitter, il m'a lancé : « Bon bien... », et j'ai répliqué : « C'est ça, là... » Curieusement, on s'est embrassés pendant presque cinq minutes, sans qu'aucune intervention verbale n'entrecoupe nos rapprochements. Comme si, depuis quelques jours, nos corps parlaient à notre place. Je me suis éloignée de plusieurs pas avant de me retourner pour le regarder une dernière fois. Je l'ai cherché du regard. Il n'y était plus... La vie, Mali, ce n'est pas un film.

Je me demande ce qu'il fait. Il doit être arrivé, à l'heure qu'il est. Je ne connais pas la planification de ses spectacles, de son horaire, de sa vie. Je connais juste sa destination et les gens qui l'accompagnent. Grrr… En fait, je grogne en ce moment pour deux raisons : la maudite Gingras qui s'affiche dans tout Paris avec MON *chum*, mais surtout mon voisin ventru et puant, qui continue de me pousser sans gêne. Cette odeur, c'est inhumain ! Bon les Indiens, on s'assoie, on arrête de hurler et d'empester, histoire de décoller avant la fin de mon voyage ! Déjà trente minutes de retard et la ventilation semble un tantinet défectueuse.

Insultée avec un « i » majuscule

Super ! Je me trouve dans une cour extérieure adjacente à l'aéroport de Dhaka, la capitale du Bangladesh. Nous sommes un paquet de touristes provenant de plusieurs vols internationaux, ainsi que quelques Indiens. Nous attendons apparemment un autocar qui nous transportera à l'hôtel pour la nuit seulement, car nous sommes en transit. Il fait noir, et il n'y a pas de lampadaires. On a l'impression d'attendre de futurs ravisseurs pour une prise d'otage clandestine plutôt que notre autocar. Je n'ai plus de passeport. C'est insécurisant en voyage. La pagaille régnait lorsque nous sommes arrivés devant le seul bureau de douane encore ouvert. Je n'arrive pas encore à croire ce qui s'est passé… Notez ici que je n'applique pas pour moi le conseil de voyage # 5 (ne vous surprenez de rien…). Les deux douaniers qui travaillaient au même poste de contrôle s'invectivaient déjà lorsque je me suis mise dans la file d'attente. Ils sont sortis de leur guérite et ont commencé à se pousser violemment. « Heu… Les douaniers sont en train de se battre ! » m'a dit, paniqué, un touriste anglophone. J'ai répliqué par un haussement d'épaules. Finalement, un douanier, sorti de nulle part, est venu mettre fin au désordre en hurlant plus fort que ses deux camarades de travail. Le mâle dominant de la place. Bouche bée, les touristes observaient la scène, mal à l'aise, mais surtout très inquiets pour la suite des événements. Puis, le douanier alpha nous a annoncé qu'il saisissait nos passeports pour la nuit, en échange d'un jeton de plastique. Quoi ? Après une opposition groupale de plusieurs minutes, tout le monde a obtempéré. Chacun a remis son précieux passeport la tête basse, comme un groupe de jeunes enfants se voyant confisquer leur jouet préféré en guise de punition.

Deux lumières nous éblouissent tout à coup. Un véhicule roule vers nous. Il s'agit bien d'un autocar. Trois hommes nous escortent comme si nous étions des prisonniers de guerre. Je me demande s'ils ne vont pas nous mettre un sac de jute sur la tête. En fait, nous sommes surveillés pour ne pas prendre la clé des champs. En transit et sans visa, aucun voyageur n'est autorisé à circuler librement dans le pays. Personne ne dit mot durant le court trajet qui dure à peine dix minutes. Dès que nous arrivons à l'hôtel, on nous explique de nous rendre dans nos chambres et de ne pas en ressortir. En entrant dans la mienne, une pièce toute minuscule, j'ai vraiment envie d'en ressortir au plus vite. Je comprends maintenant le prix modique de mon billet. Trois coquerelles me saluent au passage en traversant les lieux à toute vitesse. J'applique mon truc de voyage # 5 et je les ignore.

La salubrité semble plus que douteuse. Heureusement, j'en ai vu d'autres. Heureusement aussi, je possède une couverture et une taie d'oreiller bien propres. Un incontournable quand on part à l'aventure, à moins que l'on ait envie de se prélasser dans une literie nauséabonde.

➡ **Truc de routarde professionnelle # 7 : apportez toujours avec vous la literie de base pour un lit individuel !**

Le téléphone retentit. J'empoigne le vieux cornet en plastique, beige et brun taupe, pour répondre un « Hi » débordant de scepticisme. Un homme me demande, sans préambule, si je mange « veggie or meat » ? Euh… « Veggie ». La façon dont on traite la viande, de la bête à l'assiette, peut parfois vous faire frissonner dans ce genre de pays. Je n'ai pas de truc de routarde précis là-dessus, mais je devrais peut-être. L'hôtelier me propose de descendre dans dix minutes, pas avant. Belle hospitalité : on va te nourrir, mais quand on le voudra bien.

Comme si j'étais en mission Colombo pour l'Armée de terre, je scrute ma montre avec attention (le truc de routarde # 6, qui vous conseille de ne pas apporter de montre, est métaphorique). Huit… neuf minutes, je surveille l'aiguille des secondes comme si j'étais en charge de l'étape cruciale de ladite mission de guerre. Bon, je peux y aller. La voie est libre.

Dans la grande salle à manger, aucun des touristes qui étaient dans le bus avec moi ne s'y trouve. Seule une table d'environ une vingtaine d'hommes au turban de diverses couleurs est occupée. Ils sont drôles avec leurs têtes multicolores ! Sans trop les regarder, je prends une table un peu plus loin de la leur. Je scrute les alentours. Je me rends compte qu'un silence inconfortable règne soudainement dans la pièce. Je lève les yeux vers la table des individus omnicolores. Ceux-ci se sont arrêtés de manger pour me dévisager avec dédain. Ce n'est pas mon accoutrement vestimentaire inspiré qui peut les choquer. Je porte une tunique asiatique marron à manches longues avec un pantalon de lin très ample et un long foulard bleu acheté à Bangkok. J'ai réellement l'air d'une hippie qui mange « veggie ». Un des hommes se met à crier. Plus exactement, le turban rouge. Ce doit être le chef. Les autres l'imitent. Ma foi ! Tout le monde crie tout le temps ici. Un serveur leur fait signe de la main de se calmer avant de venir me voir.

Dans un anglais adéquat, il me propose de le suivre. Il m'entraîne vers le fond de la pièce, où il déplace rapidement une table et une chaise. Il m'invite à m'y asseoir en disant « Sorrrrry », avec un « r » bien roulé. Comme ma simple existence sur Terre dérange ces messieurs, on me propose de manger ma pitance à une table non éclairée, loin de leur regard, la face contre le mur. Lapidez-moi en pleine rue, tant qu'à y être ! Sans blague, les hommes sont musulmans et je ne porte pas de voile. J'ai une taie d'oreiller, par contre. Je pourrais y percer deux trous : Casper Allison voyage en Asie ! Je devrais peut-être leur raconter mon histoire d'import-export conjugal en montrant ma bague ? Je plaisante ! Je ne ferai rien. C'est moi qui voyage chez eux, je dois m'accommoder raisonnablement.

Mon repas végé m'est servi par-dessus mon épaule. Cependant, je ne peux m'empêcher de me retourner pour fixer (juste un peu) la table des maîtres de l'univers (possédant le sexe supérieur), en attardant (à peine) mon regard sur celui au turban rouge. Je suis une femme, voudrais-je leur dire, pas une lépreuse. Pour la première fois de ma vie, je sympathise avec toutes les femmes qui sont aux prises avec ce genre d'inégalités. Insultant. Curieusement, je les trouve un peu moins drôles avec leur coiffe...

P.S. I love you

Dans les étourdissements de son voyage, la patiente focalise son attention sur elle-même, sur son plaisir personnel et sur son bien-être. Je trouve la démarche très thérapeutique et bénéfique, étant donné le questionnement de Madame Allison par rapport à son manque d'affirmation dans son couple. Cependant, pour ne pas envenimer outre mesure sa situation conjugale, je conseille à Madame de donner signe de vie à son conjoint, du moins le plus tôt possible. En ne donnant pas de nouvelles, elle ne fera que brouiller les cartes quant à sa réelle motivation d'effectuer ce voyage maintenant.

Comme ma psy vient de me donner son aval pour écrire à Bobby, je me rue dans le premier café Internet que je croise. J'ai presque des spasmes dans les doigts en tapant sur le clavier, tellement j'ai hâte d'avoir de ses nouvelles. L'ennui semble décuplé quand on est loin. En ouvrant ma boîte de courriels, je constate que j'en ai plusieurs. Je clique d'abord sur le sien.

« Mali chérie ! J'espère que tu vas bien. Ici, tout roule. Plusieurs entrevues de faites, un spectacle déjà ce soir, je suis sur le décalage rare, donc je dors le reste du temps.

Sinon, je voulais te dire que je trouve que l'on s'est quittés sur une mauvaise note. Je ne sais pas trop pourquoi en fait. J'aurais voulu te dire plein de choses à l'aéroport, mais… Ton voyage-surprise et tout, je me demande où tu en es ? Je sais que ma blonde est un peu instable, mais là, l'Inde ? Décidé en trois secondes et quart ! À moins que tu l'aies planifié depuis longtemps et que tu n'aies pas voulu m'en parler…

En tout cas, ton *chum* est un peu perdu ! Éclaire-moi, ma puce.

Dans le contexte, j'aurais le goût de te chanter "L'amour voyage"…;)

ILY xxxxxxx »

Une minute ! Est-ce que c'est bien un « I », suivi d'un « L » et d'un « Y » ? Non, non, ce n'est pas une partie de *Wheel of Fortune*[18] que je suis en train de disputer, j'essaie juste de bien lire sa signature.

---

[18] Jeu télévisé américain mis en ondes avant ma naissance, où les participants tentent de découvrir la phrase ou le mot en proposant des consonnes et des voyelles. Une version québécoise appelée *La roue chanceuse* a été télédiffusée à une certaine époque. Tante Lisette, ma gardienne lorsque j'étais d'âge préscolaire, se levait toujours debout en criant des « i » et des « p » sans arrêt !

C'est un « je t'aime » *in english*, ça ? Mon premier venant de lui depuis que nous sortons ensemble.

— *I love you* ! que je m'écrie dans le café Internet.

L'Indien assis à l'ordinateur près de moi sourit en se croyant interpellé. Je lui montre mon écran pour éviter toute confusion possible. Pour lui signifier aussi que je ne lui proposais pas un mariage indien vite fait, bien fait. Il redirige ses yeux sur son appareil, presque déçu. Je relis le message de mon *chum*. Bobby semble réellement confus, le pauvre. Visiblement, si on ne se parle pas, on ne peut pas se comprendre ! L'image de la belle Nath me revient en tête. Je ne gère toujours pas sa compagne de voyage. C'est le moment ou jamais d'aborder ça avec lui. Nous sommes à une dizaine de fuseaux horaires de distance. Voyons voir…

« Salut bébé,

Je suis arrivée en territoire indien puant ! Tout se passe à merveille. Je visite de nouvelles villes que j'avais peu ou pas vues lors de ma dernière escapade ici. Je me remplis les poumons de ce pays que j'adore (même si, parfois, je dois respirer avec un foulard devant les narines !).

En effet, mon voyage a été une surprise pour tout le monde ainsi que pour moi. Si tu veux savoir la vérité, j'ai su que j'avais un congé comme je t'ai dit, à la dernière minute. La première chose à laquelle j'ai pensé, c'est d'aller en Europe avec toi… Retenue par la peur de m'immiscer dans ta vie contre ton gré, je n'ai pu te faire part de mon désir de t'accompagner… Voilà ! J'ai donc opté pour l'Asie et je me suis sauvée en me disant que j'allais vachement m'ennuyer de toi. Mali, mise à nue, à demi.

J'aimerais beaucoup entendre ta voix me chanter "L'amour voyage"... D'autant plus que j'avais quelque chose à voir avec la rédaction de cette chanson-là... si ma mémoire est bonne !

ILY too... xxxxxxxxx »

J'appuie finalement sur la touche *Envoyer*, après avoir relu mon courriel au moins quatre fois. Je ne dis pas tout. Mais c'est tout de même un bon début. Pour moi, du moins. Pourquoi est-ce plus facile d'écrire ? Probablement en raison de la distance... mais surtout, je crois, parce qu'on n'a pas accès à la réaction de l'autre. C'est ce dont on a peur quand on n'ose pas s'exprimer.

J'interroge le commis pour savoir s'il est possible d'utiliser une webcam. Il me montre un ordinateur en retrait, avec un casque d'écoute suspendu à l'écran. *Wow !* Nous allons revenir à notre ancien mode de relation, les consœurs et moi ! C'est comme remettre du piquant dans une vie de couple, ça ! Je réponds aux courriels de mes proches et je demande à la consœurie un rendez-vous webcam pour le lendemain matin. Pour les filles, ce sera déjà le soir à Montréal. Je pense que j'aurai besoin de ma dose chaque semaine !

Madame Allison réalise avec lucidité les raisons pour lesquelles elle ne communique pas en personne avec son conjoint. Elle avait au préalable mis le doigt sur « la peur des conséquences » comme raison expliquant son attitude. Selon mon jugement clinique, elle complète adéquatement l'équation en y ajoutant « la peur de devoir vivre les réactions de l'autre ». Tant qu'elle ne combattra pas son mode de fonctionnement négativiste et sa paranoïa de la fatalité, l'utilisation de la fuite restera une échappatoire incontournable.

« … ne communique PAS… » Il ne faudrait pas exagérer non plus. Je quitte le café Internet, heureuse, en fredonnant une chanson que j'adore.

Sac qui pète

— Merci pour ton cadeau, Mali ! me crie Sacha en rejoignant Ge devant l'ordinateur posé sur l'îlot.

Avant de partir, lorsque je me suis arrêtée dans un grand magasin pour m'acheter une fausse bague de mariage, j'ai aussi fait nonchalamment le tour des rayons à la recherche d'objets inutiles et bon marché. J'ai bifurqué par hasard vers la dernière rangée, celle des jouets et des cartes de souhaits. En quittant une allée pour me rendre à la caisse, je suis tombée nez à nez avec les sacs à pet. C'est le gag le plus éculé de la terre entière, je sais, mais avouez que simplement dire le mot, ça fait rire ! « Sac à pet »… J'ai donc, avant de partir, rédigé ce message à chaque fille : « De beaux moments à partager en couple… xxx ». Et j'ai glissé mon cadeau sous l'oreiller de chacune.

J'aurais voulu être un petit oiseau pour voir leur face perplexe lorsqu'elles ont trouvé l'objet en question. J'ai croisé les doigts pour que ça se passe en couple justement. J'imagine Sacha et Hugo se préparant tranquillement à aller au lit. « Bonne nuit, chérie… Prouuuut ! Hein ? Il y a une bosse sous mon oreiller… Quessé ça ? » Tordant, non ? Je vois ensuite You Go utiliser abusivement le sac le jour, le soir ou la nuit, bref pour toutes les occasions !

— Sérieusement, on déconne avec ça depuis cinq jours. Imagine Hugo… Mon sac est presque dégonflé tellement il l'a utilisé !

Bingo ! Je le connais mon You Go !

— Ton frère était ici quand je l'ai trouvé, confie Coriande à mon grand bonheur.

— Pouah ! que j'explose de rire, fière de mon coup.

— Eille ! On a niaisé avec. Deux vrais enfants !

— Ah oui ! Ces quatre-là capotent ben raide… Rick, c'est pas trop son genre d'humour, ajoute Ge avec un sourire en coin.

— Ah non ? que je demande.

Sacha revient en gros plan dans l'écran.

— C'est une vraie thérapie de couple, cette affaire-là ! Vous devriez exploiter ça, les psys. Imagine un couple en médiation de divorce : « Bon, madame et monsieur, on va vous laisser seuls dans la pièce avec cet objet-ci et on reviendra dans trente minutes. » Le couple voit le sac à pet, ils plaisantent ensemble et ne divorcent plus !

— Ça faisait longtemps que l'on n'avait pas eu de fous rires niaiseux de même, Chad et moi…

— Tant mieux ! Moi je n'ai pas besoin de sac à pet ici. On jurerait que chaque Indien qui s'assoit près de moi, dans le train ou dans le bus, en a un d'intégré à sa tunique ! Avec les effets spéciaux d'odeurs en plus !

— Ark ! fait Ge en se reculant légèrement de l'écran pour permettre à Cori de se joindre plus activement au groupe.

Je vois les trois filles à l'écran, mais elles sont un peu loin. Je reviens sur un point qui me chicote.

— Donc, Rick n'a pas trouvé ça drôle ?

— Non, ce n'est pas ça. Il riait un peu ; mais de là à l'utiliser pour déconner, pas sûre, explique Ge.

— Il est si réservé ton *chum*, commente Sacha.

— Avec moi, il est plus décontracté. Mais c'est vrai qu'en public, il est toujours à sa place. Il a de la classe, j'aime ça, précise Ge, un sourire aux lèvres.

— Un timide, que j'ajoute pour renforcer le commentaire de Ge.

Sacha et Cori se lèvent de nouveau. C'est étourdissant la conversation à plusieurs.

— Ça va super bien nous deux. Il est doux, tellement respectueux… Disons que je n'ai pas eu ça souvent dans la vie !

— Tu le mérites tellement, Ge !

Je vois les filles à l'arrière qui écoutent notre conversation tout en vaquant à la cuisine. J'entends des bruits de couteaux ou d'ustensiles.

— Qu'est-ce que vous faites ce soir ?

— Les gars viennent souper ici !

— Ah ! C'est bien le *fun* !

— C'est Sacha qui cuisine, m'annonce Cori en apparaissant momentanément dans la webcam en arborant une moue dégoûtée.

— Arrête donc ! Ça va être super bon ! réplique Sacha, offusquée de la mimique de Cori.

— On a gardé Jy Hong sur la touche pour un *chow mein* à emporter, si ce n'est pas mangeable ! ajoute Ge.

— Franchement !

Le carillon de la porte retentit. J'entends Hugo crier :

— Salut les folles ! Euh… les filles. Voyons, la langue m'a « fourchusse »…

— You Go ! Je veux lui dire bonjour ! que je clame.

— Mali d'amour ! « Folle », ce n'était pas pour toi, ma chérie ! C'était pour les autres ! Cibole ! Comment t'es accoutrée ? commente Hugo, en prenant la place de Ge devant la webcam.

Je suis une Indienne aujourd'hui. J'ai encore une tunique et un pantalon, cette fois d'une couleur orangée douteuse. Et j'arbore fièrement le point rouge de la femme mariée en plein front. En allant boire mon chai[19] matinal, une « mama » indienne était assise près du préposé au chaudron. Naturellement, les questions d'usage ont suivi : « Vous êtes mariée ? Où se trouve votre mari ? Que fait-il dans la vie ? » Je leur ai habilement raconté l'histoire de la compagnie d'import-export de mon mari fictif, etc. Aujourd'hui, ce sont des tapis que nous importons. Hier, c'étaient des épices. Ça dépend comment je me sens. Bref, la femme a fini par sortir un truc de sa poche afin de m'ajouter un point tout sauf symétrique en plein front. Bon, une bonne chose de faite !

— Qu'est-ce que t'as dans la face ? De la merde ? s'informe Hugo, l'air dégoûté.

_____

[19] Thé noir indien à base de lait que l'on consomme abusivement à tous les coins de rue… C'est divin !

— Franchement ! Regarde, c'est rouge.

J'approche mon front de la webcam pour qu'il voie par lui-même.

— Ah ! D'ici on dirait que c'est brun, explique-t-il en conservant son air écœuré.

— Non, habituellement, quand je décide de me badigeonner le visage avec de la merde, je fais ça en privé, que j'exagère, sérieuse.

— Oh ! Qu'est-ce qu'on va entendre là ! Un moment de silence tout le monde, crie Hugo, en attirant l'attention de façon non subtile.

Je le vois se lever de son siège et se rasseoir. Je perçois un bruit de flatulences. Évidemment, il vient de s'asseoir sur le sac à pet, tordu de rire.

— OK ! Tu utilises vraiment avec abus le sac à pet. Tu annonces le coup comme ça à chaque fois ? que je plaisante en imaginant qu'il effectue toujours cette mise en scène ridicule.

— Mali, c'est une farce qui se prépare d'avance. Tu ne peux pas arriver à brûle-pourpoint comme ça avec un pet ! explique Hugo.

Sacha le pousse quelque peu pour prendre place devant l'écran.

— Tu vois Mali. C'est comme ça depuis qu'il l'a trouvé ! me met-elle en contexte.

— On fait des pets à deux aussi, me confie You Go.

Hugo met le sac de caoutchouc sur l'épaule de Sacha. En y appuyant son torse, bien entendu, il fait « péter » le sac.

— Voilà maintenant les priorités dans la vie de mon *chum* ! glousse Sacha en s'éloignant.

— Attends que ton frère arrive ! Il est aussi motivé que lui ! explique Cori.

— Pour une fois que ce ne sont pas nos blondes qui pètent ! murmure Hugo en encadrant sa bouche de ses deux mains.

Une serviette de table en tissu est catapultée de la cuisine. Elle atterrit sur Hugo qui se lève pour bondir sur Sacha, vraisemblablement l'auteure du geste. Je me réjouis de voir la gaieté qui règne dans notre *condo* ce soir. J'aimerais y être ! Hugo revient à l'écran.

— Bon, je l'ai enfermée dans le placard. Au fait, on se demandait l'autre jour, Chad et moi, si vous aviez baisé chez Jy Hong, finalement, avant de partir…

— Eille ! C'est vraiment le *fun* que ma gageure de baise dans les toilettes soit rendue d'intérêt national ! LCN me demandait justement des détails par courriel pour tenir tout le Québec au courant de ce qui se passe dans ma vie sexuelle !

— En tout cas, Jy Hong vous attend n'importe quand ! Il est bien ouvert à ce que le pari se réalise ! ironise Hugo.

— Non, You Go ! Tu ne lui as pas dit ça ?

— Yep !

— Pfft…

— Toi, parle-moi un peu. T'es où ?

Je lui raconte mon arrivée, les lieux visités, les aventures vécues. Étant aussi un voyageur, Hugo s'intéresse à mon périple avec soif, au point de vouloir tout savoir. Je raccroche au moment où Chad et Rick arrivent, après les avoir salués bien sûr. La conversation à quatre fut laborieuse, imaginez à six !

Comme dans le train de Josélito Michaud…

Pour ce voyage-ci, j'ai décidé de me la jouer « relaxe », sans trop visiter de villes différentes. Je vais plutôt approfondir celles que j'ai choisies. De toute façon, l'Inde étant un territoire très étendu, les déplacements du point A au point B sont laborieux et lents. On doit donc réellement en tenir compte dans la planification du voyage. Pour vous donner une idée, c'est le septième plus grand pays en termes de superficie (le Canada et les États-Unis étant respectivement les deuxième et troisième). Sauf qu'ici, oubliez les trains rapides et les autobus performants. On utilise plutôt le train « put-put-put », c'est-à-dire qui s'arrête toutes les dix minutes, ou encore l'autobus « tasse-toi c'est ma place », car il y a toujours quelqu'un au siège indiqué sur votre billet.

Comme je pars pour Varanasi (qui se trouve à 675 km d'où je me trouve), je dois prévoir au moins de vingt à vingt-cinq heures de route. Pas très précis, me direz-vous ? Normal, on est en Inde. Quand on choisit le train dans ce pays, il y a plusieurs règles à suivre : prendre la couchette du haut (accès plus difficile aux voleurs), attacher son sac après soi à l'aide d'un cadenas de vélo souple ou d'une chaîne (plus lourd pour les voleurs) et ne dormir que d'un œil (pour surveiller les voleurs). Parfois, je m'assoupis. Mais à cause du bruit, des arrêts fréquents, des vendeurs itinérants qui vous assaillent à toute heure de la nuit ou des voyageurs qui vous réveillent avec la certitude que vous occupez leur place, c'est habituellement des nuits blanches assez mouvementées. Tchou ! Tchou !

À peine cinq minutes après avoir quitté la gare, une petite fille de six ou sept ans se présente à moi en anglais.

— Tu veux venir t'asseoir avec nous ?

Je regarde dans la direction par laquelle elle semble être venue. Un homme me fait signe de la tête, les épaules droites, fier d'être entouré de sa petite famille. « Papa le curieux qui envoie sa petite fille faire le message… » me dis-je en lui souriant. Et en me joignant à eux, je remets en marche ma cassette de mensonges !

Sans grande surprise, je me montre d'emblée féministe. Lorsque je rencontre des familles indiennes, je serre d'abord la main de la femme après l'avoir saluée. Chaque fois, le mari semble un peu outré, mais c'est mon droit. Je suis l'étrangère. Les femmes répondent toujours avec beaucoup de chaleur à ma poignée de main, heureuses d'être publiquement considérées avant leur mari (pour une fois). L'Inde est une société patriarcale où l'homme de la famille détient l'autorité morale et la force économique. La femme gère cependant tout ce qui concerne la maison et les enfants. Elles ont donc leur mot à dire au sein de la cellule familiale et ne se contentent pas de faire uniquement le ménage. De plus en plus, leur émancipation prend davantage de place dans la relation avec les hommes, mais l'évolution s'effectue doucement et tranquillement.

Bref, après notre discussion en lien avec ses enfants et son emploi du temps, son mari, impatient, me lance une série de questions en rafale. J'ai l'impression de me trouver à une entrevue télé mal préparée, touchant à des sujets plutôt futiles. Après la question du mariage et de l'import-export réglée (des meubles aujourd'hui), il poursuit son interrogatoire de façon plus élargie :

« Votre père fait quoi dans la vie ? » Bon, voyez ici l'intérêt pour le mâle dominant de la famille. Je me mets en mode Truc # 2 et je mens. Je lui sors une vieille photo en plus (j'en ai quelques-unes dans mon livre de voyage, à travers mes fameuses photos d'hiver que je traîne toujours dans mes bagages). Le cliché de mon père date de l'époque où il arborait encore une grosse moustache. La touffe de poil semble faire son effet, car le patriarche émet un « Honnnnn ! » approbateur. On porte fièrement la moustache en Inde. On subit le « Movember[20] » à l'année ici ! Il continue la série de questions sur mon père. « Est-ce qu'il a une voiture ? » Bon, là, j'hésite. Je ne peux pas lui répondre : « Nous possédons tous une voiture chez moi, donc un total de quatre dans la famille. Vous savez, j'ai eu ma première bagnole à seize ans et demi… » Avouez que ça détonne probablement trop avec sa situation. Je ne veux pas élargir trop le décalage entre sa perception de notre pays et la réalité. Je lui confirme finalement que mon père conduit une vieille voiture qui le fait enrager, car il doit toujours se rendre au garage. Il rit. Ses enfants seront assurément plus au courant que lui des réalités mondiales. Déjà, sa fillette me pose des questions pertinentes sur le père Noël en me décrivant avec assez d'exactitude son manteau rouge et sa barbe blanche. Elle me demande comment nous réussissons à faire entrer un arbre dans notre maison à Noël.

Lorsque je retourne à ma place après plus d'une heure de bavardage, beaucoup de gens me touchent discrètement (c'est pour eux un privilège de pouvoir toucher un Blanc). Quelques femmes me demandent pour leur part de tâter à mon tour leur bébé. Je

---

[20] Événement qui a lieu durant tout le mois de novembre et au cours duquel les hommes se laissent pousser la moustache en guise de soutien pour le cancer de la prostate. Cette « moustachisation » de groupe nuit de façon significative à la vie sexuelle de la plupart des femmes qui se font imposer la duveteuse chenille faciale !

suis une bête de foire ! Bon ! Tout le monde paraît content, je peux regagner mon siège pour relaxer un peu. Oups ! Des Indiens occupent ma place. Avec respect, mais fermeté, je chasse de la main la femme et son garçonnet. Je peux alors me rasseoir.

Mystérieux Gange...

En arrivant à destination, je dois dormir et au plus vite. Même si nous ne sommes qu'en matinée, je me dirige à ma chambre d'hôtel. *Siesta time* !

Quelques heures plus tard, je suis réveillée par un bruit de chant bizarre. Je sors sur le balcon pour voir ce qui se passe. Curieuse scène : un groupe d'environ dix personnes transportent sur une civière en bois un cadavre recouvert d'un voile rouge en récitant des incantations d'une voix aiguë. Un mort ? Qu'on emmène où ? Dans le Gange[21], après l'avoir brûlé. Je m'empare de mon sac pour suivre discrètement le cortège qui se dirige vers un des sites de crémation qui longent la rivière sacrée. Je prends place dans une estrade érigée pour observer la cérémonie. Après avoir acheté du bois, les hommes disposent les morceaux en amas. Par la suite, ils mettent le feu au bûcher funéraire. Cette pratique paraît si curieuse pour nous. Les Indiens croient en la réincarnation multiple. Le corps qui brûle permet à l'âme de s'élever pour accéder à sa prochaine vie. Ce qui me surprend le plus, c'est que la famille éprouvée ne montre pas sa douleur. Personne ne pleure. La crémation a eu lieu dans un geste rituel et la célébration se déroule sans qu'elle

---

[21] Le Gange est un cours d'eau sacré dans le nord de l'Inde. Son eau possède la vertu de purifier le corps des humains et de libérer l'âme des défunts.

soit triste. Je vois à quel point le chagrin ressenti à la mort d'un proche est dicté par nos croyances. Pour eux, la personne accède à une seconde vie et la mort en soi n'est pas une étape négative. Hypnotisée, je reste assise à contempler cette cérémonie funèbre. Dire que mes amies s'amusent probablement avec des sacs à pet, pendant qu'ici on brûle des morts…

La patiente se rend compte de certains grands paradoxes entre la réalité de l'un et celle de l'autre. Pour y être déjà allée, je sais en toute connaissance de cause que l'Inde crée souvent des questionnements houleux en lien avec le sens de la vie, mais surtout en lien avec la façon de vivre celle-ci. Madame Allison doit maintenir ses balises culturelles internes pour ne pas se laisser absorber par toutes les particularités fascinantes du pays visité.

Je ferme mon livre, puis j'observe la vaste étendue d'eau. La rivière est des plus insalubres. Ceux qui n'ont pas suffisamment d'argent pour acheter tout le bois nécessaire à la crémation du corps de leurs défunts doivent se contenter de les consumer à moitié. Avec une température de plus de trente degrés, imaginez la poutine bactériologique qui y prolifère… Il n'est pas rare de voir des os en joncher la rive. Dire que les Indiens s'y baignent par milliers en récitant des incantations de purification. Incroyable ! Chez nous, on ferme des piscines dès que l'eau renferme un pH inadéquat. On me paierait très cher pour que je daigne m'y faire tremper le bout du gros orteil.

Ce soir-là, je passe par le café Internet en revenant à mon hôtel. J'ai quelques appréhensions en ouvrant ma boîte de courriels. Mon cœur sursaute en voyant un message de Bobby.

« Allô Mali !

Tant mieux si tout se passe comme tu veux ! Je suis content !

Ton message précédent me trouble un peu. Tu voulais m'accompagner en Europe et tu craignais de me le demander ? Je suis embêté… Je ne comprends pas très bien pourquoi en fait. J'aurais adoré que tu viennes avec moi. Je vais t'avouer que je m'emmerde un peu ici. Je me promène beaucoup dans les rues, la plupart du temps seul, je sirote des cafés hors de prix et je pense à toi… vraiment souvent…

J'ai quelques photos de toi dans mon *cell* que je regarde avec abus. Je te trouve belle…

La distance me rend sentimental, on dirait. Il faudrait bien que je t'envoie une *joke* macho pour conserver ma crédibilité en tant que mâle alpha !

Profite bien de chaque instant et pense tout de même un petit peu à moi aussi !

Gros bec,

P.S. : Pourquoi dans ton autre courriel tu dis "Mali mise à nu à demi" ?

Ton homme qui s'ennuie xxx »

Mon dieu ! Qui est cet amoureux-là ? La communication par l'écriture. Voilà un mode de fonctionnement à développer, je pense. Une chose me chicote tout de même. Il est souvent tout seul… Et la Gingras dans tout ça ? Dans mon scepticisme extrême, j'ai peine à croire qu'il ne fait aucune activité avec elle.

Sinon, que fait-il d'autre, à part chanter ? Ah oui ! Il regarde mes photos souvent… Combien de fois par jour ? Les filles, avec nos détails insignifiants ! J'aurais voulu qu'il quantifie son information. On n'en a jamais assez…

Je lui réécris.

« Salut bébé,

On dirait que c'est plus facile pour nous de s'écrire que de se parler, hein ? Ça me fait du bien de te lire. Peut-être que j'aurais dû t'écrire que je voulais aller avec toi à la place de garder ça pour moi comme une conne…

Je pense beaucoup à toi aussi. Perdue dans un monde si différent du nôtre, je réalise tout ce que j'ai dans la vie et tu en fais partie. Je réalise aussi à quel point j'ai de la difficulté à te parler en général. À quel point je traîne certaines craintes du passé concernant tes mises en garde sur l'importance de ta liberté, et ma peur que tu te sentes brimé. Je crois que j'ai de la difficulté à prendre ma place et à m'affirmer avec toi. Je réalise aussi que j'ai besoin d'être rassurée probablement plus que je ne le laisse paraître. Indépendante, mais tout de même anxieuse. Le recul me fait prendre conscience de bien des choses, hein ?

Mais toi ? Pourquoi tu te retrouves toujours tout seul ? Vous êtes trois pourtant…

Bref, continue de m'écrire bébé, tu me fais du bien ! Je m'ennuie beaucoup de toi aussi…

P.S. : Mise à nu à demi parce qu'ici, je suis toujours habillée jusqu'au cou !

ILY,

Ta femme… (Pour les gens d'ici, on est mariés, je te rappelle.☺) xxx »

J'appuie sur la touche *Envoyer* après avoir relu ma missive. Bon, je ne parle pas trop de la Gingras, mais j'enquête tout de même sur sa « supposée » solitude. Je m'ouvre aussi beaucoup quant à mes états d'âme, surtout depuis que j'ai assisté à la crémation d'un mort et les réflexions que cela a suscitées en moi ; je me sens vraiment connectée à mes émotions. La distance fait réfléchir.

Après avoir rassuré encore ma mère que j'étais toujours en vie, je donne un rendez-vous webcam aux filles dans deux jours.

La patiente semble dans un état d'esprit d'honnêteté déconcertant. Comme si la distance désinhibait toutes ses craintes de dire les vraies choses. Selon moi, les répercussions de cette franchise seront bénéfiques dans le futur. Cependant, des ajustements devront avoir lieu dans l'attitude de Madame. Nommer les choses est une étape, mais modifier les comportements demeure le cap le plus difficile à franchir dans les faits. Les écrits ne doivent pas rester des confidences de voyage, mais plutôt des révélations servant à orienter ce futur.

Le BIG BUCK semble réceptif à entendre (plutôt à lire) les propos que sa conjointe lui communique. On le sent également dans un mouvement de franchise et dans une vague démonstrative de son affection envers elle. La distance semble créer chez lui un rapprochement quant à ses émotions tout aussi positif que chez Madame Allison. Nous assistons ici à une belle synchronicité conjugale, à distance.

C'est illégal, Sacha...

Comme la ville est très touristique en raison de l'attrait que suscite la rivière sainte, le café Internet que je déniche semble assez moderne à comparer à certains endroits. Ma webcam devrait projeter une belle image dans le salon du *condo*. En appelant la webcam des filles, j'espère qu'elles y seront… Sacha apparaît à l'écran.

— Allô ! dis-je, très contente de la voir. T'es seule ?

— Non, Cori est là, répond sèchement Sacha.

— Oh là ! Je me trompe ou ce n'est pas la joie ?

— C'est l'horreur, tu veux dire… Je suis tellement contente de t'avoir aujourd'hui. Je pense qu'Hugo et moi, c'est terminé, pleurniche Sacha, la tête basse et l'air triste.

— Hein ? Comment ça ? que je fais, consternée.

Coriande se joint à nous. Elle s'assoit près de Sacha tout en lui flattant le dos. Celle-ci ne pleure pas. Elle semble plutôt en colère.

— Il me trompe, lance-t-elle.

— Rectification : elle croit qu'il l'a trompée, précise Coriande.

— Excuse ! Quand une fille t'écrit par message texte « qu'elle t'a trouvé beau aujourd'hui », c'est parce que tu couches avec, cibole, spécule Sacha en se tournant vers Cori.

— OK ! Explications s.v.p. ? Je ne comprends rien.

— Elle a fouillé dans son téléphone, révèle Cori, avec une expression à mi-chemin entre le reproche et la théorie explicative.

Sacha baisse la tête sans rien ajouter. Elle craint probablement ma réaction, étant donné qu'elle connaît mon opinion sur l'« espionnage conjugal ». Je ne dis rien, décelant le moment inopportun pour formuler un reproche moralisateur. Sacha relève la tête et s'explique.

— Depuis quelques jours, je soupçonnais beaucoup qu'il y avait des échanges de messages-textes bizarres. Du genre autour de vingt-deux heures ou très tôt le matin. Ce matin, il est allé aux toilettes et a reçu un autre message. Je n'ai pas été capable de m'empêcher de jeter un œil. La fille, Judith, avait écrit : « Je t'ai trouvé vraiment beau hier… » Grosse salope ! Il est en couple le gars, tu dois bien le savoir !

— Et là ? Tu lui as dit ?

— Non. Lorsqu'il est entré dans la chambre, je lisais le message. J'ai pogné les nerfs et il a capoté parce que je fouillais dans son cell. On s'est engueulés solide et il est parti.

— Solide, oui ! renchérit Cori, qui devait avoir entendu la scène.

— Il t'a expliqué qui était la fille ?

— Non, il faisait juste dire : « Criss ! Je ne peux pas croire que tu fouilles dans mon téléphone… Depuis quand ? » blablabla, et il gueulait, explique Sacha.

— Il n'a pas tort, que je glisse doucement.

— Je n'aurais jamais découvert ça sinon, se justifie-t-elle.

— Peut-être que c'est une fille pas rapport, que je tente pour la calmer.

— Qui lui dit qu'il était beau ?

— Ouin… J'avoue que c'est un peu bizarre.

Pendant un moment, nous discutons ensemble des circonstances de sa découverte. Coriande, tout comme moi, croit qu'elle n'aurait pas dû espionner son téléphone. Mais Sacha n'a pas tort de dire que sans ça, elle n'aurait rien découvert. En fait, c'est le discours de la plupart des filles fouineuses. «Une chance que je l'aie fait, sinon...» Mon opinion sur le potentiel adultère d'Hugo? Je ne dirai jamais ça à mon amie, mais malheureusement, je ne crois pas hors de tout doute qu'il soit innocent. J'ai connu You Go comme le chaud lapin de la péninsule gaspésienne. Les «trips» à trois, six, douze (j'exagère à peine) faisaient partie de son quotidien. Sa vie semblait presque pensée en fonction du pluralisme sexuel. J'aimerais vraiment croire qu'il est fidèle à mon amie. Honnêtement, il s'avère possible qu'il ait flanché. Une chose est certaine, je me sens incapable de faire part de mon soupçon à Sacha.

— Belle conne encore cocue! Simonaque que je dois être poche au lit, hein? se torture-t-elle.

Pauvre chouette, ses *chums* l'ont presque toujours trompée. Je souhaite tellement qu'Hugo ne soit pas du lot.

— Laisse passer la journée d'aujourd'hui et tente de lui parler demain, que je propose.

— Je m'occupe d'elle ce soir, me rassure Cori.

— Toi maintenant, parle-nous un peu, question de me divertir, m'implore Sacha.

Je leur raconte brièvement les origines de la ville où je me trouve ainsi que mes expériences de spectatrice curieuse des derniers jours. J'évite le sujet «Bobby et moi sommes amoureux par courriel» pour ne pas détonner face à l'univers de Sacha qui vient de s'écrouler. Avant de raccrocher, je les observe ouvrir une bouteille de vin en leur donnant rendez-vous trois jours plus tard, afin de connaître le déroulement relativement à la découverte troublante.

En fermant la caméra, je suis en colère après Hugo. S'il a fait l'idiot, je le tue ! Voici un désavantage quand son meilleur ami sort avec une grande amie. Naturellement, cette histoire fait remonter en moi une anxiété liée à une certaine attachée de presse *sexy*. Est-ce que les hommes sont tous infidèles ou quoi ? Le pénis volage est-il un incontournable contemporain ? Pourquoi avoir besoin de coucher avec d'autres femmes quand on en a une ? L'insatisfaction ? L'instinct de reproduction ? Tout ça me rend sceptique de nouveau par rapport à lui. Je regarde ma boîte de courriels. Rien. Bobby ne m'a pas réécrit… Rien pour diminuer mon angoisse du moment.

Une star de Los Angeles

En entrant dans ma chambre d'hôtel, je ne remarque même pas le décor hideux (du genre draperie et literie en velours bleu) et je sors mon drap et ma taie d'oreiller (truc # 7) afin de faire une sieste bien méritée. J'ai encore passé la nuit dans le train pour atteindre Agra. Les vendeurs (pas gênés) ont passé la nuit à venir me proposer (en criant) leur nourriture directement dans ma couchette. Euh… non ! Je ne veux pas de samosa[22] ou de pakora[23] à quatre heures du matin ! Je prendrais bien un sac de silence, accompagné de paix, s'il vous plaît. Combien c'est ? Ils sont terribles ! La façon de gérer le respect de l'autre semble bien différente ici par rapport au Québec. Je ferme les yeux…

---

[22] Beignets indiens populaires, de forme triangulaire, faits d'une fine pâte de blé qui enrobe une farce de légumes ou de viande.

[23] Beignets de légumes, le plus souvent faits avec des aubergines, des courgettes ou des pommes de terre.

Pourquoi hurle-t-on comme ça ? On dirait qu'il y a quatre ou cinq couples en furie qui tentent de régler leur instance de divorce dans le corridor. Vous savez le pire ? Ces gens-là ne font que discuter, tout simplement. Chaque fois que je les entends se crier dessus, je suis toujours convaincue que ça va se terminer en homicide involontaire ou en voie de fait. Eh non, les Indiens parlent fort entre eux !

Je me lève avec l'appréhension de passer une belle journée relaxante au Taj Mahal[24]. J'ai vu plein de photos et ça a l'air trop parfait ! Aux abords du site, il y a une énorme muraille qui m'empêche de bien voir l'impressionnant bâtiment blanc. J'en aperçois seulement des bouts. Il y a foule ici, c'est incroyable ! Un quart des touristes sont des étrangers, les autres sont des touristes indiens. Tout le monde paraît beau et propre. Notez ici que je présume pour le « propre », car je n'ai senti les aisselles de personne. Pour ma part, je ne dégage pas d'odeur douteuse et j'ai mis ma tunique du dimanche. En faisant la queue pour payer le droit d'accès, un couple indien me demande de prendre une photo. J'accepte. Mais comprenez bien ici : pas une photo d'eux devant l'enceinte de l'entrée. Non. Une photo de moi devant cette merveille du monde. Eh oui, je suis une superstar de Los Angeles, vous ne le saviez pas ? Je vous jure : en franchissant la douane indienne (non pas celle du Bangladesh où les douaniers se tapaient dessus), on devient une vedette internationale. Parce qu'on est blanc ? Parce que, en ce qui me concerne, je suis grande ? Aucune idée. Je sais juste que dans les lieux plus touristiques (donc là où se retrouvent les Indiens à l'aise financièrement), on prend toujours des photos de moi. C'est la même chose pour d'autres touristes, surtout pour les femmes voyageant seules.

---

[24] Mausolée de marbre blanc construit par un empereur en mémoire de son épouse. Une belle histoire d'amour indienne… C'est une des sept merveilles du monde !

Je souris en invitant la femme à venir se placer près de moi. Excitée comme si j'étais Angelina Joli, elle s'avance en replaçant son magnifique sari[25] d'un bleu poudre éclatant.

La plupart des femmes ici n'ont pas le visage voilé. Parfois, un simple voile recouvre leurs cheveux. Ma nouvelle amie porte un bijou splendide. Il prend ancrage sur le dessus de sa tête et pend jusqu'au milieu de son front. Sa paupière du bas est maquillée. Les Indiennes sont très coquettes. Son mari prend la photo avec un vieil appareil long et rectangulaire. J'avais le même quand j'étais petite. Avec un film à caméra et tout. Il lève son pouce en l'air, en reconnaissance de ma participation. Deux autres Indiens l'ont imité, mais en me prenant de côté. Gâtez-vous, je ne demande pas cher ! Comme un quatrième paparazzi lève son appareil photo dans ma direction, je lui souris en m'immobilisant. On me prend parfois en photo depuis le début du voyage, mais jamais autant que ça, quand même. Je vais me retrouver dans le *7 jours* indien, c'est sûr !

Lorsque je franchis le portail, le Taj apparaît devant moi. Je suis sans mot. C'est si gigantesque, grandiose… D'un blanc comme neige, immaculé. Quelqu'un me prend doucement le bras.

— *Picture* ?

Bon, une autre photo… Je m'exécute docilement, cette fois avec les quatre enfants du couple. Je leur souris, avant de faire de nouveau quelques pas vers la septième merveille du monde.

— *Picture please* ?

---

[25] Longue étoffe drapée portée traditionnellement par les femmes indiennes. Les femmes en sari aux couleurs vibrantes qui déambulent dans les rues donnent à l'Inde des allures des contes des *Mille et Une Nuits*.

Voyons ? C'est une farce. Ils sont là devant cette splendeur et ils me prennent moi en photo ? Les amis, regardez devant vous le truc blanc, c'est ça que vous êtes venu voir. Deux autres couples approchent avec leur appareil. C'est ridicule ! Ils me posent à leur tour. Non mais, je vais m'installer un kiosque : posez avec Mali, la bête de foire ! Je me sauve, car je veux visiter ce monument.

La situation se répète (avec abus) durant tout le temps que dure ma visite. Résultat : une cinquantaine de photos accompagnées chaque fois d'une cinquantaine de questions concernant mon mari. Qu'ils sont curieux, ces Indiens ! C'est sûrement parce que je suis toute seule. Sur le site, je croise beaucoup de touristes en couple qui semblent avoir la paix, eux.

Je quitte le lieu, quelque peu déçue de toutes ces perturbations. Moi qui croyais faire une petite méditation de vingt minutes, dans les jardins, devant le Taj Mahal. On oublie ça ! Moi-même, je n'ai pris que trois ou quatre photos durant ma visite. Mon *chum* vit ça presque tous les jours. Jamais autant, mais tout de même. J'ai trouvé ça tellement désagréable, je me demande si lui...

Curieusement, la patiente expérimente un phénomène social pouvant s'apparenter à une forme de réalité quotidienne pour son conjoint. Elle réfléchit au dérangement que cela lui a causé en se questionnant sur la perception de son conjoint à ce sujet. En est-il parfois importuné, tout comme elle l'a été ? Visiblement, Madame Allison pense beaucoup à lui...

Je marche le reste de l'après-midi avant de manger. Il est dix-huit heures lorsque je rentre à ma chambre pour prendre une douche froide (eh oui, rien d'autre) et faire un dodo bien mérité. Angelina est très fatiguée...

Ça aussi c'est illégal, Sacha !

Il est sept heures lorsque je sors du lit, et je me sens dans une forme olympique. J'ai fait le tour de l'horloge dans les bras de Morphée ! Excitée, je me rends au café Internet dès son ouverture, à huit heures. Je suis partie depuis deux semaines, et je m'ennuie beaucoup. Maintenant que je vis en groupe, je suis moins habituée à être complètement seule. Notre dernière discussion remonte à trois jours et j'ai bien hâte de savoir pour Hugo. Je me branche sur la webcam et je compose le numéro des filles.

— Allô ! que je m'exclame en voyant Ge apparaître à l'écran.

— Allô ! Comment vas-tu, Mali ?

Je lui raconte quelques anecdotes en rafale avant de lui demander :

— Sacha est là ?

— Oui, la police ne l'a pas amenée au poste… Elle est là…

— Comment ça, la police ? que je m'étonne, les sourcils en diagonale.

— Elle va te l'expliquer…, affirme Ge en se levant pour laisser la place à Sacha.

— Allô, débute-t-elle, ambivalente.

— Qu'est-ce que t'as fait ? que je la presse, inquiète.

— C'est tellement con !

J'entends Coriande crier : « Sur le coup, ce n'était pas si drôle, mais ce soir, on en rit… »

— Quoi ? que je m'impatiente.

— Presque rien… J'ai pogné un *ticket*, mais à pied.

Je perçois en sourdine l'amusement des consœurs.

— Comment ça à pied ?

— C'est tellement n'importe quoi ! Le soir où on t'a parlé, Cori a généreusement accepté de sortir avec moi pour me changer les idées. Naturellement, comme j'étais légèrement en colère après Hugo, j'ai mal canalisé ma rage en consommant abusivement de la boisson, tu comprends ?

— OK, dis-je pour l'encourager à arriver aux faits.

— Par la suite, j'ai déplacé de nouveau cette colère, mais sur quelqu'un. Tu comprends toujours ? Le mécanisme de défense, c'est quoi ? Le déplacement ?

— Je ne sais pas, ça dépend de la situation…

— En revenant aux petites heures du matin, on a traversé à une intersection sans trop regarder des deux côtés, donc on n'a pas vu la voiture de police.

— Et puis vous faisiez juste marcher, que je spécule.

— Oui, mais à Montréal, c'est obligatoire d'attendre le signe de passage pour piéton…

— Ils donnent des *tickets* pour ça ?

— Eh oui madame ! Mais jusque-là, ce n'est encore pas si mal. Les policiers ont actionné les gyrophares avant de nous interpeller. Et là, ç'a dégénéré…

— Tu ne t'es pas battue avec un agent quand même ? que je commente, amusée.

— Presque ! crie Cori à l'arrière.

Je fixe Sacha sans dire un mot, en ayant soudainement peur de la suite.

— Devine quel policier est sorti du char ? Eh oui, le jeune connard qui est venu ici lors de notre plainte contre la femme de ménage.

— Ah non…, que je déduis en imaginant la suite.

Cori se montre à l'écran.

— En s'approchant, le gars lui a dit « Je te connais, toi… » Sacha a répondu : « Bien oui, t'es venu faire ton frais chez nous en tenant ta ceinture comme quelqu'un qui est don' fier d'être dans la police… » Le gars a souri en lui expliquant qu'il allait lui donner un billet d'infraction pour avoir traversé la rue sans le signe allumé. Juste pour la faire suer encore plus, il a précisé qu'il ne m'en donnait pas à moi, car il n'avait pas bien vu si j'avais traversé ou pas.

— Il est baveux le petit maudit ! rage Sacha.

— C'est con.

— Ce n'est pas tout. Sacha a fini par le traiter, délicatement, de « petit frais chié », en rongeant le lampadaire près de nous tellement elle était enragée. Le policier l'a menacée de l'amener au poste et de l'accuser de voie de fait envers un agent de la paix.

— Voyons donc ! que je m'insurge, en imaginant bien Sacha complètement furieuse.

— Disons que j'étais un peu en colère et un peu paquetée, faut le dire, avoue-t-elle.

— Après que Sacha l'ait traité amicalement de « trou de cul », le policier l'a ensuite menacée d'ajouter un chef d'accusation d'ivresse publique à la liste, explique Cori en riant.

— Pas vrai ? que je crie, traumatisée.

J'entends Ge et Cori s'esclaffer de nouveau.

— Elle gueulait encore plus, qu'est-ce que tu penses ! raconte Cori.

— Un peu plus et je lui sautais dessus, confie Sacha.

— T'es terrible !

— Finalement, l'autre policier, qui a déduit qu'un litige avait probablement déjà eu lieu entre les deux, a calmé un peu son collègue et elle a juste eu le *ticket* pour « traversée de piéton illégale ».

— Imagine, je me serais fait réveiller à trois heures du matin pour aller chercher ces deux saoules-là au poste de police, commente Ge en venant se placer le visage derrière les filles.

— Je ne peux pas vous laisser toutes seules quelques semaines, hein ? que je rigole en secouant la tête de gauche à droite.

Les filles se retirent de la caméra pour laisser Sacha en tête-à-tête avec moi. Elle m'explique la situation avec Hugo. Il lui a avoué que c'était une fille de son bureau qui le « cruisait ». Il lui a promis qu'il ne s'était rien passé, mais qu'il s'est laissé flatter dans le sens du poil un peu. Ouf ! Il n'a pas trop fait l'idiot, finalement. Depuis, l'ambiance est un peu ordinaire, car

Sacha a tout de même fouillé dans son téléphone. Le couple bat quelque peu de l'aile, mais Hugo a juré d'informer cette fille qu'il est en couple. Sacha a promis devant Dieu de ne plus jamais espionner son cellulaire.

Ge vient me dire au revoir. Elle s'en va rejoindre Rick.

— Bon, je dois vous laisser aussi, que j'annonce en voyant l'heure. Ça va me coûter les yeux de la tête !

— Parfait ! On se reparle bientôt !

— Gros bec ! *Bye bye* !

En raccrochant, je songe à cette histoire avec Hugo. Qui a le plus tort dans tout ça ? Est-ce si illégal de se laisser légèrement « cruiser » par quelqu'un quand on est en couple ? Je ne sais pas. Où est la limite ?

Bobby…

J'ouvre ma boîte de courriels. Toujours rien. Voyons ! Il est donc bien occupé dans Paris, lui !

Comment ça, baiser ?

« Salut Mali,

Excuse-moi du délai, j'ai fait deux *shows* télé et beaucoup d'entrevues en quelques jours. Les critiques du spectacle sont très bonnes et je suis en demande ici ! C'est le *fun* Paris, mais je commence à avoir hâte de revenir. Mononcle veut se coucher sur son divan tranquille ! En plus, comme je te disais, je suis tout le temps tout seul. Matt baise sans arrêt dans sa chambre d'hôtel avec la fille qui nous accompagne. Deux vrais lapins, j'te jure !

Sinon toi, c'est comment ? Tu es toujours seule ou tu rencontres des gens agréables pour faire un bout de chemin avec toi ? J'ai très hâte de te voir. Et pour ce que tu m'as dit dans ton dernier message, tu ne dois pas avoir peur de me parler, voyons. Je ne suis pas un taré quand même ! Je suis capable de t'écouter...

Sur ce, je t'embrasse très très fort et prends bien soin de toi pour me revenir en un seul morceau ! xxxxx »

Avouez que c'est une nouvelle fantastique ! Sans courriel depuis quelques jours, je paranoïais encore plus. Je souris béatement dans le café Internet. C'est Matt Damon qui se tape la Gingras ! Soulagement. Je ne lui réécris qu'un court message, étant donné que je suis ici depuis presque une heure.

« Salut *sexy*,

Comme ça Matt s'envoie en l'air dans tout Paris ? Je ne savais pas qu'il fréquentait la fille qui est avec vous...

Pour ma part, je suis toujours toute seule, mais c'est bien comme ça ! Je suis bien, ça fait changement du brouhaha du *condo*. J'ai visité le Taj Mahal hier. Je comprends un peu ta vie d'artiste, car les gens ici me prennent constamment en photo, comme si j'étais la chanteuse de l'année ! Très bizarres ces Indiens !

Je te laisse, car je dois quitter le café Internet. Je te réécris demain ou après-demain.

Gros bec aussi, je m'ennuie de toi.

Ta puce, xxxxx »

Je paie le type du café avant de sortir pour aller déjeuner. Je déniche une petite terrasse sympathique.

La patiente semble très soulagée de cette nouvelle rassurante. Ses angoisses latentes viennent de disparaître en fumée au moment même où elle prenait connaissance de la réalité. Introspection à réaliser : Madame Allison doit analyser l'énergie qu'elle a dépensée et les conséquences de ses spéculations. Un voyage en Inde pour refuser d'affronter la réalité ? Je trouve sa démarche quelque peu excessive.

Je feuillette ensuite mon livre-guide de voyage pour planifier les prochaines activités que je pourrai faire dans la ville où je me dirige, en fin de journée. Quelqu'un m'interrompt dans ma lecture. Un touriste me demande en anglais si je connais une agence de voyages non loin d'ici pour acheter un billet de train.

Comme je décèle son accent, je tente une question :

— Tu parles français ?

— Oui ! Toi aussi, super !

Nous entamons une conversation d'usage sur les origines de chacun. Samuel vient de la ville de Québec, mais il passe la plupart de son temps en France, car il travaille en tourisme. Très drôle ! Évidemment, il prend place à table avec moi. On m'apporte mon repas. Il commande le sien. Nous discutons de nos expériences de voyage respectives en ne parlant que peu de notre vie de tous les jours. Les anecdotes de voyage sont bien plus savoureuses.

— Donc, tu pars pour quel endroit, si tu cherches à acheter un billet ?

— Le Rajasthan. À Jaisalmer plus précisément.

— C'est là que je m'en vais !

Pas surprenant que ce soit la ville qu'il ait choisie, c'est la place pour visiter les attraits touristiques le long du désert de cette province.

— Il y a deux trains aujourd'hui.

Du coin de l'œil, je l'observe manger gloutonnement son repas. Il porte un chandail en lin beige un peu trop ample pour lui, assorti à un short long kaki, comme dans l'armée. Une mèche brun foncé lui colle à la tempe à cause de la chaleur accablante. Le reste de sa tignasse se dresse en boucles plus ou moins définies sur sa tête. Deux bracelets de cuir ornent son poignet droit.

Je lui explique les activités que l'on peut faire d'après mon livre, car je venais tout juste de le consulter. Le trek en chameau semble visiblement un incontournable.

— Je rejoins deux couples d'amis français qui sont déjà là-bas. Tu devrais te joindre à nous, ils sont super gentils.

— Pourquoi pas !

Le gars semble vraiment sympathique. Un costaud de peut-être trente-cinq ans. Bon, ne paniquez pas ! Il ne m'intéresse pas. De toute façon, je suis en couple et très heureuse de l'être… surtout depuis ce matin ! Après avoir payé chacun notre addition, nous nous dirigeons vers une agence pour acheter son billet de train. Le trajet sera moins pénible à deux. De plus, j'aurai un mari en chair et en os pour une fois ! Juste pour les besoins de la cause…

J'aime les vaches sacrées

Je suis moins exténuée cette fois-ci que lors de mes derniers déplacements en train. Nous rions en nous racontant les faits cocasses de notre périple nocturne.

— Le gars en dessous de toi ronflait tellement, c'était pas croyable !

J'en ris encore en marchant dans la rue. Je dois même faire attention de ne pas foncer dans une vache qui emprunte le même chemin que nous.

Eh oui ! Inde = vaches sacrées. Partout !

➡ **Truc de routarde professionnelle # 8 : en Inde, regardez où vous mettez les pieds !**

Un million de vaches déambulent librement dans les rues des villes, des villages et des petits hameaux de l'Inde. Elles mâchouillent du papier journal ou des restes d'aliments que les gens jettent pour elles. Elles font aussi de belles grosses bouses partout. Résultat : beaucoup de chevilles de touristes tordues par des glissades-surprises sur leurs excréments ! Des galettes immenses, mais à la longue, on ne les voit presque plus.

— T'as vu les deux enfants qui sont entrés dans le train en courant ? Je crois qu'ils ont volé une dame, à quelques sièges de nous.

— Non, je n'ai pas remarqué, avoue Samuel.

Une autre grosse vache vient dans notre direction. Compte tenu des centaines de personnes qui déambulent dans la rue, il y a parfois des bouchons de circulation… à pied !

— Attends, celle-là est trop belle. Je la prends en photo, affirme Samuel en prenant son téléphone intelligent.

Des couronnes de fleurs sont accrochées à ses cornes.

— C'est son habit du dimanche, que je plaisante en la prenant aussi en photo.

— Regarde ! s'exclame Samuel, émerveillé.

Un homme avance dans la rue en tenant la bride de deux dromadaires. À quelques mètres de nous. Avouez que c'est l'extrême de l'exotisme !

— *Cool* ! que je m'anime en braquant mon appareil photo sur ces magnifiques bêtes.

Nous nous regardons, ravis par la scène. Je pense à quel point c'est agréable de partager ce genre de moments avec quelqu'un. Lorsque je voyage seule, c'est l'aspect qui me manque le plus. « Regarde ceci ! » « Admire cela ! » Parfois, on aurait envie de crier à son partenaire à quel point c'est beau, magique. Mais on se retourne et il n'y a qu'une vache.

Samuel et moi prenons quelques clichés supplémentaires de la rue bondée autant de monde que de ruminants. Nous ressemblons à deux enfants qui prennent des photos en rafale, en ciblant plus ou moins précisément leur cible. Il me regarde, je lui souris. Il est vraiment aimable, ce gars-là. Super calme, désinvolte, en contrôle de sa personne. Si les Indiens se butent contre lui par insouciance, il se retourne, leur fait un sourire, me dit que ce n'est pas grave. Le contraire de mon Bobby-hyperactif-énervé-impatient ! Mon *chum* aurait probablement déjà accumulé deux ou trois voies de fait en territoire indien. Non, j'exagère, mais la tolérance n'est pas une de ses grandes vertus.

— On va rejoindre mes amis à leur hôtel ?

— Dans la forteresse ?

— Je pense que oui, tente de déduire Samuel, en suivant une carte de la ville dans son livre de voyage.

Jaisalmer est une ville indienne aride de la province du Rajasthan, construite au milieu du désert et entourée d'un mur de pierre d'environ dix mètres de hauteur, sur lequel sont édifiées d'immenses tours qui ont dû servir à protéger les populations sédentaires d'autrefois. Maintenant, c'est un lieu résidentiel et commercial, autant pour les gens locaux que pour les touristes nomades. Au fil du temps, la population a déserté la forteresse pour s'agglomérer à l'extérieur de son enceinte. L'intérieur des remparts reste la partie pittoresque où les touristes, comme Samuel et moi, veulent dormir. Mais attention : il paraît qu'il faut se donner des points de repère quand on s'y déplace pour retrouver son chemin.

Je comprends maintenant pourquoi. Dès que nous avons franchi la porte principale, une petite place publique centrale donne sur de nombreux chemins à peine plus larges qu'un mètre et demi.

— C'est un vrai labyrinthe ici ! souligne Samuel, amusé. As-tu ta carte ?

Je tourne quelques pages de mon livre.

— Oui, je l'ai.

— L'hôtel que nous cherchons, c'est le Chanti Desert. On passera par deux chemins différents pour voir qui de nous deux s'oriente le mieux.

— Parfait ! que j'accepte, en supposant que notre hôtel se trouve au milieu de la forteresse de toute façon.

— Je prends la droite. Bonne chance ! s'exclame Samuel, tout sourire, en s'éloignant d'un pas rapide.

— Super !

Je pars vers la gauche. Je longe les murs et tombe sur une ruelle en face de moi. Si je l'emprunte et que je tourne ici, je déboucherai sur celle-là qui mène à une autre, qui croise celle où se situe l'hôtel. Simple ! Je pars en trombe.

— EH ! que je crie en entrant en collision avec un objet non identifié.

Je lève mes mains en l'air pour signifier que je n'avais pas de mauvaises intentions. L'immense vache beugle et rebrousse chemin pour me laisser passer. Une femme me dévisage avant de disparaître dans l'embrasure d'une porte. Zut ! J'ai eu l'air d'attaquer une vache sacrée. C'est grave ici ! Imaginez la scène aux nouvelles internationales : « Une touriste canadienne en voyage en Inde écope d'une sentence d'emprisonnement de six mois pour cause de voie de fait sur une vache sacrée. On a reçu un communiqué nous rassurant que la vache était hors de danger et qu'elle ne conservera pas de séquelles physiologiques. » Ridicule !

— Excusez-moi, madame ! que je déclare en passant tout près du ruminant.

Deux petites ruelles ne semblent pas figurer sur ma carte. Laquelle dois-je prendre : la première, la deuxième ou la troisième ? Il n'y pas de nom de rues, que des signes indiens incompréhensibles. Un homme vient vers moi. Bon, dans les règlements, rien n'empêchait les concurrents de demander leur chemin. Je lui mentionne en anglais le nom du gîte. Il fait un signe affirmatif de la tête et me désigne la deuxième rue. Bon, heureusement, car j'allais prendre la troisième.

Je sifflote en saluant les gens que je croise au passage. J'accélère le pas. La petite rue à droite, ensuite à gauche deux fois et j'y suis. En arrivant au fond de la ruelle, je me rends compte que je ne peux pas tourner à gauche. Il y a juste un chemin à droite. Je demande à une femme les indications pour le Chanti Desert. Elle fait un « Ennnn », comme si elle se souvenait soudainement, et me désigne une rue à droite en revenant sur mes pas. Ah oui ? Je regarde la carte. Je ne comprends plus rien. Je suis ses indications. Après tout, elle doit probablement habiter ici. Je descends la rue jusqu'au bout pour constater que je suis revenue au même coin de rue lorsque j'ai eu mon tête-à-tête avec la vache sacrée. Je demande de nouveau à un jeune homme, qui me désigne, à son tour, un chemin complètement différent. Ils se moquent de moi ou quoi ? C'est un complot indien !

On avait raison, dans mon livre, de recommander aux touristes de se donner des points de repère. Je décide d'y aller par points d'intérêt, par exemple restaurants ou hôtels, pour me rendre à bon port. Ma carte est munie d'une échelle de référence. Tous les commerces intéressants pour les touristes y sont marqués d'un chiffre. Pendant de longues minutes, je suis mon trajet en identifiant chaque endroit que je croise. Je perçois enfin, sur le mur de pierres, l'insigne de l'hôtel. Samuel se trouve dehors, assis sur son sac de voyage, tout sourire.

— J'étais pour appeler la police montée sur chameau ! déclare-t-il, amusé.

— J'ai fait plein de détours qui m'ont fait perdre beaucoup de temps, que je déplore, mauvaise perdante.

— Laisse-moi deviner : t'as demandé ton chemin à des Indiens ?

— Oui, et je ne sais pas où ils habitent, mais ils ne connaissent pas du tout leur forteresse !

— Mali, on ne demande jamais son chemin à un Indien. Je ne sais pas pourquoi, on dirait qu'ils ne veulent jamais admettre qu'ils ne le savent pas, donc ils disent n'importe quoi.

— Je n'avais jamais remarqué cela…

— Regarde, on va faire un test. Va voir quel est le nom du resto, là-bas.

Je marche vers le restaurant, au coin d'une ruelle, à quelques mètres de l'hôtel.

— Good Food ! Original comme nom ! que je commente à mon retour.

— Observe bien le phénomène social incontestable…, me met en haleine Samuel.

Nous nous dirigeons un coin de rue plus loin pour effectuer notre expérimentation. Samuel accoste le premier homme venu et lui demande poliment en anglais la rue du restaurant Good Food. L'Indien fronce les sourcils en montrant un chemin complètement à l'opposé du restaurant. Nous le remercions et faisons semblant de nous diriger vers l'indication en question. Samuel me donne un coup de coude.

— Tu vois !

— C'est con, pourquoi ils font ça ?

— Tu vas voir, on fait un autre essai.

Cette fois-ci, il aborde une femme. Celle-ci pousse un cri comme si elle connaissait très bien l'endroit. Elle nous donne toutefois une mauvaise direction.

— On pourrait tourner en rond comme ça des jours durant.

Il fait le test avec un autre jeune homme, qui nous donne en revanche la bonne indication.

— Comment on fait, me demande Samuel, pour savoir lequel des trois avait raison ?

— J'avoue ! C'est drôle.

Le pire, c'est qu'en répétant l'exercice, je me rends compte que j'aurais dû remarquer le phénomène bien avant. J'ajoute à l'instant un truc à ma liste :

➥ **Truc de routarde professionnelle # 9 : en Inde, ne demandez jamais votre chemin à un Indien !**

— Bon, on retourne prendre une chambre ! Je pense que mes amis sont sortis manger.

Comprenez ici qu'il veut dire « chacun une chambre ». Donc deux chambres. Il est à croquer le beau Samuel, mais je suis à des années-lumière de penser à tromper mon *chum* avec lui… Ne craignez rien. Je sais que vous avez déjà été témoin d'une de mes idylles romantiques en voyage (Ludovic), mais j'étais totalement célibataire à cette époque, voire une membre active d'une consœurie de pluralisme sexuel. Ce n'est pas le cas aujourd'hui. Juré craché !

Michael Jackson

« Salut bébé,

Je m'en vais en trek à dos de chameau (plutôt de dromadaire avec une bosse…) et je dormirai dans les dunes ! T'imagines ? C'est vraiment excitant ! La ville où je me trouve est à environ cent kilomètres du Pakistan, en plein milieu du désert, et mon hôtel est dans une forteresse ancienne. C'est vraiment spécial. J'ai hâte de te montrer mes photos.

La vie est douce et paisible, mais le voyage s'écoule vite. Déjà plus de la moitié… La bonne nouvelle au bout du compte : toi ! J'ai si hâte de te voir !

Gros bec partout partout.

Mali xxxx »

Mon message a été rédigé quelque peu à la hâte, car Samuel et ses amis m'attendent pour le départ.

Lorsque nous arrivons au lieu indiqué, une minifourgonnette nous conduit au « repère des dromadaires ». Avant de nous faire descendre du véhicule, le guide nous demande solennellement :

— *Veggie or meat ?*

Toujours cette question ! Sans surprise, je réponds « veggie ». Samuel aussi. Les deux couples de Français, qui seront de l'expédition avec nous, répondent sans hésiter : « meat ». En plein désert, que leur servira-t-on ? Des lézards farcis ? Des serpents à sonnette grillés ?

Notre guide me présente LA bête, ma monture, mon partenaire du désert... Un gros spécimen brun couvert de taches noires. En fait, il a la tête presque toute noire.

— Michael Jackson, me dit notre guide.

Ce dernier, il faut le dire, ne parle pas beaucoup anglais.

— Ah, Mali est tombée sur le défunt roi de la pop ! s'amuse Samuel.

On lui amène, au même moment, son propre chameau.

— Bien oui. Bonjour, dis-je en m'approchant de l'animal pour fraterniser avec lui.

Je l'observe. Curieusement, les dromadaires ont tous l'air de femelles. Leurs longs cils leur donnent tous des grands yeux de biches. J'avance ma main pour flatter son long cou. Soudain, il tourne sa tête vers moi pour me mordre.

— *Hey !* que je crie en rapatriant rapidement ma main.

— *No problem !* me rassure le guide indien.

Il s'approche de l'animal pour le caresser ; ce dernier se laisse faire docilement.

Il y a un problème certain ! Michael a voulu me croquer !

— Petit effronté ! que je susurre en défiant Jackson du regard.

Je me retourne vers le reste du groupe et constate jalousement que chacun fraternise avec son propre chameau. Ils semblent vraiment tous plus gentils que le mien. Ce n'est pas juste !

Une fois en selle, je me sens plus en sécurité. Plutôt : je me considère moins accessible... Le guide vient vers moi et me tend un sac de jute. Tous les chameaux sont harnachés. Leurs grosses sacoches servent à transporter le matériel pour l'expédition. Le guide insère ledit sac du côté droit de la cargaison de Michael. On dirait que son contenu bouge. À me voir observer curieusement la chose, notre accompagnateur juge bon de me préciser :

— *Meat*.

Meat ? Qu'est-ce ? J'ouvre. Incroyable ! Il y a une poule vivante dans le sac. Je fais part de la nouvelle aux Français, qui gloussent en me remerciant de transporter leur repas.

C'est un départ.

Barbra Streisand

Après plus de deux heures de route, nous faisons une pause. Tant mieux, j'ai doublement mal aux fesses. Premièrement, à cause du dos de Michael : c'est peu confortable, cette selle ; deuxièmement, à cause de cette poule de malheur (que nous avons affectueusement nommée Barbra Streisand). Elle sort la tête de son sac toutes les dix minutes pour me picorer les fesses.

Le guide et le cuisinier nous installent des couvertures sous un petit buisson rabougri. Ils laissent Barbra se promener à sa guise. Si elle savait, elle filerait en douce…

Après avoir mangé (non pas Barbra, mais autre chose), le guide me fait signe d'attraper le volatile pour le remettre dans le sac. Ah ! D'accord. Je suis dorénavant responsable du festin des Français !

Avant de repartir, je propose à une des Françaises d'échanger nos appareils photo pour avoir des souvenirs de l'excursion.

— Non, prends-en de nous. On en prendra de toi et on se laissera nos coordonnées pour partager les photos !

— Ah ! Parfait !

Quand je remonte sur le dos de Michael, l'impoli tente de me croquer une seconde fois. Cela amuse le guide, qui me redit le même commentaire rassurant :

— *No problem !*

No problem, mon œil ! Il veut me dévorer la main chaque fois que j'approche de lui. Contente-toi de me porter, Jackson ; et je t'avertis à l'avance : oublie ton pourboire !

Il fait une chaleur suffocante ; nous avançons lentement. L'eau de ma gourde est brûlante, mais il faut la boire quand même, car la sueur qui perle sans arrêt sur mon front prouve que je perds beaucoup d'eau. Les dunes paraissent de plus en plus denses, le vide nous entoure. C'est incroyable ! Les contes des *Mille et Une Nuits,* c'est maintenant. Je suis une princesse arabe qui s'en va rejoindre son prince, dans un château, de l'autre côté du désert. Quand j'arriverai au palais, je prendrai un bain de lait parfumé de roses et mes serviteurs m'éventeront à l'aide de grandes plumes blanches… Bon, je crois que j'ai un coup de chaleur ! On arrive bientôt ?

Après deux heures de route, nous y voilà. En fait, je ne sais pas à partir de quels indices ils ont décidé que nous allions passer la nuit à cet endroit précis, car il n'y a aucun point de repère. Que du sable. Nous nous trouvons au milieu de nulle part, à cinq heures de route (en dromadaire) de la forteresse, perdus dans les dunes d'un désert longeant la frontière du territoire pakistanais. Une bande de terroristes pourraient faire halte ici et tous nous descendre sans que personne n'entende plus jamais parler de nous. Je ne réfléchis pas longtemps à cette éventualité, car la seule chose que je veux, c'est descendre de ce satané Michael bougon. Barbra sort en douce de son sac pour me picorer de nouveau l'arrière-train.

— Aïe ! Pétasse ! que je gueule.

Tout le monde s'esclaffe pendant que j'atterris sur le sable fumant. Une fois les pieds sur terre, je scrute l'horizon. Rien en vue d'autre que du sable. La chaleur est si suffocante qu'un voile opaque semble recouvrir les dunes. Je vois tout à coup un minuscule point noir bouger au loin. Je plisse les yeux en montrant mon hallucination aux autres.

— Ce doit être un animal, réfléchit Samuel.

Nous fixons le point pendant un long moment avant qu'il ne devienne plus clair. C'est une personne ! Les guides ont l'air de s'en soucier comme de leur queue de chemise. Nous nous asseyons sur des couvertures, en observant toujours la forme humaine qui gambade dans le sable.

— Ce doit être quelqu'un de perdu, panique une des Françaises.

— Probablement assoiffé et affamé, renchérit son mari.

— Mais une chance, il nous a repérés. Il vient droit sur nous, les rassure Samuel.

Après encore de longues minutes d'observation, je m'écris, prise de panique :

— Mon Dieu ! On dirait un enfant !

— Nonnnnnn ! s'exclame une des Françaises en portant sa main à sa bouche, inquiète.

Effectivement, un petit garçon d'à peine six ou sept ans, nu-pied, avance vers nous en portant un sac de jute sur le dos. Je me lève pour prendre ma gourde d'eau chaude.

— Il doit avoir extrêmement soif...

En arrivant à notre camp de base, le petit Indien s'agenouille, essoufflé. Nous le saluons en anglais. Il reprend son souffle difficilement et nous lance tout bonnement :

— *Cold beer ?*

— Hein ? que je m'exclame en le regardant sortir quatre grosses bières glacées de son havresac.

— Un livreur de bières ? pouffe un des Français.

Samuel se jette à genoux en criant :

— Alléluia ! C'est un miracle !

Tout le monde éclate de rire. Nous avions vraiment imaginé un scénario dramatique avec notre enfant-assoiffé-perdu-dans-le-désert. Si ça se trouve, nous ne sommes peut-être qu'à un ou deux kilomètres de la ville. Nous avons probablement tourné en rond pendant des heures. N'importe quoi ! Et ce vendeur de bières qui surgit de nulle part...

— Bien moi, j'en veux une ! clamé-je haut et fort.

Nous lui achetons la totalité de son stock qu'il ne vend pas cher, compte tenu de la rareté du produit et de sa fraîcheur. Nous lui donnons tout de même de l'eau avant qu'il ne reparte vers la même direction par laquelle il est arrivé. Le guide et le cuisinier sortent des verres de leur bagage et nous dégustons le houblon. Mmmm ! La meilleure bière de toute ma vie, je vous le jure. Elle glace ma gorge en coulant dans le gosier. Du pur bonheur, en gros format en plus.

Le cuisinier semble maintenant prêt à préparer le repas. Il se dirige dangereusement vers Barbra, qui gambade nonchalamment autour de nous. Il la saisit à deux mains.

— Non, on ne va pas assister en direct à son assassinat ? que je m'insurge. On a tissé des liens elle et moi en se baladant ensemble toute la journée…

— Vous êtes des meurtriers ! accuse Samuel en regardant ses amis.

— On mange Michael Jackson à la place, que je propose, en fusillant du regard mon dromadaire qui est paisiblement couché devant nous.

Sans que nous ayons la chance d'en discuter davantage, le cuisinier pose Barbra sur une petite couverture et… Je détourne la tête pour ne pas voir la suite.

— Feu Barbra, s'exclame un des Français en baissant la tête en guise de respect pour la défunte.

— Santé, tout le monde ! lance Samuel, ironique, en levant son verre de bière.

En regardant de nouveau les dunes, je réfléchis en silence : « Est-ce vraiment si important d'être loin, perdu dans le désert, pour apprécier l'aventure à sa juste valeur ? Non… Même près de la ville, le dépaysement est suffisant ! »

Michael Jackson dérange ma quiétude de façon impolie, en blatérant bruyamment dans ma direction. Ah celui-là !

Je n'aime plus les vaches sacrées

Le lendemain, de retour dans la forteresse en fin d'après-midi, je suis complètement épuisée. Non mais, la nuit à la belle étoile dans le désert, c'est vraiment exotique à raconter dans un souper, mais la vivre ? Dieu du ciel ! Vous saviez qu'à la tombée du jour, dans le désert, des centaines de scarabées géants sortent des dunes pour prendre le frais ? Vous saviez aussi qu'hier c'était la pleine lune et qu'elle éclairait au point que j'avais l'impression de dormir sous les projecteurs d'une table d'opération ? Vous saviez également qu'un dromadaire, ça ronfle ? Michael devait être congestionné, car il a fait des bruits nasaux pendant toute la nuit. Finalement, vous saviez que dormir en plein air dans le désert, ça fait un peu peur ?

L'agence de voyages vendait aussi des excursions de trois jours dans le désert. Une chance que nous n'ayons opté que pour deux, je ne sens plus mes fesses. Je crois que j'ai déjà des ecchymoses. À vrai dire, je n'y aurais vraiment pas passé une autre nuit. J'ai faim. Le repas d'hier était bon, mais très léger. Barbra était savoureuse, à ce qu'il paraît.

En marchant jusqu'à l'hôtel avec mes nouveaux amis, je repère dans une ruelle un kiosque où on vend des raisins verts. Ah oui, de bons fruits frais !

— Attendez une minute.

Je m'approche du comptoir et souris au vendeur. Je lui montre du doigt les fruits qui m'intéresse. Bien entendu, il me tend une grappe de raisins abîmés et défraîchis. Je lui fais « non » de la tête, et j'en cherche une à mon goût. Il me tend un sac.

Tout à coup, je reçois un violent coup dans le postérieur. Comme le chariot devant moi m'empêche de tomber sur le sol, je me retrouve dans la cargaison de raisins, les bras écartés de la largeur des épaules, les mains bien à plat dedans.

— Ayoye ! que je beugle en ne sachant toujours pas ce qui m'a frappée par-derrière.

Je me retourne. Une grosse vache maugrée en s'éloignant de quelques pas. Le vendeur rit.

— Voyons donc ! que je crie à la vache, comme si celle-ci pouvait être consciente de son geste.

Je regarde l'Indien, qui rit toujours. Je lui hurle en français :

— C'est vraiment pas drôle !

Il se moque complètement de mon air enragé et continue à s'esclaffer. Simonaque ! Je me suis fait encorner ! Heureusement, les cornes des bêtes ici sont suffisamment écartées que seul son large front a percuté mon postérieur.

— Nourrissez-les vos criss de vaches sacrées ! que je beugle devant l'homme qui rit encore de plus belle de me voir hors de moi.

Samuel, qui s'aperçoit que quelque chose semble clocher, se dirige rapidement vers moi. Entre-temps, l'Indien me fait un signe de dollar avec ses doigts, en me désignant les raisins que j'ai écrasés dans ma chute.

— Et tu veux que je paie ça en plus ? Laisse faire ! que je fulmine en m'éloignant du kiosque.

Je rejoins Samuel, qui arrive près de moi.

— Ça va ?

— Eille ! Je me suis fait encorner solide par une vache, que je lui raconte en prenant mon derrière à deux mains.

— T'es blessée ?

— Non, je ne pense pas. Mais j'avais déjà le derrière en compote, ça va juste être pire. Ce ne sont pas des vaches sacrées, ce sont des vaches qui font sacrer !

En passant près de mon assaillante, je la défie du regard. Elle ressemble étrangement à celle contre laquelle je me suis butée avant-hier. La vache voulait peut-être se venger...

Je ne suis pas cave !

— Allô, dis-je en voyant la binette de Ge apparaître à l'écran.

— *Hey !* Où es-tu rendue ? me demande-t-elle.

— Je suis de retour à Delhi. J'y passerai quelques jours avant de reprendre l'avion pour la Thaïlande.

— Tu reviens déjà ? dit-elle, surprise.

— Non, je vais aller plonger une semaine dans une île, pas loin de Bangkok.

— Ah oui ! C'est une vraie passion pour toi !

— Oui... Ça va Ge ? Je te trouve bizarre. T'es comme pas naturelle.

— Ça va super bien, me déclare-t-elle.

— Je ne te crois pas. Qu'est-ce qui est arrivé ? que je m'inquiète.

— Rien... On a vu de belles photos sur ton Facebook, quelqu'un a mis un lien sur ta page. « Trippant » l'excursion dans le désert ?

— Mets-en ! Ce doit être les Français que j'ai rencontrés. Vraiment gentils ! J'ai un pied-à-terre en France maintenant ! Les filles ne sont pas là ?

— Non, je suis toute seule.

Je lui raconte les faits saillants du désert. Elle rit, mais pas sincèrement. Je tente de nouveau de savoir pourquoi.

— Ge, qu'est-ce que t'as ?

— Rien… Regarde le tableau. Les gars sont vraiment innocents ! dit-elle. Elle approche la webcam de l'ardoise afin que je distingue bien ce qu'on y a écrit.

Section des filles :
Ben là, « melons » ? ? ? T'es myope mon amour ! Des « litchis royaux » peut-être… - Sacha

Section des gars :
Ce soir, je pogne mes « melons royaux » à pleines mains ! - Hugo
Ha ! Ha ! Ha ! Les « totons royaux », j'aime ça ! ! ! - Chad

— C'est vraiment con ! que je rigole.

— Bon, je dois te laisser. Je rejoins…

— Rick ?

— Oui, affirme-t-elle en souriant.

— T'es certaine que ça va ? que je réitère.

— Voyons ! Tu t'imagines quoi ? lance-t-elle, convaincante.

Bizarre… Assurément, elle me cache quelque chose. Peut-être un problème avec Rick ? Je la salue avant d'éteindre la caméra.

Je vais voir mes courriels. Deux messages de Bobby. Je lis le plus ancien en premier pour suivre le fil de la conversation.

« Belle Mali,

Ouf ! Plus qu'un spectacle après quelques entrevues, et retour à la maison !

Oui, en effet, Nathalie et Matt, c'est le match parfait. En fait, c'est un peu pour ça que je l'ai invitée, quand j'ai su que l'attachée de presse du bureau ne pouvait pas venir. Elle a toujours été en couple depuis que je la connais, mais elle est nouvellement célibataire. Je savais qu'elle et Matt, ça collerait ! Mais la mauvaise conséquence est ma solitude dans la Ville lumière.

Pas grave. Moi aussi, je réfléchis… Beaucoup à la suite de ce que tu m'as révélé en fait. Que tu avais de la difficulté à me parler et tout ça. C'est vrai que je t'ai imposé des limites au tout départ, mais je croyais qu'en me mettant en couple avec toi, ces limites-là s'envoleraient. Tu sais que je ne suis pas du genre à dire "je t'aime", mais peut-être que je ne te montre pas assez que je tiens à toi ? L'expression des sentiments, ce n'est pas mon fort, mais je vais tout de même tenter de faire un effort !

Je t'embrasse fort,

Bobby xxx »

Ah ! Il est trop craquant ! Ce voyage va vraiment faire évoluer notre relation sainement, je pense ! Voyons voir le deuxième message. Je l'ouvre. Curieusement, c'est une partie de mon précédent message qui se trouve en haut de la page et une partie du message est souligné…

« Pour ma part, <u>je suis toujours toute seule, mais c'est bien comme ça</u> ! Je suis bien, ça fait changement du brouhaha du *condo*. J'ai visité le Taj Mahal hier. »

« Est-ce que tu me prends pour un cave, ciboire ? »

Et il n'a même pas signé. De quoi parle-t-il ? Pourquoi est-il en colère ? Je me prends la tête en ne comprenant rien. J'allume subitement. J'ouvre une nouvelle fenêtre Internet pour aller voir mon Facebook. Comme Ge m'a dit, il y a effectivement des photos du trek dans le désert. Je passe rapidement la douzaine de photos en revue…

— Merde !

Ce sont les photos de la Française, et comme Samuel me suivait dans la file de dromadaires, il est avec moi sur toutes les photos. Comme si ce n'était pas suffisant, il y a un cliché où nous cognons nos verres de bière ensemble, assis l'un près de l'autre, et un autre la nuit dans le désert, où nous rions couchés côte à côte. Zut ! Et ce n'est pas tout, Samuel a commenté sous une photo : « Ce fut un plaisir de faire ta connaissance, belle Mali ! xxx »

C'est n'importe quoi ! Oui, nous avons dormi dans le désert l'un à côté de l'autre, mais nous étions tous en rang d'oignons les uns près des autres, chacun dans nos couvertures respectives. Il n'y a eu aucun flirt entre lui et moi. Aucun. Je le jure sur la tête de ma mère ! Comment voulez-vous que je défende mon point de vue avec de telles photos ? Mais la question reste : « Comment ça, Bobby va sur Facebook maintenant ? » Je suis embêtée ! Enragée, j'efface rapidement les photos sur mon profil. Après coup, je le regrette instantanément. Je vais paraître encore plus suspecte de les avoir effacées. Je relis le message de Bobby : « Est-ce que tu me prends pour un cave, ciboire ? » Il est vraiment hors de lui ! Je lui réécris de ce pas.

« Eille ! Eille ! Eille ! Bébé, c'est n'importe quoi ? J'ai fait un trek dans le désert en groupe, c'est un gars qui se trouvait dans mon groupe, c'est tout. Il ne s'est absolument rien passé avec lui… Voyons donc ! J'ai convenu avec les gens qui nous accompagnaient d'échanger nos photos. C'est un hasard si ce gars se trouvait derrière moi dans la file… Crois-moi, je te le jure… Dis-moi que tu me crois… »

J'envoie le message. Qu'est-ce que je peux faire de plus ? L'appeler ! Oui ! Je me dirige vers le commis qui offre aussi un service de téléphonie internationale. Je suis trop énervée pour tenir compte du décalage. Je compose son numéro. Ça va me coûter les yeux de la tête, mais ça vaut la peine. Ça sonne… Aucune réponse. Zut ! Sa boîte vocale est pleine. Re-zut !

La patiente tombe complètement en bas de son nuage d'amour à cause d'une situation indépendante de sa volonté. Le malentendu est non négligeable, car il laisse clairement sous-entendre qu'elle a eu une relation extraconjugale durant son voyage. Madame Allison se retrouve dans une situation d'impuissance totale, étant donné les difficultés de communication entre elle et son conjoint.

Elle doit rationaliser le fait que, d'ici quelques jours à peine, elle aura la possibilité d'éclaircir les faits de vive voix avec lui.

Le BIG BUCK a malheureusement tout à fait raison d'être inquiet…

Un singe s'approche de moi dans la rue. Il semble intrigué par mon livre.

— Chiiii…, que je crache pour lui faire peur.

En temps normal, je l'aurais observé et je me serais amusée de sa présence, mais aujourd'hui il m'énerve.

Tristesse sur Khao San Road

Je marche sur la rue centrale, avec mon sac sur le dos, en direction de mon hôtel habituel, le regard triste, les yeux vides. Je descends tout juste du taxi qui me ramenait de l'aéroport. Ça fait trois jours que j'angoisse à la suite du message de Bobby et surtout par rapport à son mutisme persistant. J'ai cessé de tenter de le joindre. Après six appels. Je ne sais pas ce que la liaison internationale inscrit sur son afficheur, mais je ne veux pas avoir l'air d'une détraquée, s'il est en mesure de déduire que les appels proviennent de moi. Je lui ai réécrit deux courriels le suppliant de dire quelque chose, et toujours rien… Il m'a réquisitionné mon droit de bouder pour se l'approprier avec abus, je trouve.

J'ai passé une drôle de fin de voyage en Inde. Perdue entre deux sentiments extrêmes. Tantôt je me dis : « Bien non, Mali, ce n'est rien. Dans quelques jours, vous allez vous parler et tout va rentrer dans l'ordre… » Et ensuite, je fabule : « C'est fini, il ne va jamais me croire et va me quitter… »

J'achète un pad thaï sur le chemin afin de me nourrir un peu. Mon truc # 3 me laisse en bouche une saveur de déception. Il a un goût ordinaire. Khao San Road est ordinaire. Mon voyage est ordinaire.

Est-ce parce que je suis partie pour les mauvaises raisons que mon périple tourne mal ? Pourquoi suis-je punie pour un geste d'infidélité que je n'ai pas commis ? Je me sens comme dans un labyrinthe sans issue, prise au piège par la vie…

Ma demande au nâga

En me levant, les yeux un peu bouffis parce que j'ai pleuré cette nuit, je décide de me reprendre en main. Je partirai juste demain matin pour mon île ; aujourd'hui, je prends soin de moi. Bangkok me paraît le lieu idéal pour ça. Au programme : massage thaï, traitement facial, manucure, pédicure, méditation dans un temple, repas gastronomique et verre de vin. Voilà !

Je déguste un petit pain sur le pouce avant de me rendre au même centre de beauté où j'étais allée lors de mon dernier séjour ici. Khao San en regorge et les prix des soins sont ridicules. La femme à la réception m'accueille jovialement. Lorsque je lui énumère tout ce que je veux, elle m'entraîne dans une salle pour me donner un peignoir et elle me sert un thé vert en même temps. Une musique douce joue dans les haut-parleurs desquels sortent des sons parasites, mais bon… On focalise : bonheur, prendre soin de moi, je suis zen… Je sursaute lorsqu'une esthéticienne me touche le bras. Zen, ai-je dit ?

Elle me fait un long traitement facial, pendant qu'une autre jeune fille s'occupe de ma pédicure après m'avoir doucement lavé les pieds. Je me détends. Je tente de faire le vide dans ma

tête, ça marche. En fait, je m'endors un peu. Je somnole doucement jusqu'au moment où on m'annonce que c'est terminé. Un
autre thé vert m'attend. Décidément, on me bourre d'antioxy-
dant ! Massage maintenant. Petite précision : le massage thaï
n'est pas ce qu'il y a de plus relaxant. Les femmes qui ont toutes
l'air plus minuscules les unes que les autres sont très fortes en
fait. C'est un peu comme un massage-yoga : on monte debout
sur notre dos, pour ensuite nous tordre dans tous les sens.
Chaque fois, on se dit : « Je vais être très mal en point demain
matin… », mais étrangement, non. Je n'ai jamais entendu
personne se plaindre de douleurs musculaires à la suite d'un
massage thaï. Au contraire ! Et la routine est toujours la même,
donc cela prouve que les Thaïlandais apprennent vraiment avec
rigueur la technique avant de masser les touristes.

Je sors du salon plusieurs heures plus tard, détendue. La tête
presque vide, la bonne humeur presque revenue. Trouvons un
temple, maintenant. Pas difficile, il y en a partout. Je cherche
dans mon livre et je repère un petit temple bouddhiste, ouvert au
public, à trois coins de rue d'ici.

En pénétrant dans le sanctuaire, j'aperçois beaucoup de
touristes qui ne font que visiter l'endroit. J'enlève mes sandales
et je me dirige plutôt vers l'extrémité avant pour ne pas être
dérangée. Quelques moines s'y trouvent. Aucun ne se formalise
de ma présence. Je m'assois en position du lotus et je ferme les
yeux en inclinant la tête.

Je reviens à la réalité beaucoup plus tard, sans savoir combien
de temps ma séance a duré. C'est probablement la méditation la
plus efficace de ma vie. Ne penser à rien, c'est très difficile. Je fais
un tour visuel de la place en reprenant mes esprits. Un moine
au crâne chauve, assis en diagonale derrière moi, me sourit. Il
doit avoir tout au plus une quarantaine d'années. On dirait que
l'on s'imagine toujours les moines vieux et sages, avec des

sourcils blancs. Ici, on croise des enfants en voie de devenir moines. Je me lève pour me diriger vers la sortie. Dans le support à chaussures extérieur, je n'y trouve qu'une seule de mes sandales. Voyons ? Les touristes qui visitent les temples ne font pas toujours attention de bien ranger leurs souliers et de ne pas déplacer ceux des autres. Me voyant chercher quelque chose, le moine qui m'a souri vient à ma rencontre. Dans un anglais presque parfait, il m'offre son aide en observant attentivement l'exemplaire droit que je tiens dans la main. Il déplace soigneusement une grosse sandale Crocs orange, en s'interrogeant visiblement sur l'allure du soulier bizarre. J'avoue que ça peut surprendre ! Il trouve finalement la mienne.

— Vous habitez Bangkok ? me demande-t-il, curieux, toujours dans la langue de Shakespeare.

— Non, pourquoi ?

— Les touristes viennent habituellement voir le temple avec leurs yeux et non y méditer avec leur âme…

Je soulève les épaules en souriant, ne sachant pas trop quoi répondre.

— Vous voulez voir les jardins, madame ?

— Oui, avec plaisir !

Il m'emmène vers une rue adjacente où une porte donne sur le domaine du temple. Il joint ses mains sous son menton pour saluer le gardien, et entre. Je le suis en faisant de même. Nous pénétrons immédiatement dans une immense cour centrale où se trouvent des végétaux magnifiques. Beaucoup de variétés de saules pleureurs. Mon arbre préféré. Des fleurs magnifiques jonchent le sol. Naturellement, il y a plusieurs variétés d'orchidée, fleur emblématique de la Thaïlande. Je suis soufflée par tant de beauté. Trois arbustes au centre sont taillés en forme d'éléphant. Une fontaine s'y élève au milieu comme pour abreuver le trio à longues défenses. Un gros serpent massif muni de trois têtes de dragon se tient au milieu de la structure. L'eau s'échappe doucement par leur gueule qui semble fourmiller de dents.

— C'est magnifique... Est-ce que je peux faire un vœu près de cette fontaine ?

Il rit en m'invitant à venir m'asseoir avec lui sur un petit banc de métal, en face de l'attrait central du jardin.

— Vous souhaitez très fort quelque chose, madame ? m'interroge-t-il, en semblant admirer le décor autour de lui comme si c'était la première fois qu'il le voyait.

— Je souhaite beaucoup de choses, que j'avoue, honnête.

— Cet être est un nâga, l'esprit des eaux, le protecteur du monde ; il représente le cycle du temps. La croyance bouddhiste explique que lorsqu'un nâga apparaît devant un humain, il revêt lui aussi une forme humaine pour ne pas l'effrayer.

— Vous en êtes peut-être un, alors ? que je plaisante, en fixant toujours la curieuse bête dans la fontaine.

Le moine glousse, mais ne répond pas. Vous allez sûrement me trouver bizarre, car sans savoir pourquoi, j'ai envie de lui parler de quelque chose qui est tout à fait hors contexte.

— Comment peut-on convaincre quelqu'un à qui on a dit la vérité qu'on n'a pas menti, contrairement à ce qu'il pense ?

Il fait un signe affirmatif de la tête, l'air songeur. Il ne dit rien pendant un long moment. Un très long moment. Les gens n'aimant pas le silence (comme un certain Gaétan !) l'auraient déjà brisé en deux. Moi, je le savoure. Je resterais là des heures durant. En silence avec lui.

— Un enseignant que j'ai eu disait toujours : « Les questions sont des clés qui ouvrent les portes de la vérité... »

Hypnotisée par l'eau crachée par les dragons, je songe à la citation. Le moine marque de nouveau une pause et poursuit :

— Après coup, ce même professeur disait toujours : « Et le cerisier qui fleurit en hiver est un imbécile ! », avant de rire aux éclats. Je n'ai jamais compris pourquoi il trouvait cette histoire de cerisier si drôle, m'explique-t-il en semblant se remémorer de bons souvenirs.

Je songe à Jy Hong. Je dois vraiment la retenir pour lui. Je suis convaincue qu'il va aussi mourir de rire en m'entendant dire cela. Je réfléchis à la première affirmation concernant les questions. Bobby n'a pas posé de questions. Il a seulement dit : « Me prends-tu pour un cave, ciboire ? » Bien que techniquement, il faille lui accorder un point, c'est bel et bien une question.

— La vérité gagne toujours, madame, me rassure le moine en admirant le firmament.

J'essaye de fixer le même espace que lui dans le ciel. Comme si le simple fait de l'imiter allait du coup me transmettre toute sa plénitude. Hélas, ma peur reste et mes angoisses aussi. Comme s'il entendait mes tourments intérieurs, mon sage voisin me propose :

— Demandez au nâga. Il entend et ressent les gens.

Comme s'il venait de me donner la clé de l'énigme, je me lève doucement pour m'approcher de la fontaine. Est-ce que j'y crois ?

Je ne sais pas. Je ferme les yeux pour faire le vide dans ma tête afin de bien formuler ma demande.

Quelques instants plus tard, j'ouvre les yeux et je me retourne vers le banc. Il est vide. J'entends du bruit à ma droite. Ah ! Le moine est là, près d'un arbre ! Pendant une fraction de seconde, je me croyais dans un film fantastique où les personnages secondaires disparaissent après avoir révélé un indice important au héros principal. Cette histoire de nâga stimule vraiment mon imagination, je pense. Je rejoins le moine et nous visitons le reste du jardin, en silence, tranquillement.

L'art de lâcher prise

« Écoute bébé, je sais que c'est le troisième message que je t'écris et c'est le dernier. Je veux juste te dire que nous nous parlerons à mon retour. Tu n'as pas d'autre choix de toute façon que de me laisser m'expliquer. Tu poseras toutes tes questions et je vais y répondre le plus honnêtement possible. Je ne peux rien faire d'autre pour le moment.

Je t'aime très fort,

Mali xxx »

Eh oui, je lui ai lancé un « je t'aime » comme ça, en plein visage. Je le pense, donc je l'écris. Voilà ! Ce n'est quand même pas un crime ! Je réglerai ça avec lui, à mon retour. Pour le moment, je pars dans les îles afin de continuer de me faire plaisir en plongeant et je dois m'en réjouir. Oui, j'adore mon *chum* et, oui, je suis folle de lui, mais je n'ai rien fait de mal, je ne vais pas me ronger les sangs pour quelque chose que je n'ai pas fait ! Point à la ligne.

J'écris un message aux filles leur disant que, comme je vais être sur une petite île, je ne suis pas certaine d'avoir accès à une webcam. De toute façon, on va toutes se voir très bientôt.

Sans abri

Kho Chang : quelle île magnifique ! Toute petite, coquette. Pas uniquement axée sur la plongée comme Utila au Honduras, mais tout de même, j'ai tout ce dont j'ai besoin ici pour m'amuser. Ma hutte de bambou est géniale. Comme elle se trouve un peu en altitude, je dois grimper quelques escaliers pour y accéder. J'ai déniché une école où j'ai acheté un forfait de dix plongées que je peux utiliser n'importe quand au cours de la semaine. Je n'ai qu'à inscrire mon nom sur un grand tableau la veille et le tour est joué. Malheureusement, aujourd'hui, je suis arrivée trop tard pour le dernier départ du jour. Demain matin à la première heure, je serai à bord, les palmes prêtes, le tuba dans la bouche et les yeux grand ouverts pour tout voir.

Sans trop m'en rendre compte, je bifurque vers un café Internet avant d'aller me coucher. Je suis zen, zen, zen (probablement à cause du nâga), mais je reste tout de même un tantinet dans l'attente.

Vlan ! Rotation cardiaque spectaculaire. Un courriel de LUI. Pas trop tôt ! Je détruis presque la touche gauche de la souris pour y accéder le plus rapidement possible. J'ouvre. Titanesque déception... Je lis :

« OK »

OK quoi ? Je retourne voir mon courriel précédent, que je relis en diagonale. Bon, il approuve que nous nous parlions à mon retour. C'est assez bref. Abrégé, comme on dit ! J'ai beau observer les deux lettres pendant longtemps, aucune information supplémentaire n'en surgit.

J'ai aussi un courriel de Sacha.

« Salut la voyageuse,

Je dois te communiquer une nouvelle qui nous a sautés dans la face hier : on perd le *condo* en juillet. La petite famille revient habiter au Québec. La femme était désolée de nous apprendre ça à moins de deux mois d'avis, mais ils viennent juste de savoir que le contrat de son mari ne se renouvelait pas. Elle était bien contente de ne pas avoir vendu le *condo* l'année dernière finalement.

Je t'annonce aussi que, pour ma part, j'emménage chez Hugo ! Et que je suis enceinte ! Aaaaaaaaaaaaah ! Non, ce n'est pas vrai, je ne suis pas enceinte, mais je déménage avec lui pour vrai ! Je ne sais pas ce que les autres filles vont faire... Ç'a brassé beaucoup ici pour elles en ton absence. Je leur laisse le soin de t'en parler elles-mêmes à ton retour.

Donc voilà, il ne faut pas se mettre la tête dans l'autruche : la consœurie est dans la rue ! Tu auras le temps de réfléchir à tout ça à ton retour. Peut-être que tu vas aller vivre chez Bobby ? ☺

En tout cas, j'ai hâte de te voir, dis-nous quand tu reviens, on ira te chercher à l'*aéropuerto* si ton *chum* est d'accord !

Profite bien de la fin de ton voyage !

Je t'aime Sacha xxxx »

Bon, on est sans abri ! On dirait que je ne pensais même plus à ça. Comme si le *condo* nous appartenait définitivement. Que vais-je faire ? Sûrement pas aller vivre avec Bobby, si elle savait... Que s'est-il passé dans la vie des filles ? Pour Ge, j'avais déduit qu'elle n'en menait pas large l'autre jour, mais Cori ? Mon frère ? Pourquoi les filles ne me parlent-elles pas ? Je suis loin, mais pas morte quand même ! On dirait que trois cents millions de choses se passent en mon absence.

Je relis son message en souriant : « … ne pas se mettre la tête dans l'autruche… » Sacrée Sacha !

Déjà le retour

Sur le bateau qui me ramène sur la terre ferme pour prendre l'autocar pour Bangkok, je pense à ma semaine et à l'aspect thérapeutique que la plongée sous-marine effectue sur moi à tout coup. Dans le fond de la mer, on ne pense pas. On ne réfléchit pas à ce qui est arrivé à Ge, à Cori ou à ce qui va se passer avec Bobby. Non, on observe, on nage et on apprécie. C'est ce que j'ai fait comme une championne et douze fois au lieu de dix finalement. J'ai racheté deux plongées supplémentaires pour ce matin. Je vais arriver tard à Bangkok, mais ce n'est pas grave. J'aurai vécu mon bonheur jusqu'au bout. Est-ce que j'ai hâte de rentrer à Montréal ? Oui… non… un peu… peut-être. Beaucoup d'ambivalence dans le cœur de la guerrière qui craint un peu pour la suite des choses. Où vais-je habiter ? Dans quel état sera Bobby ? J'ai presque deux jours de vol pour me torturer les méninges avec tous les scénarios les plus terribles qu'il est possible d'imaginer ! Je vais tenter de me « geler » au Gravol pour bien dormir.

➡ **Truc de routarde professionnelle # 10 : envoyez-vous deux Gravol en arrière de la cravate pour tous les vols de plus de six heures !**

J'ai écrit aux filles hier l'heure de mon arrivée en sol québécois. Je crois que je n'aurai pas le temps de vérifier leur confirmation avant mon départ demain matin. Bah ! Je leur fais confiance. Il y aura quelqu'un à l'aéroport pour m'accueillir, j'en suis certaine.

Qui sera à l'aéroport ?

Je rectifie le conseil de voyage précédent (# 10) : les Gravol, ça ne marche pas quand on a un bébé de dix-huit mois comme voisin ! Un enfant, c'est drôle, c'est mignon, ça fait sourire dans presque toutes les situations… sauf une. Dans un avion, sur un vol de treize heures, ce n'est pas charmant et ça ne fait pas rire ! Est-ce qu'il y a des bébés qui prennent l'avion et que le voyage se déroule sans pleurs pour eux ? En même temps, on ne peut pas les enfermer dans la soute à bagages… Les toilettes, peut-être ? Non, j'exagère, mais je suis épuisée. En me regardant dans le miroir, à l'aéroport de Newark où je transitais, j'ai eu peur. Il m'est apparu un scénario dingue en tête : imaginez que les consœurs, pour être sympathiques, aient appelé Bobby pour qu'il me cueille à l'aéroport… Imaginez que lui, trop mal à l'aise de leur raconter notre dispute, accepte… Imaginez que je franchisse la porte de sortie avec cette tête et qu'il se tienne là devant moi, les bras croisés soudés ensemble à cause de son « boudage » extrême… Imaginez que l'on se fasse un déni de groupe en faisant comme si de rien n'était, malgré notre chicane internationale… Scénario peu réjouissant, hein ? Il ne faut pas qu'il soit là.

Debout devant le carrousel à bagages, j'attends mon sac en n'étant étrangement pas si pressée qu'il arrive. J'ai comme une vague envie de dormir sur un banc, ici. Non, il ne sera pas là. Je veux que ce soit planifié quand on va se voir. Organisé. Prévu.

Après avoir passé les contrôles douaniers, je sens la fébrilité des voyageurs rien qu'à leurs pas, qui s'accélèrent dans le long corridor. C'est drôle, je me sens comme à contre-courant. Le petit poisson, qui tente de donner des coups de nageoires vers l'arrière, se fait tout de même entraîner malgré lui par la force du courant provoqué par le reste du banc. En arrivant près des fameuses grandes portes, je dois m'encourager mentalement à faire les quatre derniers pas. Je sors. Bon, je regarde autour. Sans grande surprise, je ne repère personne de connu. J'entends par contre :

— Mali !

Dieu soit loué ! La voix de Ge. Le petit poisson frétille de soulagement ! Les quatre filles sont là ! Nous effectuons un cocon de groupe en nous emboîtant les unes dans les autres dans une accolade simultanée. Un vrai jeu de Tetris réussi ! Il n'y a aucun courant d'air qui passe. Je suis contente de les voir.

— Tu n'es pas bronzée, hein ? se déçoit Sacha lorsque nous dénouons nos corps.

— J'étais soit habillée jusqu'au cou en Inde, soit toujours en dessous de l'eau en Thaïlande. Ça ne bronze pas fort, ça…

— T'es comme une hippie sale, commente Ge.

— Ça fait quarante-huit heures que je suis dans les avions ! Excusez-moi de ne pas dégager une fraîcheur printanière !

— On va te prendre de même !

— Merci ! C'est gentil de votre part. Besoin d'un manteau ?

— Non, juste d'un chandail long, me précise Cori, qui me lance un de mes kangourous préférés que j'enfile en jouissant précocement de son confort.

— Huuuuummmm…

— C'était presque un orgasme, ça ! souligne Ge, en commentant le râlement que j'ai fait en me lovant dans mon chandail.

— Je pense que c'en était un, que je précise, l'air sérieux.

Plus tard, je produis un autre son du même genre en m'asseyant dans le véhicule de Sacha.

— Huuummmm…

— Coudonc ! Es-tu en manque ? s'étonne Sacha.

— Non, je réalise que je vieillis. Les voyages d'aventure, c'est le *fun*, mais le confort aussi.

— On est des matantes ! crie Cori, sans raison.

— Des matantes pas mal cachottières en tout cas. Qui commence ? que je lance sur un ton de reproche, en faisant allusion aux événements inconnus qui se sont passés en mon absence.

— Moi, ce n'est rien de dramatique. Ton frère a perdu sa *job*. Mise à pied de personnel par manque de travail.

— QUOI ? que je beugle.

— Regarde, tu capotes sans même savoir l'histoire. C'est pour ça qu'on ne voulait pas te le dire quand tu étais là-bas. Il a déjà eu une entrevue pour un poste semblable à Saint-Hyacinthe.

— Il a pris ça comment ? Il travaillait à cet endroit depuis dix ans !

— Bien, tu connais ton frère ! Il a rationalisé que ce devait être pour le mieux afin de relever de nouveaux défis.

— Eh bien ! Tant mieux alors, que je me raisonne.

Un silence groupal et des échanges d'œillades bizarres me laissent présager que le prochain sujet à venir sera surprenant. Je brise la pause qui s'éternise.

— C'est quoi, là ? Sacha a tué le policier à mains nues, vous l'avez découpé et congelé sous forme de cubes ?

— Tu n'es pas loin…

— VOYONS ! que je m'écrie, trop inquiète.

— Mali, euh… Françoise est innocente, commence Ge, assise près de moi à l'arrière de la voiture.

Je la regarde sans rien dire en me demandant qui cela pourrait être.

— C'est Louis…

— Louis ? que je répète, en ne sachant pas à qui nous faisons référence ici.

— Louis, de son pseudo Rick…

— Quoi ?

— Mon ex-*chum* est en prison. Maintenu incarcéré jusqu'à son procès pour des chefs d'accusation de vol, de fraude de plus de cinq mille dollars, de falsification d'identité, tu veux que je continue ?

— Tabarnak ! que je m'exclame, complètement sous le choc.

Je me tourne vers Ge en tentant de percevoir son émotion. De la rancœur ? De la tristesse ? Non, elle est comme en colère, mais détachée de la situation.

— Donc voilà, tu te souviens de ce que sa mère m'avait dit ?

— Oui, votre relation malsaine…, dis-je en comprenant tout à coup pourquoi la mère de Rick, euh… de Louis, avait mis Ge en garde.

— C'est de père en fils en plus ! Son père est incarcéré à Archambault[26] depuis deux ans.

— Il n'est pas mort, lui ? Il est aussi incarcéré pour des crimes économiques, je suppose ?

— Oui madame !

— La clé… Il en avait fait un double ? que je déduis.

— Oui, la police l'a retrouvée chez lui, mais on a fait changer la serrure quand même.

— Je ne comprenais vraiment pas pourquoi il était là quand j'arrivais au *condo* ou quand je sortais de la douche. Je pensais que tu lui prêtais ta clé, que c'était arrangé avec toi, que je confie après coup.

— Je ne lui ai jamais prêté ma clé. Moi, je croyais que c'était vous qui lui ouvriez la porte, avoue Ge.

— Ça n'a pas de bon sens ! Il a fouillé dans toutes nos affaires, que je commente en mettant ma main devant la bouche.

— Il a passé combien de temps tout seul à flâner dans le *condo*, tu penses ? ajoute Cori.

— *Flabbergasted* ! que j'ajoute, bouche bée.

— Mais ce n'est pas un mauvais gars ; il m'a appelée quand il s'est fait arrêter, ironise Ge en se tournant vers moi.

---

[26] Pénitencier fédéral à sécurité moyenne, situé à Sainte-Anne-des-Plaines.

— Pas vrai ? Pour te dire quoi ? Qu'il allait nous rembourser ? que je spécule.

— Bien non, pour me dire qu'il m'aimait…

— Maudit malade mental ! que je crie de rage, tellement assommée par toute cette histoire. Toi, comment t'as su ?

— T'es prête ? C'est assez dégueulasse merci : sa photo dans le journal. Il a fraudé deux autres femmes, agentes d'immeubles, explique Ge en fermant les yeux, découragée.

— Une chance que t'as vu ça ! Sinon, il serait juste disparu dans la brume !

— Probablement… Et c'est dans l'article que j'ai lu : « de père en fils ».

— Imagine si je l'avais croisé dans quelques mois en supervisant un stagiaire ! que je fabule.

— Ç'aurait été possible. Si ça arrive dans tes prochaines supervisions, j'ai un coup de pied au cul à faire livrer, rage Ge, en secouant la tête.

— Ge, je ne peux croire que tu vives encore une histoire à dormir debout, que je déclare en la regardant, traumatisée.

— Écoute, je l'ai dit aux filles : c'est terminé ! Terminé le sexe. Je suis en période d'abstinence indéterminée, jusqu'à ce que je me marie, cibole.

Je me tourne vers elle, pas certaine de savoir si elle plaisante ou si elle est sérieuse. Cori, qui s'était tournée vers nous, me confirme.

— C'est vrai. Ge a pris cette décision-là.

— Oh oui ! Et c'est sans appel. C'est assez, là ! lâche Geneviève, catégorique.

Un autre silence lourd envahit l'habitacle. Personne ne sait quoi dire.

— Les filles, je suis enceinte ! déclare Sacha au volant de la voiture.

— HEIN ? crie Ge, ahurie.

— QUOI ? hurle Cori tout aussi stupéfaite.

Sacha se tait quelques instants avant d'annoncer, le visage impassible :

— Ben non, ce n'est pas vrai...

— Elle m'a fait le coup moi aussi, mais par courriel, que j'explique aux filles, qui soufflent bruyamment en se remettant de leur émotion.

— T'es tarte ! C'est quoi l'idée ? lui reproche Ge, les bras en l'air.

— Quoi ? C'est pour tester vos réactions. Pour me donner un avant-goût lorsque ça va arriver pour vrai ! explique-t-elle, enjouée, avec son petit air enfantin.

— Elle est tellement épaisse, commente Cori en s'accotant sur l'appuie-tête, l'air découragé.

Sans être capable de me retenir, je texte Bobby pour lui raconter l'histoire troublante.

« Allô, tu ne devineras jamais. Rick est en prison, c'est un fraudeur. C'est lui qui nous a volées ! »

Il va être tellement en colère lui aussi. Il me répond aussitôt.

« Pas vrai ? Ça n'a aucun sens ! »

Je réponds :

« Je viens d'arriver à l'instant. J'ai hâte qu'on s'explique, bébé... »

Il réécrit :

« Si tu veux, viens ce soir. »

Je regarde ma montre, il est vingt heures. Vite, je vais prendre une douche et le rejoindre. Je me sens sur l'adrénaline, de toute façon, avec toutes ces histoires !

« OK, je me douche et je te rejoins. Je suis très contente. »

Vous voyez comme la vie est simple quand on ne réfléchit pas de midi à quatorze heures. Sans tout analyser en profondeur, je lui ai écrit la nouvelle impulsivement et le résultat est que je m'en vais régler la situation chez lui.

J'explique aux filles le malentendu avec mon *chum*. Je ne leur avais pas dit. Cachottière, moi aussi !

— Tu veux que je sois honnête ? Quand j'ai vu les photos sur ton profil, je me suis dit : « Une chance que son *chum* n'est pas un "facebookien" parce qu'il aurait trouvé ça louche », m'avoue Ge.

— Mais il ne s'est tellement rien passé avec ce gars-là, que je confirme, les bras en l'air.

Cori se tourne vers moi, en me fixant, pour déceler la présence ou non de mensonge sur mon visage.

— Eille ! Je le jure ! Voyons ! que je m'insurge, offusquée de sentir que même les consœurs en doute.

— On te croit ! rectifie Sacha en souriant.

— Vous êtes bien mieux ! que je réplique, soulagée.

Je tourne la tête vers la vitre de mon côté. La nature semble revivre en ce début de printemps. Le Québec, ma maison ! J'ai quand même été loin de chez moi un petit bout de temps. Je suis contente d'être de retour et surtout heureuse de m'en aller voir mon homme pour répondre à ses questions afin de le convaincre que je suis fidèle et honnête. Avec l'onde de choc que les photos ont semblé créer, ce ne sera pas une mince tâche.

Le visage rond et les doux yeux bridés de mon ami moine apparaissent dans ma tête… « Les questions sont des clés qui ouvrent les portes de la vérité. » J'ai l'impression d'entendre sa voix me rappeler cette phrase…

Un mois plus tard…

— Comment veux-tu qu'on entre à deux là-dedans discrètement ? que je demande en analysant la situation.

— Je ne sais pas, mais ça m'excite ben raide ! me déclare Bobby en levant les sourcils en l'air.

— On ne peut pas entrer là en même temps ! que je rectifie.

— Non, toi tu entres et je te rejoins…

— Pourquoi moi en premier ? que je m'obstine inutilement.

— Peu importe *Babe*, je vais tellement te baiser dans ces toilettes-là ! lance-t-il en me faisant un clin d'œil.

Eh oui, nous en sommes au fameux soir de l'exécution de la satanée gageure. Vous êtes donc en mesure de déduire que la réconciliation s'est bien passée, il y a un mois. En fait, ça a même trop bien été. Quand je suis arrivée chez lui ce soir-là, il s'est excusé d'avoir fait l'enfant en ne me donnant pas de nouvelles pendant plusieurs jours avant de me lancer son « OK » plate. Il a ensuite avoué avoir été jaloux en voyant les photos. Ce sentiment de jalousie lui a fait comprendre à quel point il tenait à moi et surtout à quel point rien ni personne n'était jamais acquis dans la vie. Belle réflexion ! Nous avons par la suite ouvert la période de questions en rafale : lui, concernant Samuel et l'Asie, moi par rapport à la France et à la Gingras, euh… non, à Nathalie. Excusez ! Je ne la hais plus depuis que je sais qu'elle sort avec Matt Damon ! En couple officiellement ces deux-là ! C'est à cause de Matt justement que Bobby a vu mon profil Facebook. En voyage, Matt s'amusait sur son iPad quand il a voulu montrer quelque chose à Bobby sur Facebook. Celui-ci, curieux, a ensuite demandé à Mathieu de lui montrer mon profil. Voilà la clé de l'énigme !

À ce propos, Bobby et moi avions beaucoup de clés pour ouvrir la porte de la vérité ce soir-là ! Ma constatation ? Je crois que le fait de l'avoir vu jaloux de la sorte m'a donné une liberté d'action dans ma relation de couple. Comme si sa vive réaction me donnait dorénavant le droit de réagir à mon tour quand des événements me déplaisent ou que des situations sont ambiguës. Les discussions par courriel durant le voyage ont aussi ouvert une porte sur notre réflexe de non-dits conjugaux. Nous avons même convenu de nous écrire lorsque nous semblerons incapables de nous parler. Voilà un avantage notable d'avoir un *chum* auteur-compositeur-interprète !

— Donc j'entre et tu me rejoins trois minutes après ? que je m'assure comme si c'était réellement important.

— On s'en fout, là ! Va dénuder tes petites fesses en cœur dans la salle de bain, dit-il en souriant.

Il est complètement allumé, lui ! Moi, complètement nerveuse ! C'est sûr que si on nous surprend, nous aurons l'air de deux épais ! Prête pas prête, j'y vais !

J'entre dans les toilettes comme si de rien n'était. En fermant la porte, je souffle comme si je m'en allais faire un vol de banque de douze millions de dollars. À peine une minute plus tard, Bobby entre en riant et verrouille immédiatement la porte avec un minuscule crochet.

— Eh là ! Ça fait même pas trois minutes ! que je lui reproche.

— Je m'en sacre… Viens icitte, toi !

Il m'attrape par l'arrière du cou et m'attire contre lui ferme-ment pour m'embrasser. Une fois là, la porte barrée, on dirait que je me laisse aller un peu plus au jeu. Il semble tellement excité que je ne peux pas faire autrement que de l'être aussi. Il me fait pivoter face contre le mur. J'appuie mes deux paumes de chaque côté du distributeur à papier à main pendant qu'il m'embrasse partout derrière la nuque. Trois secondes et quart plus tard, il me fait l'amour silencieusement, debout, dans cette toilette… Encore trois secondes et quart plus tard, il termine de me faire l'amour, debout, dans cette toilette.

— Cibole ! C'est bien trop excitant, ça ! J'ai perdu le contrôle totalement ! chuchote-t-il en appuyant sa tête sur mon dos encore vêtu.

— Pas grave, voyons ! Ce n'était pas le temps que tu te retiennes, là ! que je murmure, en me replaçant les cheveux devant le petit miroir.

La toilette ne doit pas faire plus de quatre pieds carrés. Je le regarde attacher son pantalon. Ce qu'il est beau avec sa petite barbe de trois jours. Il s'avance vers moi pour me donner deux becs sur les joues, en susurrant :

— Bon bien, c'était le *fun* ! On se reprend !

J'embarque dans sa plaisanterie.

— Bien oui, tu repasseras, gêne-toi pas ! Je ne suis pas sorteuse !

Nous rions en tentant de ne pas faire trop de bruit.

— Bon, la sortie aussi c'est une grosse étape, dis-je en poussant le crochet.

— Je sors et, quelque temps après, tu me rejoins !

— OK !

Bobby ouvre discrètement la porte. Il s'arrête net en y apercevant Jy Hong, debout devant la salle d'eau, comme s'il attendait que nous sortions. Je mets ma main devant ma bouche, horriblement gênée. Il sourit largement et demande, en avançant d'un pas vers nous :

— Vous avez fait « pouf pouf » ici avec la banane royale, comme le papier disait ?

Ah *my god* ! You Go lui avait vraiment dit. Quel innocent ! Tout le monde fut beaucoup trop impliqué dans toute cette aventure. Bobby se retourne vers moi, les bras écartés, comme pour dire :

« Voyons donc ! Comment il sait ça, lui ? » Jy Hong tape un petit coup dans ses mains.

— Je vais dire à Suzy Kha que vous l'avez fait !

Il part en trombe dans la cuisine. Découragés, nous sortons des toilettes en même temps comme si, de toute façon, la terre entière était au courant de notre escapade. Nous nous asseyons en hochant la tête. Suzy Kha sort à demi du rideau, bloquant l'accès visuel à la cuisine, et lève son pouce en l'air en notre direction. Par réflexe, nous lui renvoyons la pareille, avant de nous regarder et de pouffer de rire.

— C'est n'importe quoi ! que je commente en riant.

— Je n'ai jamais vécu une affaire de même ! ajoute Bobby, en haussant les épaules et les sourcils en même temps.

— Tu devrais l'annoncer à ta prestation ce soir ! Tant qu'à y être !

Jy Hong revient vers nous. Il nous regarde en souriant, comme s'il attendait réellement un compte-rendu technique de notre aventure.

— Jy Hong, tu savais que le cerisier qui fleurit en hiver est un imbécile ? que je lui lance pour faire diversion.

— Pouah !

Sans surprise, il rit aux éclats en se tapant sur les cuisses. Bobby plisse le front, en souriant de façon automatique, pas certain de trouver l'humour de sa blonde si savoureux.

Sans mot

Ce soir, Bobby chante au téléthon Opération Enfant Soleil. Nous avons tous décidé d'y aller, afin de soutenir la cause une partie de la nuit. Depuis mes traitements l'année dernière, tout va bien. Je n'ai jamais eu de nouveaux symptômes, jamais de rechutes non plus et les médicaments fonctionnent bien. La maladie reste un terrain connu pour moi donc je tenais beaucoup à accompagner Bobby à cette soirée. Tout le monde est déjà à Québec. Comme mon *chum* avait une entrevue à la radio cet après-midi, nous n'avons pas pu nous y rendre avant.

— Bonjour, c'est un immense plaisir pour moi d'être ici ce soir et je tenais à préciser à tous les gens du Québec que ma blonde et moi avons finalement forniqué dans les toilettes du Chinois ! Bravo ! plaisante-t-il sur la route, en lâchant le volant pour applaudir, comme s'il allait dire cela à sa prestation ce soir.

Nous arrivons au Pavillon de la Jeunesse, sur le site d'Expo-Cité, une heure avant sa performance. Ge, Sacha, Hugo, Cori et Chad sont déjà installés à une table, en face de la scène principale. Nous les rejoignons.

— *Yes big dick* ! Faque t'as fait ça comme un homme ? déclare Chad en levant son poing en l'air en direction de Bobby.

— *Big dick,* c'est toi ! rectifie Bobby en serrant la main de mon frère.

— Avec ce que t'as fait, c'est rendu toi *boy* ! ajoute Chad.

— Il a fait quoi ? que je questionne, même si je me doute bien de quoi on parle.

— Te « swigner » dans les toilettes ! répond mon frère en levant les sourcils.

— Comment sais-tu ça ? que je m'écrie en regardant Bobby, qui me fait un haussement d'épaules me signifiant : « Il n'y a rien là ! »

— Tu ne me l'avais même pas dit ? se plaint Coriande en toisant mon frère.

— Non, je l'avais juste dit à Hugo ! répond Chad, fier de son coup.

— OK ! On se fout de qui l'a dit ou pas dit... On se fout complètement de toute cette histoire de toute façon. Continuez de vivre votre vie individuellement ! Nous, on va poursuivre la nôtre, d'accord ? que j'exagère en faisant des spirales avec mes bras.

Bobby m'embrasse avant de partir en coulisse. Je m'assois avec le groupe.

— Françoise aussi avait bien hâte de savoir si vous alliez le faire ou non dans les toilettes, avance Sacha.

— Ben voyons ! Vous lui avez dit à elle aussi ? que je m'insurge.

— Non ! Elle a deviné ! répond Sacha, en me faisant un clin d'œil.

Françoise a recommencé à travailler pour nous dès que je suis revenue de voyage. Ge avait déjà entrepris les démarches auprès de l'agence de location de personnel pour disculper la pauvre femme accusée à tort. Nous lui avons écrit une lettre d'excuses et avons demandé qu'elle revienne travailler pour nous. Elle était ravie ! Même si ce n'était que pour quelques mois. Ge et moi allons emménager ensemble dès qu'elle trouvera quelque chose à son goût. Elle veut acheter et moi non, donc elle me louera une chambre dans son nouveau *condo*. On passe de quatre à deux ! Si ça se trouve, on va peut-être réengager Françoise dans notre nouveau logis.

— En changeant de sujet, t'aimes ton nouvel emploi, mon frère ? que je demande à Chad, en me retournant vers lui.

— Oui, un peu tanné de voyager par contre. J'ai hâte qu'on déménage, dit-il en prenant la main de Coriande.

— Je me dis qu'en vivant avec lui, je vais être en mesure de le voir de temps en temps ! plaisante Cori en lui faisant une grimace.

Chad et Coriande se sont loué un appartement entre Montréal et Saint-Hyacinthe, le lieu de travail de mon frère. Au départ, ce dernier voulait acheter une maison, mais Cori trouvait ça trop tôt. Un appartement, c'est moins engageant. La mère de celle-ci revient définitivement vivre à Montréal au cours de l'été. Coriande ne le laisse pas trop paraître, mais dans le fond de son cœur, je sais qu'elle est contente. Qui sait ? Hélène va peut-être se joindre au partenariat externe ?

— Toi Sacha, toujours enceinte ? dis-je pour la taquiner.

Hugo se redresse sur sa chaise. Il se tourne vers elle en disant, ému :

— Mon amour ?

Sacha se retourne vers moi.

— Il est bon, hein ! Il va avoir une super belle réaction quand ça va être pour vrai...

— Tu dis ! Ça fait environ douze fois qu'elle me fait croire ça. Je ne te croirai même pas quand ça va être pour vrai ! Quand tu vas venir grosse, oui ! précise Hugo en perdant d'un seul coup l'air heureux qu'il avait feint pour agacer Sacha.

Sacha le frappe avec la paume de la main, faussement vexée.

— Coudonc, à parler de bébé de même, êtes-vous en train de nous dire que vous essayez ? que je m'informe, curieuse.

— En tout cas, moi, j'ai bien hâte d'effiler mes baguettes, lance Cori, hors contexte.

— Ce soir ? que je me renseigne, complice.

— Oui madame ! répond-elle, confiante.

— De quoi vous parlez ? s'enquiert Hugo.

Personne ne lui répond. Les lumières s'intensifient dans l'espace où nous sommes. L'action, qui se déroulait depuis tantôt sur une autre scène, semble vouloir se déplacer ici. Les consœurs échangent des regards complices. Annie Brocoli, qui anime ce segment, apparaît devant nous. Nous l'applaudissons.

— Eille ! C'est un de mes fantasmes, elle ! Je voudrais bien qu'elle m'effile la baguette, chuchote Hugo, en applaudissant intensément.

Sacha roule des yeux en se retournant vers moi.

Annie Brocoli répète machinalement les numéros de téléphone pour les téléspectateurs qui veulent faire des dons, puisque le téléthon est diffusé en direct à TVA.

Elle annonce ensuite :

— Sans plus attendre, je vous présente un autre invité spécial, un chanteur généreux et tellement talentueux...

Et elle nomme mon *chum*.

Je le regarde entrer sur scène, sa guitare en bandoulière, à l'arrière de son dos. Ge me fait un grand sourire. Il approche timidement du micro pour saluer la foule, qui l'applaudit encore. Lorsque les bruits cessent, il prend le micro dans ses mains.

— Vous savez, la cause pour laquelle on est tous réunis ici ce soir me touche particulièrement. De prime à bord, à cause des enfants qui, selon moi, devraient jouer et s'amuser au lieu d'être à l'hôpital. Deuxièmement, à cause de la maladie. Une personne très près de moi, que j'aime beaucoup, a traversé une épreuve, l'année dernière, en raison d'une maladie.

Il prend une pause, il s'approche légèrement de notre table. Bien que je sois sous le choc, je lui souris.

— Ma blonde que j'adore s'est battue comme une championne et pour ça, je la remercie. Je t'admire, Mali.

Il nous tourne le dos pour retourner à sa place sur la scène.

— Que ce soit à cause de quelqu'un qu'on connaît ou juste à cause d'une histoire dont on a entendu parler, on est tous touchés, de près ou de loin, par la maladie un jour. C'est inacceptable quand c'est un adulte, donc imaginez quand c'est un enfant.

Il repose le micro dans son socle, saisit sa guitare par la courroie et me lance un clin d'œil avant d'annoncer :

— La première, je vous la fais juste à la guitare.

Comme activés par des ficelles invisibles, ses doigts s'activent sur les cordes de son instrument. Tout le monde reconnaît l'air de la chanson et la foule accueille en applaudissant la ballade romantique qui fut si populaire tout au long de l'année dernière. Sacha me prend la main sous la table. Hugo me sourit. Son choix musical n'est pas une grande surprise pour personne...

« Toi tu voyages, et l'amour te suit... Toi tu voyages, et l'amour aussi... »

Il termine la chanson les yeux vrillés directement dans les miens. Je lui darde une œillade. Il poursuit la musique avec deux chansons accompagnées de ses musiciens.

Submergée par tant d'émotion, je le fixe sans réellement écouter. Il me reste tant de mystères à découvrir sur lui, tant de moments à vivre avec lui. On dirait que plus nous avançons côte à côte, plus nous évoluons solidement. Notre chemin amoureux est parsemé de piétinements et de pas de géant. Comme si nous stagnions de temps à autre jusqu'à ce que quelque chose se passe, et hop ! Un pas de géant ! Difficile de l'expliquer en mots.

Monsieur a dit le mot « blonde » à la télé ! Je suis probablement passée à la télévision et je ne le sais même pas. Et vlan dans les dents à toutes les filles qui avaient envie de mettre le grappin sur le beau chanteur célibataire !

Mon téléphone vibre. Ma mère... Oh, probablement que je suis réellement passée à la télévision si elle m'appelle comme ça. Je ne réponds pas. Cinq minutes plus tard, elle rappelle. Un message texte entre :

« On t'a vue à télé ! C'était beau... Bye. »

Mon père avec son « Bye » tout le temps. Donc, on m'a vue à l'écran. *Shit !* Je n'ai jamais pensé à ça. Je faisais juste le regarder, lui. Si j'avais su, je me serais préparé une face !

Bobby, qui vient de terminer sa chanson, discute un moment avec Annie Brocoli. Il remercie la foule et envoie la main en quittant la scène pour retourner aux loges. L'action se déplace sur une autre scène.

— Ouin ! On passe pour des pas bons à côté de lui nous autres, se plaint Hugo en se tournant vers Sacha.

— C'est comme dans les usines. Quand il y a un gars qui travaille plus fort que les autres, on va lui dire de freiner la pédale un peu, pour ne pas avoir l'air de se pogner le beigne ! théorise mon frère.

— Ne dites rien, vous autres ! dis-je en pointant en alternance les deux gars avec mon index.

— *Hey !* s'exclame Bobby en arrivant derrière moi.

— *Hey !* T'es bon, bébé ! que je le complimente, pas très originale.

— C'est pas mal l'extrême romantique que je peux être, avoue-t-il en regardant les autres à table.

— C'est correct de même, le rassure Chad, en levant une main en guise d'approbation.

— J'aimerais que tu viennes avec moi une minute, me demande Bobby en me prenant la main.

— Hein ? Où ça ? que je m'informe, anxieuse.

Je regarde Ge qui me fait un visage ingénu semblant dire : « Je ne sais pas de quoi on parle ici... » Je le suis docilement jusqu'à la limite des tables et des chaises, là où sont les grosses caisses sur roulettes servant à mettre les décors et les instruments de musique. Bobby semble stressé. Il s'assoit sur une de ces caisses.

— Écoute Mali, je ne suis pas le meilleur pour parler sauf quand je suis sur une scène. C'est comme si mon personnage de chanteur avait plus de couilles que moi !

Je souris de sa blague. Il semble réellement très nerveux.

— J'ai quelque chose pour toi.

Il sort une boîte de bijou en velours bleu.

— Mali, je trouve ça le *fun* nous deux, je trouve qu'on est bons, on est beaux. On fonctionne à notre rythme, on se laisse vivre pis on apprend…

Je fais « oui » de la tête pour acquiescer à sa déclaration.

— Faque… C'est pour ces raisons et pour bien d'autres que je te donne ça…

Il me tend la petite boîte. Je l'ouvre doucement. L'objet de métal qu'il renferme est plus gros que prévu. C'est une clé !

— Voilà, je pourrais être romantique et te dire que c'est la clé de mon cœur, mais celle-là, tu la possèdes déjà, donc… C'est la clé de chez nous !

Wow ! Cet objet-là a bien plus de valeur et de signification pour moi qu'une bague ou n'importe quel autre bijou. Il m'ouvre tout grand son univers. Je le serre dans mes bras, longtemps, en l'embrassant sur la tempe.

— Merci ! que je lui sussure à l'oreille.

Comme le moment est très intense en émotion, Bobby ramène le tout à un niveau acceptable pour lui.

— Tu n'as rien pour moi ?

— Non ! Je vais te donner ma clé quand je vais emménager chez Ge ? que je propose, l'air désolé.

— Oui ! Cachée entre tes deux seins en portant un déshabillé *sexy* noir, réclame-t-il.

— Crime ! Gaétan se commande une belle pizza, hein ! Toute garnie en plus !

— On rejoint les autres ?

— Oui. Ne dis rien en arrivant. Je vais leur faire une blague.

Comme le spectacle se déroule toujours sur une autre scène, les lumières sont revenues à la normale et nous pouvons discuter librement. Lorsque nous arrivons près de la table, les filles me fixent avec appréhension. Comme une gamine, je me mets la main devant la bouche en brandissant la boîte dans les airs !

— OH MON DIEU ! Ce n'est pas ce que je pense ? s'époumone Sacha, hystérique.

Je fais oui de la tête, la main toujours devant la bouche, presque les larmes aux yeux. Mali la comédienne !

— VOUS ALLEZ VOUS MARIER ? crie Ge, presque en arrêt cardiorespiratoire.

— Ah ben simonaque ! beugle mon frère.

Je change subitement d'air, avant de m'asseoir et de dire tout simplement :

— Ce n'est pas vrai !

— NIAISEUSE ! maugrée Sacha en relâchant les épaules.

— Quoi ! C'était pour tester vos réactions. Pour me donner un avant-goût si un jour ça arrive pour vrai !

Tout le monde s'esclaffe à table. Je pivote lentement la tête vers Bobby. L'espace-temps semble se figer. Plus rien ne bouge. Ses yeux me capturent... À la même fraction de seconde, nous échangeons respectivement un clin d'œil complice accompagné d'un large sourire. Je crois que le nâga m'a entendue...

Enfin, Madame Allison, alias la patiente, est heureuse ...

Le BIG BUCK le semble aussi...

Marquis imprimeur inc.

Québec, Canada
2012